전기공사
기사·산업기사 필기
회로이론 및 제어공학

SD에듀
(주)시대고시기획

전기공사기사 · 산업기사 필기
회로이론 및 제어공학

Always with you

사람의 인연은 길에서 우연하게 만나거나 함께 살아가는 것만을 의미하지는 않습니다.
책을 펴내는 출판사와 그 책을 읽는 독자의 만남도 소중한 인연입니다.
SD에듀는 항상 독자의 마음을 헤아리기 위해 노력하고 있습니다.
늘 독자와 함께하겠습니다.

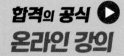

본 교재는 전기공사(산업)기사 자격증 취득을 위한 1차 필기시험 대비 수험서로서 쉽고 빠른 자격증 취득을 돕기 위해 기본이론과 중요이론, 그리고 기사, 산업기사 과년도 기출문제를 모두 장별로 분류하고 수록하였으며 이에 해설과 풀이를 통해 본 교재를 가지고 공부하시는 분들이 다른 유형의 문제도 풀 수 있도록 하였습니다.

현재 기출문제는 예전과 달리 동일한 문제가 반복적으로 출제되는 게 아니라 조금씩 변화를 주며 출제되고 있는 상황이라 이에 맞게 내용에 충실하게 교재를 준비하였습니다.

본 교재는 중요부분의 이론은 내용설명을 충실히 하였고, 가끔 출제는 되나 그 내용이 중요하지 않은 부분은 간단하게 암기할 수 있도록 만들었습니다.

끝으로 본 교재로 필기시험을 준비하시는 수험생 여러분들에게 깊은 감사를 드리며 전원 합격하시기를 기원하겠습니다.

오·탈자 및 오답이 발견될 경우 연락을 주시면 수정하여 보다 나은 수험서가 되도록 노력하겠습니다.

편저자 씀

시험안내

개 요

전기는 생산, 수송, 사용에 이르기까지의 모든 설비를 전기특성에 적합하게 시공되어야 안전하다. 이에 따라 전력시설물을 안전하게 시공하고 검사하기 위한 전문인력을 양성할 목적으로 자격제도를 제정하였다.

수행직무 및 진로

공사비의 적산, 공사공정계획의 수립, 시공과정에서 전기의 적정 여부 관리 등 주로 기술적인 직무를 수행한다. 또한, 공사현장 대리인으로서 시공자를 대리하여 현장관리를 하는 동시에 발주자에 대해서는 시공자를 대신하여 업무를 수행한다.

시험일정

구 분	필기원서접수 (인터넷)	필기시험	필기합격 (예정자) 발표	실기원서접수 (인터넷)	실기시험	최종 합격자 발표일
제1회	1.23 ~ 1.26	2.15 ~ 3.7	3.13	3.26 ~ 3.29	4.27 ~ 5.12	1차 : 5.29 / 2차 : 6.18
제2회	4.16 ~ 4.19	5.9 ~ 5.28	6.5	6.25 ~ 6.28	7.28 ~ 8.14	1차 : 8.28 / 2차 : 9.10
제3회	6.18 ~ 6.21	7.5 ~ 7.27	8.7	9.10 ~ 9.13	10.19 ~ 11.8	1차 : 11.20 / 2차 : 12.11

※ 상기 시험일정은 시행처의 사정에 따라 변경될 수 있으니, www.q-net.or.kr에서 확인하시기 바랍니다.

시험요강

❶ 시행처 : 한국산업인력공단(www.q-net.or.kr)
❷ 관련 학과 : 대학의 전기공학, 전기시스템공학, 전기제어공학 등 전기 관련 학과
❸ 시험과목
　㉠ 필기 : 전기응용 및 공사재료(산업기사 제외), 전력공학, 전기기기, 회로이론 및 제어공학(산업기사 제외), 전기설비기술기준
　㉡ 실기 : 전기설비 견적 및 시공
❹ 검정방법
　㉠ 필기 : 객관식 4지 택일형, 과목당 20문항(과목당 30분)
　㉡ 실기 : 필답형(기사 2시간 30분, 산업기사 2시간)
❺ 합격기준
　㉠ 필기 : 100점을 만점으로 하여 과목당 40점 이상, 전 과목 평균 60점 이상
　㉡ 실기 : 100점을 만점으로 하여 60점 이상

출제기준

필기과목명	주요항목	세부항목
회로이론 및 제어공학	1. 회로이론	1. 전기회로의 기초
		2. 직류회로
		3. 교류회로
		4. 비정현파교류
		5. 다상교류
		6. 대칭좌표법
		7. 4단자 및 2단자
		8. 분포정수회로
		9. 라플라스변환
		10. 회로의 전달함수
		11. 과도현상
	2. 제어공학 (산업기사 제외)	1. 자동제어계의 요소 및 구성
		2. 블록선도와 신호흐름선도
		3. 상태공간해석
		4. 정상오차와 주파수응답
		5. 안정도판별법
		6. 근궤적과 자동제어의 보상
		7. 샘플값제어
		8. 시퀀스제어

구성과 특징

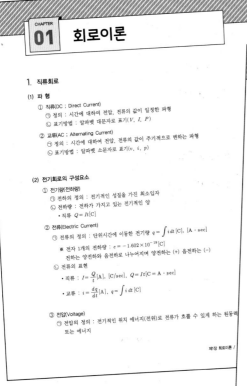

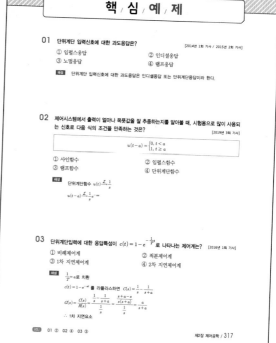

핵심이론

철저한 출제기준 분석에 따른 전기공사기사·산업기사 합격을 위한 필수적인 핵심이론을 수록하였습니다. 시험과 관계없이 두꺼운 기본서의 복잡한 이론은 이제 그만! 시험에 꼭 나오는 이론을 중심으로 효과적으로 공부하십시오.

핵심예제

최근 7개년 기출문제와 해설을 단원별로 정리하였습니다. 핵심을 꿰뚫는 상세한 해설을 수록하여 효율적인 학습이 가능하도록 하였습니다.

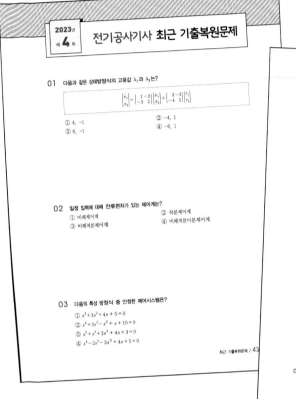

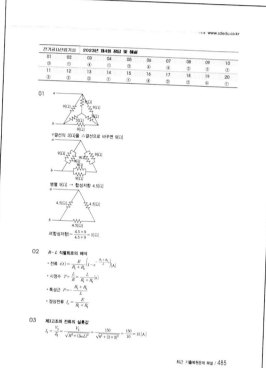

최근 기출복원문제

가장 최근에 시행된 기출문제를 실제 시험과 같은 형식으로 복원하여 자신의 실력을 최종적으로 점검할 수 있도록 하였습니다.

정답 및 해설

가장 최근에 복원된 기출문제의 명쾌하고 상세한 해설을 수록하여 놓친 부분을 다시 한 번 확인할 수 있도록 하였습니다.

전기공사

기사 · 산업기사 필기

SERIES **4**

회로이론 및 제어공학

전기공사
기사 · 산업기사
필기　　SERIES **4**

회로이론 및 제어공학

합격의 공식
온라인 강의

잠깐!

혼자 공부하기 힘드시다면 방법이 있습니다.
SD에듀의 동영상강의를 이용하시면 됩니다.
www.sdedu.co.kr → 회원가입(로그인) → 강의 살펴보기

CHAPTER
01 회로이론

1. 직류회로

(1) 파 형

① 직류(DC ; Direct Current)
  ㉠ 정의 : 시간에 대하여 전압, 전류의 값이 일정한 파형
  ㉡ 표기방법 : 알파벳 대문자로 표기(V, I, P)

② 교류(AC ; Alternating Current)
  ㉠ 정의 : 시간에 대하여 전압, 전류의 값이 주기적으로 변하는 파형
  ㉡ 표기방법 : 알파벳 소문자로 표기(v, i, p)

(2) 전기회로의 구성요소

① 전기량(전하량)
  ㉠ 전하의 정의 : 전기적인 성질을 가진 최소입자
  ㉡ 전하량 : 전하가 가지고 있는 전기적인 양
    • 직류 $Q = It[\text{C}]$

② 전류(Electric Current)
  ㉠ 전류의 정의 : 단위시간에 이동한 전기량 $q = \int i\,dt\,[\text{C}]$, $[\text{A} \cdot \sec]$

    ※ 전자 1개의 전하량 : $e = -1.602 \times 10^{-19}[\text{C}]$
      전하는 양전하와 음전하로 나누어지며 양전하는 (+) 음전하는 (−)
  ㉡ 전류의 표현

    • 직류 : $I = \dfrac{Q}{t}[\text{A}]$, $[\text{C}/\sec]$, $Q = It[\text{C} = \text{A} \cdot \sec]$

    • 교류 : $i = \dfrac{dq}{dt}[\text{A}]$, $q = \int i\,dt\,[\text{C}]$

③ 전압(Voltage)
  ㉠ 전압의 정의 : 전기적인 위치 에너지(전위)로 전류가 흐를 수 있게 하는 원동력
    또는 에너지

ⓒ 전압의 표현

- 직류 : $V = \dfrac{W}{Q}[\mathrm{J/C}],\ [\mathrm{V}]$

- 교류 : $v = \dfrac{dw}{dq}[\mathrm{V}]$

④ 저항(Resistance)과 컨덕턴스(Conductance)

ㄱ 저 항

- 전류의 흐름을 방해 또는 일을 하는 소자

- 도체의 저항 : $R = \rho\dfrac{l}{A}[\Omega]$

ㄴ 컨덕턴스

저항의 역수로 전류가 흐르기 쉬운 정도를 나타내는 특성, $G = \dfrac{1}{R}[\mho],\ [\mathrm{S}]$

(3) 옴의 법칙(Ohm's Law)

① 옴의 법칙

도체에 흐르는 전류는 전압에 비례하고 저항(임피던스)에 반비례한다는 법칙

② 옴의 법칙의 식

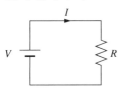

ㄱ 직 류

$$V = IR[\mathrm{V}] \rightarrow V = \dfrac{I}{G}[\mathrm{V}]$$

$$I = \dfrac{V}{R}[\mathrm{A}] \rightarrow I = GV[\mathrm{A}]$$

$$R = \dfrac{V}{I}[\Omega] \rightarrow G = \dfrac{I}{V}[\mho]$$

ㄴ 교 류

$$I = \dfrac{V}{Z},\ V = IZ,\ Z = \dfrac{V}{I}$$

(4) 저항과 컨덕턴스의 직 · 병렬접속

① 저항의 직 · 병렬접속

㉠ 직렬접속

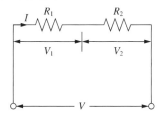

- 직렬연결 : 전류는 각 저항에 일정하게 흐르며 전압은 각 저항에 비례 분배

$$V = V_1 + V_2\,[\mathrm{V}] = IR_1 + IR_2 = I(R_1 + R_2)$$

- 합성저항

$$R_0 = R_1 + R_2\,[\Omega]$$

$$R_0 = R_1 + R_2 + R_3 + \cdots\cdots + R_n = \sum_{k=1}^{n} R_k\,[\Omega]$$

- 전체에 흐르는 전류(전전류)

$$I = \frac{V}{R_0} = \frac{V}{R_1 + R_2}$$

- 전압분배 법칙

$$V_1 = \frac{R_1}{R_1 + R_2}\,V, \quad V_2 = \frac{R_2}{R_1 + R_2}\,V$$

- 배율기

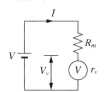

전압계의 측정범위를 확대하여 측정하기 위해 내부저항 $r_v\,[\Omega]$의 전압계에 직렬로 연결하는 큰 저항인 $R_m\,[\Omega]$

$$R_m = (m-1)r_v\,[\Omega], \quad 배율 = \left(1 + \frac{R_m}{r_v}\right)$$

ⓛ 병렬접속

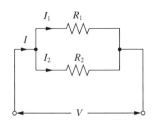

• 병렬연결 : 전압은 각 저항에 일정하며 전류는 각 저항에 반비례 분배

$$I = I_1 + I_2 = \frac{V}{R_1} + \frac{V}{R_2} = V\left(\frac{1}{R_1} + \frac{1}{R_2}\right)$$

$$V = I \times \frac{1}{\dfrac{1}{R_1} + \dfrac{1}{R_2}} = I \times \frac{R_1 R_2}{R_1 + R_2}$$

• 합성저항

$$R_0 = \frac{R_1 R_2}{R_1 + R_2}[\Omega]$$

$$\frac{1}{R_0} = \frac{1}{R_1} + \frac{1}{R_2} + \frac{1}{R_3} + \cdots + \frac{1}{R_n} = \sum_{k=1}^{n} \frac{1}{R_k}[1/\Omega]$$

• 전체에 걸린 전압(전전압)

$$V = R_0 I = \frac{R_1 R_2}{R_1 + R_2} I[\mathrm{V}]$$

• 전류 분배법칙

$$I_1 = \frac{R_2}{R_1 + R_2} I, \ \ I_2 = \frac{R_1}{R_1 + R_2} I$$

• 분류기

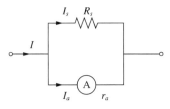

전류계의 측정범위를 확대하여 측정하기 위해 내부저항 $r_a[\Omega]$의 전류계에 병렬로 연결하는 작은 저항 $R_s[\Omega]$

$$R_s = \frac{r_a}{n-1}[\Omega], \ \ 배율 = \left(1 + \frac{r_a}{R_s}\right)$$

② 컨덕턴스의 직·병렬접속

㉠ 직렬접속

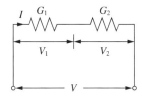

- 직렬연결 : 전류는 각 컨덕턴스에 일정하게 흐르며, 전압은 반비례 분배

$$V = V_1 + V_2 = \frac{I}{G_1} + \frac{I}{G_2} = I \times \left(\frac{1}{G_1} + \frac{1}{G_2} \right) [\text{V}]$$

$$I = \frac{V}{\dfrac{1}{G_1} + \dfrac{1}{G_2}} = \frac{G_1 G_2}{G_1 + G_2} \times V$$

- 합성컨덕턴스

$$G_0 = \frac{G_1 G_2}{G_1 + G_2}$$

- 전체에 흐르는 전류(전전류)

$$I = G_0 V = \frac{G_1 G_2}{G_1 + G_2} V$$

- 전압분배

$$V_1 = \frac{I}{G_1} = \frac{G_2}{G_1 + G_2} V, \quad V_2 = \frac{I}{G_2} = \frac{G_1}{G_1 + G_2} V$$

ⓛ 병렬접속

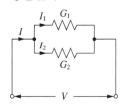

• 병렬연결 : 전압은 각 컨덕턴스에 일정하게 걸리며 전류는 비례 분배

$$I = I_1 + I_2 = G_1 V + G_2 V = (G_1 + G_2) V \, [\mathrm{A}]$$

$$V = \frac{I}{G_1 + G_2}$$

• 합성컨덕턴스

$$G_0 = G_1 + G_2 \, [\mho]$$

• 전체에 걸리는 전압(전전압)

$$V = \frac{I}{G_0} = \frac{I}{G_1 + G_2} \, [\mathrm{V}]$$

• 전류분배

$$I_1 - G_1 V = \frac{G_1}{G_1 + G_2} I, \; I_2 = G_2 V = \frac{G_2}{G_1 + G_2} I$$

(5) 전력(Electric Power)과 기전력(E.M.F.)

① 전력($P[\mathrm{W}]$)

전기가 단위시간(1[sec]) 동안 한 일의 양

$$P = V I = I^2 R = \frac{V^2}{R} = \frac{W}{t} \, [\mathrm{W}]$$

㉠ 전력량($W[\mathrm{J}]$) : 전기가 일정한 시간(t [sec]) 동안 한 일의 양

$$W = Pt = V I t = I^2 R t = \frac{V^2}{R} t \, [\mathrm{J} = \mathrm{W} \cdot \sec]$$

㉡ 열량($H[\mathrm{cal}]$)

$$H = 0.24 W = 0.24 Pt = 0.24 V I t = 0.24 I^2 R t = 0.24 \frac{V^2}{R} t \, [\mathrm{cal}]$$

$$1[\mathrm{cal}] \fallingdotseq 4.2[\mathrm{J}]$$

$$1[\mathrm{J}] \fallingdotseq 0.24[\mathrm{cal}]$$

② 전지의 기전력

　㉠ 내부저항이 있는 전지의 연결

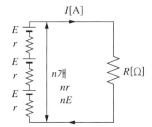

$$E = I \cdot (r + R) = I \cdot r + I \cdot R = I \cdot r + V$$

$$I = \frac{E - V}{r}$$

　㉡ 전지의 직렬연결(n개)

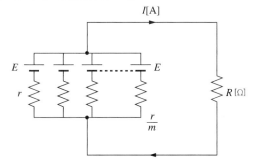

　　전력은 n배 증가하고 용량은 일정

$$I = \frac{nE}{nr + R} [\text{A}]$$

　　부하저항과 내부저항이 같을 때 최대 전력 조건

　㉢ 전지의 병렬연결(m개)

　　용량은 m배 증가하고 기전력은 일정

$$I = \frac{E}{\dfrac{r}{m} + R} [\text{A}]$$

　㉣ 전지의 직렬(n개), 병렬(m개) 연결

$$I = \frac{nE}{\dfrac{n}{m}r + R} [\text{A}]$$

핵 / 심 / 예 / 제

01 10[Ω]의 저항 5개를 접속하여 얻을 수 있는 합성저항 중 가장 적은 값은 몇 [Ω]인가?

[2020년 3회 산업기사]

① 10
② 5
③ 2
④ 0.5

해설 합성저항이 제일 클 때 → 직렬
합성저항이 제일 작을 때 → 병렬
$$R_0 = \frac{R}{N} = \frac{10}{5} = 2[\Omega]$$

02 그림과 같은 회로에서 $a-b$ 단자에서 본 합성저항은 몇 [Ω]인가?

[2015년 3회 산업기사]

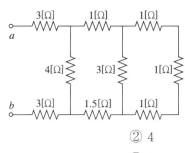

① 2
② 4
③ 6
④ 8

해설 오른쪽에서 왼쪽으로 계산한다.
회로 전체저항 : $R_T = 3 + 3 + R_2$
$R = 1 + 1 + 1 = 3$
3[Ω]과 3[Ω]의 병렬합성저항은 $3/2 = 1.5[\Omega]$
$1 + 1.5 + 1.5 = 4[\Omega]$
4[Ω]과 4[Ω]의 병렬합성저항은 $4/2 = 2[\Omega]$
∴ $R_T = 3 + 2 + 3 = 8[\Omega]$

01 ③ 02 ④ **정답**

03 옴의 법칙은 저항에 흐르는 전류와 전압의 관계를 나타낸 것이다. 회로의 저항이 일정할 때 전류는?

[2017년 1회 산업기사]

① 전압에 비례한다.
② 전압에 반비례한다.
③ 전압의 제곱에 비례한다.
④ 전압의 제곱에 반비례한다.

해설 저항이 일정할 때 $\uparrow I = \dfrac{V \uparrow}{R}$

04 단자 $a - b$에 30[V]의 전압을 가했을 때 전류 I는 3[A]가 흘렀다고 한다. 저항 $r[\Omega]$은 얼마인가?

[2014년 2회 산업기사 / 2019년 3회 산업기사]

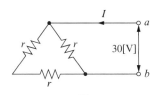

① 5   ② 10
③ 15   ④ 20

해설 옴의 법칙에서 $R = \dfrac{V}{I} = \dfrac{30}{3} = 10[\Omega]$ ················· ⓐ

회로에서 $R = \dfrac{2r^2}{2r + r}[\Omega]$ ······························· ⓑ

ⓐ과 ⓑ이 같으므로 $10 \times 3r = 2r^2$

∴ $r = 15[\Omega]$

05 그림과 같은 회로에서 r_1 저항에 흐르는 전류를 최소로 하기 위한 저항 $r_2[\Omega]$는?

[2017년 1회 산업기사 / 2020년 1, 2회 산업기사]

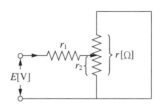

① $\dfrac{r_1}{2}$

② $\dfrac{r}{2}$

③ r_1

④ r

해설

$$R_0 = r_1 + \frac{r_2(r-r_2)}{r_2+(r-r_2)} = r_1 + \frac{r_2(r-r_2)}{r}$$

전류를 최소로 하기 위해서 R_0가 최대, r_1은 일정하므로 $r_2(r-r_2)$가 최대이어야 한다.

$$\frac{d}{dr_2}\{r_2(r-r_2)\}=0$$

$$r-2r_2=0$$

$$r=2r_2$$

$$\therefore r_2 = \frac{1}{2}r \left(\text{※ 무조건 } \frac{1}{2}\text{로 외우기}\right)$$

06 그림과 같이 $r=1[\Omega]$인 저항을 무한히 연결할 때 $a-b$에서의 합성저항은?

[2016년 2회 기사]

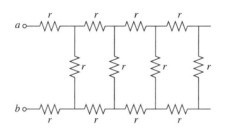

① $1+\sqrt{3}$

② $\sqrt{3}$

③ $1+\sqrt{2}$

④ ∞

해설

$$R = 2 + \frac{R}{1+R}$$

$$R = \frac{2+2R+R}{1+R}$$

$$R^2 + R = 3R+2$$

$$R^2 - 2R - 2 = 0$$

$$R = \frac{2 \pm \sqrt{2^2+4\times2}}{2} = \frac{2\pm\sqrt{12}}{2} = 1\pm\sqrt{3}$$

∴ 저항은 (+)이므로 $R=1+\sqrt{3}$

07 $i = 3t^2 + 2t$ [A]의 전류가 도선을 30초간 흘렀을 때 통과한 전체 전기량[Ah]은?

[2016년 3회 기사 / 2021년 3회 기사]

① 4.25

② 6.75

③ 7.75

④ 8.25

해설

$$Q = \int_0^t i(t)dt = \int_0^{30} (3t^2 + 2t)dt = \left[3 \times \frac{1}{3}t^3 + 2 \times \frac{1}{2}t^2 \right]_0^{30}$$

$$= \left[3 \times \frac{1}{3} \times 30^3 + 2 \times \frac{1}{2} \times 30^2 - 3 \times \frac{1}{3} \times 0^3 - 2 \times \frac{1}{2} \times 0^2 \right]$$

$$= 27,900[\text{A} \cdot \text{sec}] \times \frac{1[\text{h}]}{3,600[\text{sec}]} = 7.75[\text{Ah}]$$

08 다음 중 정전용량의 단위 [F](패럿)와 같은 것은?(단, [C]는 쿨롱, [N]은 뉴턴, [V]는 볼트, [m]은 미터이다)

[2018년 1회 산업기사]

① $\left[\dfrac{\text{V}}{\text{C}} \right]$

② $\left[\dfrac{\text{N}}{\text{C}} \right]$

③ $\left[\dfrac{\text{C}}{\text{m}} \right]$

④ $\left[\dfrac{\text{C}}{\text{V}} \right]$

해설

$$Q = CV \rightarrow C = \frac{Q}{V}[\text{F}]$$

정답 07 ③　08 ④

09 회로에서의 전류방향을 옳게 나타낸 것은?

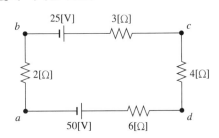

① 알 수 없다.

② 시계 방향이다.

③ 흐르지 않는다.

④ 반시계 방향이다.

해설

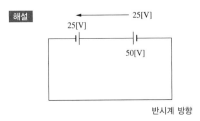

반시계 방향

10 회로에서 V_{30}과 V_{15}는 각각 몇 [V]인가?

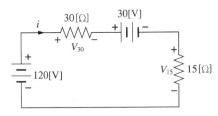

① $V_{30} = 60$, $V_{15} = 30$

② $V_{30} = 80$, $V_{15} = 40$

③ $V_{30} = 90$, $V_{15} = 45$

④ $V_{30} = 120$, $V_{15} = 60$

해설
$V = 120 - 30 = 90[\text{V}]$

$I = \dfrac{V}{R} = \dfrac{90}{45} = 2[\text{A}]$

$V_{30} = IR_{30} = 2 \times 30 = 60[\text{V}]$

$V_{15} = IR_{15} = 2 \times 15 = 30[\text{V}]$

11 다음과 같은 회로에서 a, b 양단의 전압은 몇 [V]인가? [2019년 1회 산업기사]

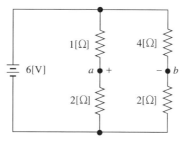

① 1

② 2

③ 2.5

④ 3.5

해설

$$V_a = \frac{1}{1+2} \times 6 = 2\,[\text{V}]$$

$$V_b = \frac{4}{4+2} \times 6 = 4\,[\text{V}]$$

$$V_{ab} = |V_a - V_b| = 2\,[\text{V}]$$

12 그림의 사다리꼴 회로에서 부하전압 V_L의 크기는 몇 [V]인가? [2016년 3회 기사]

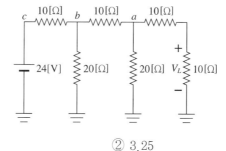

① 3.0

② 3.25

③ 4.0

④ 4.15

해설 $24 \div 2 \div 2 \div 2 = 3\,[\text{V}]$

13 측정하고자 하는 전압이 전압계의 최대눈금보다 클 때에 전압계에 직렬로 저항을 접속하여 측정 범위를 넓히는 것은?　　　　　　　　　　　　　　　　[2018년 1회 산업기사]

① 분류기　　　　　　　　　　　　② 분광기

③ 배율기　　　　　　　　　　　　④ 감쇠기

해설　• 배율기 → 저항을 직렬
　　　• 분류기 → 저항을 병렬

14 그림과 같은 회로에서 $G_2[\mho]$ 양단의 전압강하 $E_2[V]$는?　　　　[2018년 2회 산업기사]

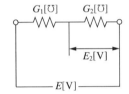

①　$\dfrac{G_2}{G_1 + G_2}E$　　　　　　②　$\dfrac{G_1}{G_1 + G_2}E$

③　$\dfrac{G_1 G_2}{G_1 + G_2}E$　　　　　④　$\dfrac{G_1 + G_2}{G_1 + G_2}E$

해설　$E_2 = \dfrac{G_1}{G_1 + G_2}E$

15 20[Ω]과 30[Ω]의 병렬회로에서 20[Ω]에 흐르는 전류가 6[A]이라면 전체 전류 $I[A]$는?

[2020년 3회 산업기사]

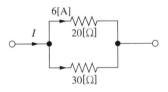

① 3　　　　　　② 4　　　　　　③ 9　　　　　　④ 10

해설　$V_{20} = I_{20}R_{20} = 6 \times 20 = 120[V]$

　　　$V_{30} = I_{30}R_{30} = I_{30} \times 30 = 120[V]$

　　　$I_{30} = 4[A]$

　　　$\therefore\ I = I_{20} + I_{30} = 6 + 4 = 10[A]$

16 그림과 같은 회로에서 저항 r_1, r_2에 흐르는 전류의 크기가 1 : 2의 비율이라면 r_1, r_2는 각각 몇 [Ω]인가?

[2017년 1회 산업기사 / 2017년 3회 산업기사]

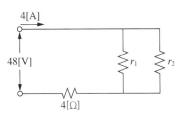

① $r_1 = 6$, $r_2 = 3$ ② $r_1 = 8$, $r_2 = 4$

③ $r_1 = 16$, $r_2 = 8$ ④ $r_1 = 24$, $r_2 = 12$

- 합성저항 $R = \dfrac{V}{I} = \dfrac{48}{4} = 12[\Omega]$

- 전류비 $I_1 : I_2 = 1 : 2$일 때 $r_1 : r_2 = 2 : 1$에서 $r_1 = 2r_2$

- 병렬회로의 합성저항

$$r_T = 12 - 4 = 8[\Omega] = \frac{r_2 \times 2r_2}{r_2 + 2r_2} = \frac{2}{3}r_2[\Omega]$$

$$\therefore \ r_2 = \frac{8}{\frac{2}{3}} = 12[\Omega], \ r_1 = 2r_2 = 2 \times 12 = 24[\Omega]$$

17 저항 R인 검류계 G에 그림과 같이 r_1인 저항을 병렬로, 또 r_2인 저항을 직렬로 접속하였을 때 A, B 단자 사이의 저항을 R과 같게 하고 또한 G에 흐르는 전류를 전전류의 $\dfrac{1}{n}$로 하기 위한 $r_1[\Omega]$의 값은?

[2016년 2회 산업기사]

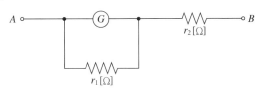

① $\dfrac{n-1}{R}$ ② $R\left(1 - \dfrac{1}{n}\right)$

③ $\dfrac{R}{n-1}$ ④ $R\left(1 + \dfrac{1}{n}\right)$

해설

전전류를 I라 하면 $I_G = \dfrac{1}{n}I = \dfrac{r_1}{R + r_1}I$ (전류는 남은 것이 올라간다)

$$nr_1 = R + r_1$$

$$r_1(n-1) = R$$

$$r_1 = \frac{R}{n-1}$$

18 그림과 같은 회로에서 S를 열었을 때 전류계는 10[A]를 지시하였다. S를 닫을 때 전류계의 지시는 몇 [A]인가?

[2012년 3회 기사 / 2015년 1회 산업기사]

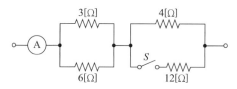

① 10

② 12

③ 14

④ 16

해설 • 스위치가 OFF 상태

－ 전체 저항 $R_{OFF} = \dfrac{3 \times 6}{3 + 6} + 4 = 6[\Omega]$

－ 전체 전압 $V = IR = 10 \times 6 = 60[\text{V}]$

• 스위치가 ON 상태

－ 전체 저항 $R_{ON} = 2 + \dfrac{4 \times 12}{4 + 12} = 5[\Omega]$

－ 전류 $I = \dfrac{V}{R_{ON}} = \dfrac{60}{5} = 12[\text{A}]$

19 정격전압에서 1[kW]의 전력을 소비하는 저항에 정격의 80[%] 전압을 가할 때의 전력[W]은?

[2016년 1회 기사 / 2019년 1회 산업기사]

① 320

② 540

③ 640

④ 860

해설 $P = \dfrac{V^2}{R}$

$P \propto V^2$

$1,000 \times 0.8^2 = 640[\text{W}]$

20 길이에 따라 비례하는 저항값을 가진 어떤 전열선에 E_0[V]의 전압을 인가하면 P_0[W]의 전력이 소비된다. 이 전열선을 잘라 원래 길이의 $\frac{2}{3}$로 만들고 E[V]의 전압을 가한다면 소비전력 P[W]는?

[2019년 2회 기사]

① $P = \dfrac{P_0}{2}\left(\dfrac{E}{E_0}\right)^2$ 　　② $P = \dfrac{3P_0}{2}\left(\dfrac{E}{E_0}\right)^2$

③ $P = \dfrac{2P_0}{3}\left(\dfrac{E}{E_0}\right)^2$ 　　④ $P = \dfrac{\sqrt{3}\,P_0}{2}\left(\dfrac{E}{E_0}\right)^2$

해설 $P = \dfrac{V^2}{R} = \dfrac{V^2}{\rho\dfrac{l}{A}}$ 에서 전력(P)은 전압의 제곱(V^2)에 비례하고 길이(l)에 반비례한다.

$P = \dfrac{3}{2}P_0\left(\dfrac{E}{E_0}\right)^2$

21 그림과 같은 회로가 있다. $I = 10$[A], $G = 4$[℧], $G_L = 6$[℧]일 때 G_L의 소비전력[W]은?

[2017년 1회 산업기사]

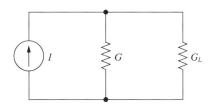

① 100 　　② 10 　　③ 6 　　④ 4

해설 $P_{GL} = G_L V^2 = 6 \times 1^2 = 6$[W]

여기서, $V = \dfrac{I}{G} = \dfrac{10}{4+6} = 1$[V]

22 800[kW], 역률 80[%]의 부하가 있다. $\dfrac{1}{4}$ 시간 동안 소비되는 전력량[kWh]은?

[2016년 3회 산업기사]

① 800 　　② 600 　　③ 400 　　④ 200

해설 $W = Pt = 800 \times 0.25 = 200$[kWh]

23 그림의 회로에서 120[V]와 30[V]의 전압원(능동소자)에서의 전력은 각각 몇 [W]인가?(단, 전압원(능동소자)에서 공급 또는 발생하는 전력은 양수(+)이고, 소비 또는 흡수하는 전력은 음수(−)이다)

[2022년 1회 기사]

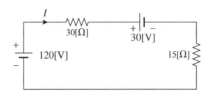

① 240[W], 60[W]

② 240[W], −60[W]

③ −240[W], 60[W]

④ −240[W], −60[W]

해설 $I = \dfrac{V}{R} = \dfrac{120-30}{30+15} = 2[\text{A}]$

공급 $P_{120} = VI = 120 \times 2 = 240[\text{W}]$

흡수 $P_{30} = -30 \times 2 = -60[\text{W}]$

24 내부저항 0.1[Ω]인 건전지 10개를 직렬로 접속하고 이것을 한 조로 하여 5조 병렬로 접속하면 합성 내부저항은 몇 [Ω]인가?

[2018년 1회 기사]

① 5

② 1

③ 0.5

④ 0.2

해설 직렬 $r = nr_1 = 10 \times 0.1 = 1$

이것을 병렬로 5개

$r = \dfrac{r}{m} = \dfrac{1}{5} = 0.2[\Omega]$

25 기전력 3[V], 내부저항 0.5[Ω]의 전지 9개가 있다. 이것을 3개씩 직렬로 하여 3조 병렬 접속한 것에 부하저항 1.5[Ω]을 접속하면 부하전류[A]는?

[2019년 1회 산업기사]

① 2.5

② 3.5

③ 4.5

④ 5.5

해설

$$I = \frac{V}{R_0} = \frac{V}{r+R} = \frac{9}{\frac{0.5 \times 3}{3} + 1.5} = 4.5 [A]$$

26 어떤 전지에 연결된 외부 회로의 저항은 5[Ω]이고 전류는 8[A]가 흐른다. 외부 회로에 5[Ω] 대신 15[Ω]의 저항을 접속하면 전류는 4[A]로 떨어진다. 이 전지의 내부기전력은 몇 [V]인가?

[2020년 1, 2회 산업기사]

① 15

② 20

③ 50

④ 80

해설

$$E = Ir + IR$$
$$E = 8r + 8 \times 5 = 4r + 4 \times 15$$
$$8r + 40 = 4r + 60$$
$$4r = 20$$
$$r = 5 [\Omega]$$
$$E = 8r + 8 \times 5 = 8 \times 5 + 8 \times 5 = 80 [V]$$

2. 정현파 교류

(1) 교류의 발생

① 전자유도 현상

코일에서 발생하는 기전력의 크기는 자속의 시간적인 변화에 비례하고 기전력의 방향은 자속 ϕ의 증감을 방해하는 방향으로 발생하는 현상

㉠ 기전력의 크기(패러데이의 법칙)

$$e = N\frac{d\phi}{dt}[\text{V}]$$

㉡ 기전력의 방향(렌츠의 법칙)

$$e = -N\frac{d\phi}{dt}[\text{V}]$$

② 발전기에서 발생하는 기전력

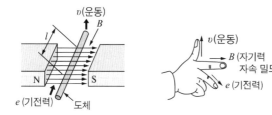

엄지 : 도체의 운동방향, $v[\text{m/sec}]$

검지 : 자장의 방향, $B[\text{Wb/m}^2]$

중지 : 기전력의 방향, $e[\text{V}]$

③ 교류의 발생

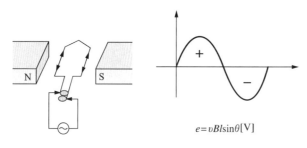

$$e = vBl\sin\theta[\text{V}]$$

$$v(t) = V_m\sin\omega t[\text{V}]$$

$$i(t) = I_m\sin\omega t[\text{A}]$$

ⓐ 주기($T[\sec]$) : 1사이클(Cycle) 도는 데 필요한 시간

ⓑ 주파수($f[\mathrm{Hz}]$) : 1초 동안에 만들어지는 사이클의 수

$$f = \frac{1}{T}[\mathrm{Hz}] , \quad T = \frac{1}{f}[\sec]$$

ⓒ 각주파수(ω) : 1초 동안의 각의 변화율

$$\omega = 2\pi f = \frac{2\pi}{T}[\mathrm{rad/\sec}]$$

ⓓ 위상차

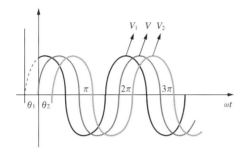

$$v = V_m \sin \omega t$$
$$v_1 = V_m \sin(\omega t + \theta_1)$$
$$v_2 = V_m \sin(\omega t - \theta_2)$$

(2) 정현파 교류

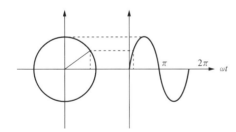

① 정현파 교류의 실횻값(교류의 크기)

같은 저항에서 일정 시간 동안 각각 직류와 교류를 흘렸을 때 저항에서 발생하는 열량이 같아지는 순간의 교류를 직류로 환산한 값

$$I^2 R T = \int_0^T i^2 R dt \rightarrow I^2 = \frac{1}{T}\int_0^T i^2 dt$$

$$I = \sqrt{\frac{1}{T}\int_0^T i^2 dt} = \sqrt{1주기\ 동안의\ i^2의\ 평균} = \frac{I_m}{\sqrt{2}} = 0.707 I_m [\mathrm{A}]$$

② 정현파 교류의 평균값(직류의 크기)

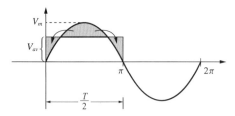

한 주기 동안의 면적에 대한 평균값 – 가동 코일형 계기값

$$I_{av} = \frac{1}{T}\int_0^T |i(t)|\, dt = \frac{1}{\frac{T}{2}}\int_0^{\frac{T}{2}} i(t)\, dt = \frac{2}{\pi}I_m = 0.637 I_m\,[\mathrm{A}]$$

③ 정현파 교류의 순시값(교류의 파형)

교류 파형에서 임의의 순간에서의 전류, 전압의 크기

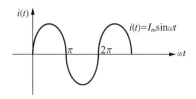

$i(t) = I_m \sin\omega t\,[\mathrm{A}]$

$i = I_m \sin(\omega t - \theta)$, 늦은 전류(지상전류)

$i = I_m \sin(\omega t + \theta)$, 빠른 전류(진상전류)

④ 정현파 교류의 파고율과 파형률

㉠ 파고율 $= \dfrac{최댓값}{실횻값} = \sqrt{2} = 1.414$

㉡ 파형률 $= \dfrac{실횻값}{평균값} = \dfrac{\pi}{2\sqrt{2}} = 1.11$

(3) 각 파형별 데이터값

① 전파정류(현)파

ㄱ 실횻값 : $\dfrac{I_m}{\sqrt{2}} = 0.707 I_m$

ㄴ 평균값 : $\dfrac{2 I_m}{\pi} = 0.637 I_m$

ㄷ 파고율 : $\sqrt{2} = 1.414$

ㄹ 파형률 : $\dfrac{\pi}{2\sqrt{2}} = 1.11$

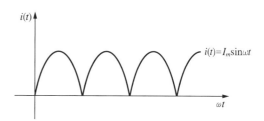

② 반파정류(현)파

ㄱ 실횻값 : $\dfrac{I_m}{2} = 0.5 I_m$

ㄴ 평균값 : $\dfrac{I_m}{\pi} = 0.318 I_m$

ㄷ 파고율 : 2

ㄹ 파형률 : $\dfrac{\pi}{2} = 1.57$

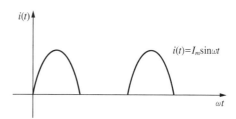

③ 구형파

ㄱ 실횻값 : I_m

ㄴ 평균값 : I_m

ㄷ 파고율 : 1

ㄹ 파형률 : 1

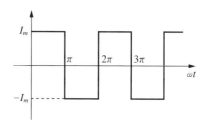

④ 반파구형파

ㄱ 실횻값 : $\dfrac{I_m}{\sqrt{2}} = 0.707 I_m$

ㄴ 평균값 : $\dfrac{I_m}{2} = 0.5 I_m$

ㄷ 파고율 : $\sqrt{2} = 1.414$

ㄹ 파형률 : $\sqrt{2} = 1.414$

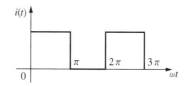

⑤ 톱니파

    ㉠ 실횻값 : $\dfrac{I_m}{\sqrt{3}} = 0.577 I_m$

    ㉡ 평균값 : $\dfrac{I_m}{2} = 0.5 I_m$

    ㉢ 파고율 : $\sqrt{3} = 1.732$

    ㉣ 파형률 : $\dfrac{2}{\sqrt{3}} = 1.155$

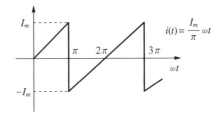

⑥ 삼각파

    ㉠ 실횻값 : $\dfrac{I_m}{\sqrt{3}} = 0.577 I_m$

    ㉡ 평균값 : $\dfrac{I_m}{2} = 0.5 I_m$

    ㉢ 파고율 : $\sqrt{3} = 1.732$

    ㉣ 파형률 : $\dfrac{2}{\sqrt{3}} = 1.155$

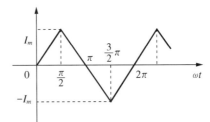

⑦ 제형파

    ㉠ 실횻값 : $\dfrac{\sqrt{5}\,I_m}{3} = 0.745 I_m$

    ㉡ 평균값 : $\dfrac{2\,I_m}{3} = 0.667 I_m$

    ㉢ 파고율 : $\dfrac{3}{\sqrt{5}} = 1.342$

    ㉣ 파형률 : $\dfrac{\sqrt{5}}{2} = 1.118$

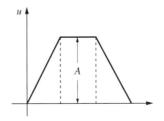

(4) 교류의 벡터 표시법과 계산

① 벡터 표시 방법

    ㉠ 복소수법 : $\dot{A} = a + jb$

    ㉡ 극형식법 : $\dot{A} = A \angle \theta = \sqrt{a^2 + b^2} \angle \tan^{-1} \dfrac{b}{a}$

    ㉢ 삼각함수법 : $\dot{A} = A \cos\theta + jA \sin\theta = A(\cos\theta + j\sin\theta)$

    ㉣ 지수함수법 : $\dot{A} = A e^{j\theta} = A e^{j\omega t}$

② 벡터의 계산

$A \angle\, \theta_1 = A\cos\theta_1 + jA\sin\theta_1$ 와 $B \angle\, \theta_2 = B\cos\theta_2 + jB\sin\theta_2$ 일 때

㉠ 곱셈 : $A \angle\, \theta_1 \times B \angle\, \theta_2 = AB \angle\, \theta_1 + \theta_2$

㉡ 나눗셈 : $\dfrac{A \angle\, \theta_1}{B \angle\, \theta_2} = \dfrac{A}{B} \angle\, \theta_1 - \theta_2$

㉢ 덧셈 : $A \angle\, \theta_1 + B \angle\, \theta_2 = \sqrt{A^2 + B^2 + 2AB\cos(\theta_1 - \theta_2)}$

핵 / 심 / 예 / 제

01

$i = 20\sqrt{2}\sin\left(377t - \dfrac{\pi}{6}\right)$[A]인 파형의 주파수는 몇 [Hz]인가?

[2013년 3회 산업기사 / 2019년 2회 산업기사]

① 50

② 60

③ 70

④ 80

해설 전류 $i = I_m\sin(\omega t + \theta) = I_m\sin(2\pi ft + \theta)$인 경우

각주파수 $\omega = 377 = 2\pi f$에서 $f = \dfrac{377}{2\pi} = 60[\text{Hz}]$

02

$i_1 = I_m\sin\omega t$[A]와 $i_2 = I_m\cos\omega t$[A]인 두 교류전류의 위상차는 몇 도인가?

[2017년 3회 산업기사]

① 0°

② 30°

③ 60°

④ 90°

해설 $i_1 = I_m\sin\omega t\,[\text{A}]$

$i_2 = I_m\cos\omega t\,[\text{A}] = I_m\sin(\omega t + 90°)[\text{A}]$

i_2가 i_1보다 90° 앞선다.

03

$e = E_m\cos\left(100\pi t - \dfrac{\pi}{3}\right)$[V]와 $i = I_m\sin\left(100\pi t + \dfrac{\pi}{4}\right)$[A]의 위상차를 시간으로 나타내면 약 몇 초인가?

[2016년 1회 산업기사 / 2018년 3회 산업기사]

① 3.33×10^{-4}

② 4.33×10^{-4}

③ 6.33×10^{-4}

④ 8.33×10^{-4}

해설 $\theta = 45 - 30 = 15°$에서 $\dfrac{\pi}{12} = \omega t$

$t = \dfrac{\pi}{12} \times \dfrac{1}{\omega} = \dfrac{\pi}{12} \times \dfrac{1}{100\pi} = 8.33 \times 10^{-4}[\text{sec}]$

01 ② 02 ④ 03 ④ **정답**

04 그림과 같은 파형의 순시값은?

[2012년 3회 기사 / 2017년 2회 기사]

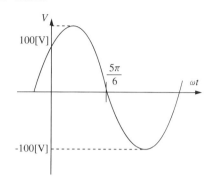

① $v = 100\sqrt{2}\sin\omega t$

② $v = 100\sqrt{2}\cos\omega t$

③ $v = 100\sin\left(\omega t + \dfrac{\pi}{6}\right)$

④ $v = 100\sin\left(\omega t - \dfrac{\pi}{6}\right)$

해설 정현파의 순시값

$v = V_m\sin(\omega t + \theta)$, $V_m = 100[\text{V}]$, $\theta = \dfrac{\pi}{6}$ 만큼 위상이 앞섬

$\therefore v = 100\sin\left(\omega t + \dfrac{\pi}{6}\right)$

---

05 최댓값이 10[V]인 정현파 전압이 있다. $t = 0$에서의 순시값이 5[V]이고 이 순간에 전압이 증가하고 있다. 주파수가 60[Hz]일 때, $t = 2[\text{ms}]$에서의 전압의 순시값[V]은?

[2017년 1회 기사]

① $10\sin30°$

② $10\sin43.2°$

③ $10\sin73.2°$

④ $10\sin103.2°$

해설 $v = 10\sin(377t + \theta)$

1) $t \to 0$일 때 $v = 10\sin\theta = 5$

$\sin\theta = \dfrac{5}{10}$

$\theta = \sin^{-1}\dfrac{1}{2}$

$\theta = 30°$

2) $t \to 2[\text{ms}]$일 때 $v = 10\sin(2\times\pi\times60\times2\times10^{-3} + 30) = 10\sin73.2°$

※ 이때 π는 180°로 계산

정답 04 ③ 05 ③

06 최댓값이 E_m인 반파 정류 정현파의 실횻값은 몇 [V]인가? [2018년 1회 기사 / 2018년 3회 기사]

① $\dfrac{2E_m}{\pi}$

② $\sqrt{2}\,E_m$

③ $\dfrac{E_m}{\sqrt{2}}$

④ $\dfrac{E_m}{2}$

해설

파 형		실횻값(V)	평균값(V_{av})	파형률	파고율
전 파	정현파	$\dfrac{V_m}{\sqrt{2}}$	$\dfrac{2}{\pi}V_m$	1.11	1.414
	구형파	V_m	V_m	1	1
	삼각파(톱니파)	$\dfrac{V_m}{\sqrt{3}}$	$\dfrac{V_m}{2}$	1.155	1.732
반 파	정현파	$\dfrac{1}{2}V_m$	$\dfrac{V_m}{\pi}$	$\dfrac{\pi}{2}$	2

07 정현파 교류전압의 파고율은? [2017년 1회 산업기사 / 2018년 2회 산업기사]

① 0.91

② 1.11

③ 1.41

④ 1.73

해설

$$파고율 = \frac{최댓값}{실횻값} = \frac{V_m}{\dfrac{1}{\sqrt{2}}V_m} = \sqrt{2} ≒ 1.414 ≒ 1.41$$

08 순시치 전류 $i(t) = I_m \sin(\omega t + \theta_I)$[A]의 파고율은 약 얼마인가? [2022년 1회 기사]

① 0.577

② 0.707

③ 1.414

④ 1.732

해설

$$파고율 = \frac{최댓값}{실횻값} = \frac{V_m}{\dfrac{1}{\sqrt{2}}V_m} = \sqrt{2} ≒ 1.414$$

09 그림과 같은 반파정현파의 실횻값은? [2016년 2회 산업기사 / 2018년 1회 산업기사 / 2019년 1회 기사]

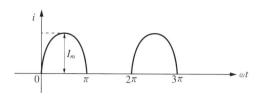

① $\dfrac{1}{\sqrt{2}} I_m$ ② $\dfrac{2}{\pi} I_m$

③ $\dfrac{1}{\pi} I_m$ ④ $\dfrac{1}{2} I_m$

해설

	파 형	실횻값(V)	평균값(V_{av})	파형률	파고율
반 파	정현파(전파정류)	$\dfrac{V_m}{2}$	$\dfrac{1}{\pi} V_m$	1.57	2
	구형파	$\dfrac{V_m}{\sqrt{2}}$	$\dfrac{V_m}{2}$	1.414	1.414

10 그림과 같은 파형의 파고율은? [2017년 1회 기사]

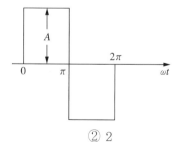

① 1   ② 2
③ $\sqrt{2}$ ④ $\sqrt{3}$

해설 구형파의 실횻값 I_m, 평균값 I_m, 파고율 1, 파형률 1

정답 09 ④   10 ①

11 구형파의 파형률(㉠)과 파고율(㉡)은?

[2015년 1회 산업기사 / 2019년 2회 산업기사 / 2020년 1, 2회 산업기사]

① ㉠ 1   ㉡ 0

② ㉠ 1.11   ㉡ 1.414

③ ㉠ 1   ㉡ 1

④ ㉠ 1.57   ㉡ 2

해설

파 형		실훗값	평균값	파형률	파고율
전 파	구형파	V_m	V_m	1	1

파형률$=\dfrac{실훗값}{평균값}$, 파고율$=\dfrac{최댓값}{실훗값}$

12 그림과 같은 파형의 파고율은?

[2016년 3회 기사 / 2018년 3회 기사]

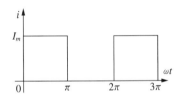

① 0.707   ② 1.414

③ 1.732   ④ 2.000

해설

파 형		실훗값(V)	평균값(V_{av})	파형률	파고율
반 파	정현파(전파정류)	$\dfrac{V_m}{2}$	$\dfrac{1}{\pi}V_m$	1.57	2
	구형파	$\dfrac{V_m}{\sqrt{2}}$	$\dfrac{V_m}{2}$	1.414	1.414

13 파형이 톱니파인 경우 파형률은 약 얼마인가?

[2021년 2회 기사]

① 1.155   ② 1.732

③ 1.414   ④ 0.577

해설 파형률$=\dfrac{실훗값}{평균값}=\dfrac{\dfrac{\sqrt{3}}{}}{\dfrac{I_m}{2}}=\dfrac{2}{\sqrt{3}}≒1.155$

14 어떤 정현파 교류전압의 실횻값이 314[V]일 때 평균값은 약 몇 [V]인가? [2019년 3회 산업기사]

① 142
② 283
③ 365
④ 382

해설 $I_{av} = \dfrac{2}{\pi} I_m = \dfrac{2}{\pi} \sqrt{2}\, V = \dfrac{2}{\pi} \times \sqrt{2} \times 314 \fallingdotseq 283 [\text{V}]$

15 $i(t) = 3\sqrt{2} \sin(377t - 30°)[\text{A}]$의 평균값은 약 몇 [A]인가? [2020년 3회 산업기사]

① 1.35
② 2.7
③ 4.35
④ 5.4

해설 $I_{av} = \dfrac{2}{\pi} I_m = \dfrac{2}{\pi} \times 3\sqrt{2} \fallingdotseq 2.7 [\text{A}]$

16 정현파 교류 $i = 10\sqrt{2} \sin\left(\omega t + \dfrac{\pi}{3}\right)$를 복소수의 극좌표 형식인 페이저(Phasor)로 나타내면?

[2019년 3회 산업기사]

① $10\sqrt{2} \angle \dfrac{\pi}{3}$
② $10\sqrt{2} \angle -\dfrac{\pi}{3}$
③ $10 \angle \dfrac{\pi}{3}$
④ $10 \angle -\dfrac{\pi}{3}$

해설 순시값 $i = V_m \sin(\omega t + \theta)$
극형식 $V \angle \theta$
$\therefore 10 \angle \dfrac{\pi}{3}$

정답 14 ② 15 ② 16 ③

17 $e^{j\frac{2}{3}\pi}$ **와 같은 것은?**

[2012년 3회 산업기사 / 2018년 3회 산업기사]

① $-\frac{1}{2} - j\frac{\sqrt{3}}{2}$ ② $\frac{1}{2} - j\frac{\sqrt{3}}{2}$

③ $-\frac{1}{2} + j\frac{\sqrt{3}}{2}$ ④ $\cos\frac{2}{3}\pi + \sin\frac{2}{3}\pi$

해설 지수를 복소수로 변환

$$\therefore e^{j\frac{2}{3}\pi} = \cos\frac{2\pi}{3} + j\sin\frac{2\pi}{3} = -\frac{1}{2} + j\frac{\sqrt{3}}{2}$$

18 $e_1 = 6\sqrt{2}\sin\omega t[\text{V}], \; e_2 = 4\sqrt{2}\sin(\omega t - 60°)[\text{V}]$ **일 때,** $e_1 - e_2$**의 실횻값[V]은?**

[2016년 3회 산업기사 / 2019년 2회 산업기사]

① $2\sqrt{2}$ ② 4

③ $2\sqrt{7}$ ④ $2\sqrt{13}$

해설 $V = 6\angle 0° - 4\angle -60° = 4 + j2\sqrt{3} = \sqrt{4^2 + (2\sqrt{3})^2} = 2\sqrt{7}$

19 **임피던스** $Z = 15 + j4[\Omega]$**의 회로에** $I = 5(2+j)[\text{A}]$**의 전류를 흘리는 데 필요한 전압** V **[V]는?**

[2016년 3회 산업기사]

① $10(26 + j23)$ ② $10(34 + j23)$

③ $5(26 + j23)$ ④ $5(34 + j23)$

해설 $V = IZ = (10 + j5)(15 + j4) = 150 + j40 + j75 - 20 = 130 + j115 = 5(26 + j23)$

3. 기본교류회로

(1) 단일소자회로

① R만의 회로

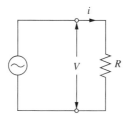

$v = V_m \sin \omega t$

$i = I_m \sin \omega t$

㉠ R만의 회로에서의 임피던스

$Z = R = R \angle 0°$

㉡ 전류의 순시값과 실횻값

$$i_R = \frac{V_m}{R} \sin \omega t \, [\mathrm{A}]$$

$$I_R = \frac{V}{R} \, [\mathrm{A}]$$

㉢ R만의 회로의 특징

• 전압과 전류의 위상차는 0이다(동위상 전류).

• 저항은 순저항, 무유도 저항이다.

② L(인덕턴스)만의 회로

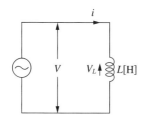

$v = N\dfrac{d\phi}{dt} = L\dfrac{di}{dt}$ (코일에서 전류는 급격히 변화할 수 없다)

$i = \dfrac{1}{L} \displaystyle\int v \, dt$

㉠ L만의 회로에서의 임피던스

$$Z = j\omega L = jX_L = X_L \angle \frac{\pi}{2}$$

ⓛ 전류의 순시값과 실횻값

$$i_L = \frac{V_m}{\omega L} \sin(\omega t - 90°)[\text{A}]$$

$$I_L = \frac{V}{\omega L} = \frac{V}{X_L}[\text{A}]$$

ⓒ L만의 회로의 특징

• 전류는 전압보다 90° 늦다(지상, 뒤진 전류).

• 유도성

ⓔ 코일에서 축적되는 에너지

$$W = \int p\,dt = \int vi\,dt = \int L\frac{di}{dt}i\,dt = \frac{1}{2}LI^2[\text{J}]$$

③ C(커패시턴스)만의 회로

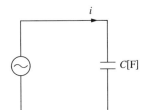

$$v_c = \frac{1}{C}\int i(t)dt$$

$$i = C\frac{de}{dt} \text{(콘덴서에서 전압은 급격히 변화할 수 없다)}$$

㉠ C만의 회로에서의 임피던스

$$Z = \frac{1}{j\omega C} = -j\frac{1}{\omega C} = -jX_C = X_C \angle -\frac{\pi}{2}$$

ⓛ 전류의 순시값과 실횻값

$$i_c = \omega C V_m \sin(\omega t + 90°)[\text{A}]$$

$$I_c = \omega CV = \frac{V}{X_c}[\text{A}]$$

ⓒ C만의 회로의 특징

• 전류는 전압보다 90° 빠르다(진상, 앞선 전류).

• 용량성

ⓔ 콘덴서에 저장되는 에너지

$$\omega = \int p\,dt = \int vi\,dt = \int v \cdot c\frac{dv}{dt}dt = \int cv\,dv = \frac{1}{2}Cv^2 = \frac{1}{2}Qv = \frac{Q^2}{2C}[\text{J}]$$

(2) $R-L-C$ 직렬회로

① $R-L$ 직렬회로

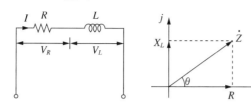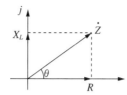

㉠ 임피던스

$$Z = R + j\omega L = \sqrt{R^2 + (\omega L)^2} \angle \tan^{-1}\frac{\omega L}{R} = Z \angle \theta$$

㉡ 전 류

$$i = \frac{v}{Z} = \frac{V_m \sin\omega t}{\sqrt{R^2 + (\omega L)^2} \angle \tan^{-1}\frac{\omega L}{R}} = \frac{V_m}{\sqrt{R^2 + (\omega L)^2}} \sin\left(\omega t - \tan^{-1}\frac{\omega L}{R}\right)$$

㉢ 역 률

$$\cos\theta\,(역률) = \frac{R}{\sqrt{R^2 + X^2}} = \frac{R}{\sqrt{R^2 + (\omega L)^2}}$$

$$\sin\theta = \frac{X}{\sqrt{R^2 + X^2}} = \frac{\omega L}{\sqrt{R^2 + (\omega L)^2}}$$

② $R-C$ 직렬회로

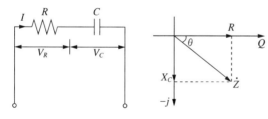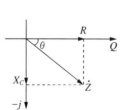

㉠ 임피던스

$$Z = R - j\frac{1}{\omega C} = \sqrt{R^2 + \left(\frac{1}{\omega C}\right)^2} \angle -\tan^{-1}\frac{1}{R\omega C} = Z \angle \theta$$

㉡ 전 류

$$i = \frac{v}{Z} = \frac{V_m \sin\omega t}{\sqrt{R^2 + \left(\frac{1}{\omega C}\right)^2} \angle -\tan^{-1}\frac{1}{R\omega C}}$$

$$= \frac{V_m}{\sqrt{R^2 + \left(\frac{1}{\omega C}\right)^2}} \sin\left(\omega t + \tan^{-1}\frac{1}{R\omega C}\right)$$

ⓒ 역 률

$$\cos\theta\,(\text{역률}) = \frac{R}{\sqrt{R^2 + X^2}} = \frac{R}{\sqrt{R^2 + \left(\dfrac{1}{\omega C}\right)^2}}$$

$$\sin\theta = \frac{X}{\sqrt{R^2 + X^2}} = \frac{\dfrac{1}{\omega C}}{\sqrt{R^2 + \left(\dfrac{1}{\omega C}\right)^2}}$$

③ $R - L - C$ 직렬회로

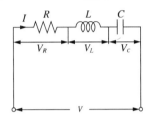

$$Z = R + jX_L - jX_C = R + j\omega L - j\frac{1}{\omega C} = Z\angle\theta$$

$$I = \frac{V}{Z}, \quad \text{역률 } \cos\theta$$

㉠ $X_L > X_C$인 경우(유도성 회로)

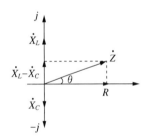

• 임피던스

$$Z = R + j\left(\omega L - \frac{1}{\omega C}\right) = \sqrt{R^2 + \left(\omega L - \frac{1}{\omega C}\right)^2}\,\angle\tan^{-1}\frac{\left(\omega L - \dfrac{1}{\omega C}\right)}{R} = Z\angle\theta$$

• 전 류

$$i = \frac{v}{Z} = \frac{V_m \sin\omega t}{\sqrt{R^2 + \left(\omega L - \dfrac{1}{\omega C}\right)^2}\,\angle\tan^{-1}\dfrac{\omega L - \dfrac{1}{\omega C}}{R}}$$

$$= \frac{V_m}{\sqrt{R^2 + \left(\omega L - \dfrac{1}{\omega C}\right)^2}}\sin\left(\omega t - \tan^{-1}\frac{\omega L - \dfrac{1}{\omega C}}{R}\right)$$

- 역 률

$$\cos\theta = \frac{R}{Z} = \frac{R}{\sqrt{R^2+\left(\omega L-\frac{1}{\omega C}\right)^2}}$$

$$\sin\theta = \frac{\omega L-\frac{1}{\omega C}}{Z} = \frac{\omega L-\frac{1}{\omega C}}{\sqrt{R^2+\left(\omega L-\frac{1}{\omega C}\right)^2}}$$

ⓛ $X_C > X_L$인 경우(용량성 회로)

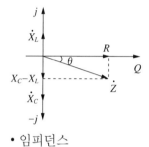

- 임피던스

$$Z = R-j\left(\frac{1}{\omega C}-\omega L\right) = \sqrt{R^2+\left(\frac{1}{\omega C}-\omega L\right)^2} \angle -\tan^{-1}\frac{\frac{1}{\omega C}-\omega L}{R} = Z\angle\theta$$

- 전 류

$$i = \frac{v}{Z} = \frac{V_m\sin\omega t}{\sqrt{R^2+\left(\frac{1}{\omega C}-\omega L\right)^2} \angle -\tan^{-1}\frac{\frac{1}{\omega C}-\omega L}{R}}$$

$$= \frac{V_m}{\sqrt{R^2+\left(\frac{1}{\omega C}-\omega L\right)^2}}\sin\left(\omega t+\tan^{-1}\frac{\frac{1}{\omega C}-\omega L}{R}\right)$$

- 역 률

$$\cos\theta = \frac{R}{Z} = \frac{R}{\sqrt{R^2+\left(\frac{1}{\omega C}-\omega L\right)^2}}$$

$$\sin\theta = \frac{\frac{1}{\omega C}-\omega L}{Z} = \frac{\frac{1}{\omega C}-\omega L}{\sqrt{R^2+\left(\frac{1}{\omega C}-\omega L\right)^2}}$$

ⓒ $X_L = X_C$인 경우(직렬공진 : 전압과 전류가 동상)

- 임피던스 : $Z = R$(임피던스는 최소)

- 전류 : $I = \dfrac{V}{Z}$(전류는 최대)

- 역률 : $\cos\theta = 1$

- 공진주파수

$$X_L = X_C, \ \omega L = \frac{1}{\omega C}, \ \omega^2 LC = 1$$

$$\therefore \ f = \frac{1}{2\pi\sqrt{LC}}$$

- 첨예도(Q) : 전압확대비(율), 양호도

전원전압 V에 대한 L 및 C 양단의 단자전압인 V_L, V_C 전압의 비율(저항에 대한 리액턴스비)

$$Q = \frac{X_L}{R} = \frac{X_C}{R} = \frac{\omega L}{R} = \frac{1}{R\omega C} = \frac{V_L}{V} = \frac{V_C}{V} = \frac{1}{R}\sqrt{\frac{L}{C}}$$

(3) $R-L-C$ 병렬회로

① 병렬 어드미턴스($Y[\mho]$) : Z의 역수

$$Y = \frac{1}{Z} = \frac{I}{V}, \ I = YV$$

$$\dot{Y} = \frac{1}{Z} = \frac{1}{(R+jX)} = \frac{R-jX}{(R+jX)(R-jX)} = \frac{R}{R^2+X^2} + j\frac{-X}{R^2+X^2}$$

$$= G + jB\left(G = \frac{R}{R^2+X^2}, \ B = \frac{-X}{R^2+X^2}\right)$$

G : 컨덕턴스 $= \dfrac{1}{R}[\mho]$, B : 서셉턴스 $= \dfrac{1}{X}[\mho]$

ⓐ R만의 회로 : $Y_R = \dfrac{1}{Z} = \dfrac{1}{R}$

ⓑ L만의 회로 : $Y_L = -j\dfrac{1}{X_L} = -j\dfrac{1}{\omega L}$

ⓒ C만의 회로 : $Y_C = j\dfrac{1}{X_C} = j\omega C$

② $R-L$ 병렬회로

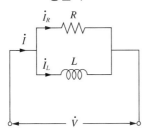

㉠ 어드미턴스

$$Y = \frac{1}{R} - j\frac{1}{X_L} = \frac{1}{R} - j\frac{1}{\omega L} = \sqrt{\left(\frac{1}{R}\right)^2 + \left(\frac{1}{\omega L}\right)^2} \angle -\tan^{-1}\frac{R}{\omega L} = Y\angle\theta$$

㉡ 전 류

$$i = \frac{v}{Z} = Yv = \left(\sqrt{\left(\frac{1}{R}\right)^2 + \left(\frac{1}{\omega L}\right)^2} \angle -\tan^{-1}\frac{R}{\omega L}\right) \cdot V_m \sin\omega t$$

$$= \sqrt{\left(\frac{1}{R}\right)^2 + \left(\frac{1}{\omega L}\right)^2} V_m \sin\left(\omega t - \tan^{-1}\frac{R}{\omega L}\right)$$

㉢ 역 률

$$\cos\theta = \frac{\frac{1}{R}}{Y} = \frac{\frac{1}{R}}{\sqrt{\left(\frac{1}{R}\right)^2 + \left(\frac{1}{\omega L}\right)^2}} = \frac{\omega L}{\sqrt{R^2 + (\omega L)^2}}$$

$$\sin\theta = \frac{\frac{1}{\omega L}}{Y} = \frac{\frac{1}{\omega L}}{\sqrt{\left(\frac{1}{R}\right)^2 + \left(\frac{1}{\omega L}\right)^2}} = \frac{R}{\sqrt{R^2 + (\omega L)^2}}$$

③ $R-C$ 병렬회로

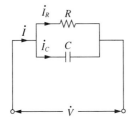

㉠ 어드미턴스

$$Y = \frac{1}{R} + j\frac{1}{X_C} = \frac{1}{R} + j\frac{1}{\frac{1}{\omega C}} = \frac{1}{R} + j\omega C = \sqrt{\left(\frac{1}{R}\right)^2 + (\omega C)^2} \angle \tan^{-1}R\omega C$$

$$= Y\angle\theta$$

ⓛ 전 류

$$i = \frac{v}{Z} = Yv = \left(\sqrt{\left(\frac{1}{R}\right)^2 + (\omega C)^2} \angle \tan^{-1} R\omega C \right) \cdot V_m \sin\omega t$$

$$= \sqrt{\left(\frac{1}{R}\right)^2 + (\omega C)^2} \, V_m \sin(\omega t + \tan^{-1} R\omega C)$$

ⓒ 역 률

$$\cos\theta = \frac{\dfrac{1}{R}}{Y} = \frac{\dfrac{1}{R}}{\sqrt{\left(\dfrac{1}{R}\right)^2 + (\omega C)^2}} = \frac{\dfrac{1}{\omega C}}{\sqrt{R^2 + \left(\dfrac{1}{\omega C}\right)^2}} = \frac{1}{\sqrt{1 + (R\omega C)^2}}$$

$$\sin\theta = \frac{\omega C}{Y} = \frac{\omega C}{\sqrt{\left(\dfrac{1}{R}\right)^2 + (\omega C)^2}} = \frac{R}{\sqrt{R^2 + \left(\dfrac{1}{\omega C}\right)^2}} = \frac{1}{\sqrt{1 + \left(\dfrac{1}{R\omega C}\right)^2}}$$

④ $R - L - C$ 병렬회로

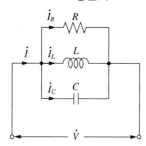

$$Y = \frac{1}{R} - j\frac{1}{X_L} + j\frac{1}{X_C} = \frac{1}{R} - j\frac{1}{\omega L} + j\omega C = Y\angle\theta$$

$I = YV$, 역률 $\cos\theta$

㉠ $X_L > X_C = \dfrac{1}{X_L} < \dfrac{1}{X_C}$ 인 경우(용량성 회로)

• 어드미턴스

$$Y = \frac{1}{R} + j\left(\omega C - \frac{1}{\omega L}\right) = \sqrt{\left(\frac{1}{R}\right)^2 + \left(\omega C - \frac{1}{\omega L}\right)^2} \angle \tan^{-1}\frac{\omega C - \dfrac{1}{\omega L}}{\dfrac{1}{R}} = Y\angle\theta$$

• 전 류

$$i = Yv = \left(\sqrt{\left(\frac{1}{R}\right)^2 + \left(\omega C - \frac{1}{\omega L}\right)^2} \angle \tan^{-1}\left(\omega C - \frac{1}{\omega L}\right)R \right) \cdot V_m \sin\omega t$$

$$= \sqrt{\left(\frac{1}{R}\right)^2 + \left(\omega C - \frac{1}{\omega L}\right)^2} \cdot V_m \sin\left(\omega t + \tan^{-1}\left(\omega C - \frac{1}{\omega L}\right)R\right)$$

• 역 률

$$\cos\theta = \frac{\dfrac{1}{R}}{Y} = \frac{\dfrac{1}{R}}{\sqrt{\left(\dfrac{1}{R}\right)^2 + \left(\omega C - \dfrac{1}{\omega L}\right)^2}}$$

$$\sin\theta = \frac{\omega C - \dfrac{1}{\omega L}}{Y} = \frac{\omega C - \dfrac{1}{\omega L}}{\sqrt{\left(\dfrac{1}{R}\right)^2 + \left(\omega C - \dfrac{1}{\omega L}\right)^2}}$$

ⓛ $X_C > X_L = \dfrac{1}{X_C} < \dfrac{1}{X_L}$ 인 경우(유도성 회로)

• 어드미턴스

$$Y = \frac{1}{R} - j\left(\frac{1}{\omega L} - \omega C\right) = \sqrt{\left(\frac{1}{R}\right)^2 + \left(\frac{1}{\omega L} - \omega C\right)^2} \angle -\tan^{-1}\frac{\dfrac{1}{\omega L} - \omega C}{\dfrac{1}{R}} = Y\angle\theta$$

• 전 류

$$i = Yv = \left(\sqrt{\left(\frac{1}{R}\right)^2 + \left(\frac{1}{\omega L} - \omega C\right)^2} \angle -\tan^{-1}\left(\frac{1}{\omega L} - \omega C\right)R\right) \cdot V_m \sin\omega t$$

$$= \sqrt{\left(\frac{1}{R}\right)^2 + \left(\frac{1}{\omega L} - \omega C\right)^2} \cdot V_m \sin\left(\omega t - \tan^{-1}\left(\frac{1}{\omega L} - \omega C\right)R\right)$$

• 역 률

$$\cos\theta = \frac{\dfrac{1}{R}}{Y} = \frac{\dfrac{1}{R}}{\sqrt{\left(\dfrac{1}{R}\right)^2 + \left(\dfrac{1}{\omega L} - \omega C\right)^2}}$$

$$\sin\theta = \frac{\dfrac{1}{\omega L} - \omega C}{Y} = \frac{\dfrac{1}{\omega L} - \omega C}{\sqrt{\left(\dfrac{1}{R}\right)^2 + \left(\dfrac{1}{\omega L} - \omega C\right)^2}}$$

ⓒ $X_L = X_C, \ \dfrac{1}{X_L} = \dfrac{1}{X_C}$ 인 경우(병렬공진 : 전압과 전류가 동상)

• 어드미턴스

$Y = \dfrac{1}{R}$ (어드미턴스는 최소)

• 전 류

$I = YV$(전류는 최소)

- 역 률

$\cos\theta = 1$

- 공진 주파수

$$\frac{1}{X_L} = \frac{1}{X_C}, \ \frac{1}{\omega L} = \omega C, \ \omega^2 LC = 1$$

$$\therefore f = \frac{1}{2\pi\sqrt{LC}}$$

- 첨예도(Q) : 전류확대비(율), 양호도

전원전류 I에 대한 L 및 C에 흐르는 전류 I_L, I_C 전류의 비율(리액턴스에 대한 저항비)

$$Q = \frac{R}{X_L} = \frac{R}{X_C} = \frac{R}{\omega L} = R\omega C = \frac{I_L}{I} = \frac{I_C}{I} = R\sqrt{\frac{C}{L}}$$

핵 / 심 / 예 / 제

01 2단자 회로 소자 중에서 인가한 전류파형과 동위상의 전압파형을 얻을 수 있는 것은?

[2017년 2회 산업기사]

① 저 항　　　　　　　　　　② 콘덴서
③ 인덕턴스　　　　　　　　④ 저항 + 콘덴서

해설　동위상은 저항만의 회로에서 얻을 수 있다.

02 어느 소자에 전압 $e = 125\sin377t$[V]를 가했을 때 전류 $i = 50\cos377t$[A]가 흘렀다. 이 회로의 소자는 어떤 종류인가?

[2019년 1회 산업기사]

① 순저항
② 용량리액턴스
③ 유도리액턴스
④ 저항과 유도리액턴스

해설　$e = 125\sin377t$

$i = 50\cos377t = 50\sin(377t + 90°)$

C만의 회로의 특징
- 전류는 전압보다 90° 빠르다(진상, 앞선 전류)
- 용량성

03 자기인덕턴스 0.1[H]인 코일에 실횻값 100[V], 60[Hz], 위상각 0°인 전압을 가했을 때 흐르는 전류의 실횻값은 약 몇 [A]인가?

[2015년 1회 기사 / 2019년 3회 기사]

① 1.25　　　　　　　　　　② 2.24
③ 2.65　　　　　　　　　　④ 3.41

해설　유도리액턴스 $X_L = 2\pi f L = 2\pi \times 60 \times 0.1 ≒ 37.7[\Omega]$

전류 $I = \dfrac{V}{X_L} = \dfrac{100}{37.7} ≒ 2.65[A]$

04 정전용량 C만의 회로에서 100[V], 60[Hz]의 교류를 가했을 때 60[mA]의 전류가 흐른다면 C는 약 몇 [μF]인가?

[2016년 1회 산업기사]

① 5.26

② 4.32

③ 3.59

④ 1.59

해설 $I_c = \omega C E$

$$C = \frac{I_c}{\omega E} = \frac{60 \times 10^{-3}}{2\pi \times 60 \times 100} \times 10^6 \fallingdotseq 1.592[\mu F]$$

05 저항 $R = 60[\Omega]$과 유도리액턴스 $\omega L = 80[\Omega]$인 코일이 직렬로 연결된 회로에 200[V]의 전압을 인가할 때 전압과 전류의 위상차는?

[2015년 2회 산업기사]

① 48.17°

② 50.23°

③ 53.13°

④ 55.27°

해설 $R - L$ 직렬회로의 위상차

$$\theta = \tan^{-1}\frac{X_L}{R} = \tan^{-1}\frac{80}{60} \fallingdotseq 53.13°$$

06 저항 1[Ω]과 인덕턴스 1[H]를 직렬로 연결한 후 60[Hz], 100[V]의 전압을 인가할 때 흐르는 전류의 위상은 전압의 위상보다 어떻게 되는가?

[2019년 3회 산업기사]

① 뒤지지만 90° 이하이다.

② 90° 늦다.

③ 앞서지만 90° 이하이다.

④ 90° 빠르다.

해설 $i = \dfrac{v}{z} = \dfrac{100\angle 0°}{\sqrt{1^2 + (2\pi \times 60 \times 1)^2}\angle \tan^{-1}\left(\dfrac{377}{1}\right)} \fallingdotseq 0.265 \angle -89.84°$

07 저항 $R[\Omega]$과 리액턴스 $X[\Omega]$이 직렬로 연결된 회로에서 $\dfrac{X}{R} = \dfrac{1}{\sqrt{2}}$ 일 때, 이 회로의 역률은?

① $\dfrac{1}{\sqrt{2}}$ ② $\dfrac{1}{\sqrt{3}}$

③ $\sqrt{\dfrac{2}{3}}$ ④ $\dfrac{\sqrt{3}}{2}$

해설

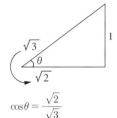

$$\cos\theta = \frac{\sqrt{2}}{\sqrt{3}}$$

(가로축 : 유효분, 세로축 : 무효분)

08 $R = 50[\Omega]$, $L = 200[\text{mH}]$의 직렬회로에서 주파수 $f = 50[\text{Hz}]$의 교류에 대한 역률[%]은?

① 82.3   ② 72.3

③ 62.3   ④ 52.3

해설

$$\cos\theta = \frac{R}{\sqrt{R^2 + X_L^2}} \times 100$$
$$= \frac{R}{\sqrt{R^2 + (2\pi f L)^2}} \times 100$$
$$= \frac{50}{\sqrt{50^2 + (2\pi \times 50 \times 200 \times 10^{-3})^2}} \times 100$$
$$\fallingdotseq 62.3[\%]$$

09 $R = 100[\Omega]$, $C = 30[\mu F]$의 직렬회로에 $f = 60[Hz]$, $V = 100[V]$의 교류전압을 인가할 때 전류는 약 몇 [A]인가?

[2018년 3회 기사]

① 0.42　　　　　② 0.64

③ 0.75　　　　　④ 0.87

해설

$$I = \frac{V}{Z} = \frac{V}{\sqrt{R^2 + X_C^2}}$$

여기서 $X_C = \dfrac{1}{\omega C} = \dfrac{1}{2\pi \times f \times 30 \times 10^{-6}} \fallingdotseq 88.4[\Omega]$

$$\therefore I = \frac{V}{\sqrt{R^2 + X^2}} = \frac{100}{\sqrt{100^2 + 88.4^2}} \fallingdotseq 0.75[A]$$

10 RL 직렬회로에 $e = 100\sin(120\pi t)[V]$의 전압을 인가하여 $i = 2\sin(120\pi t - 45°)[A]$의 전류가 흐르도록 하려면 저항은 몇 [$\Omega$]인가?

[2017년 3회 기사]

① 25.0　　　　　② 35.4

③ 50.0　　　　　④ 70.7

해설

$$Z = \frac{V}{I} = \frac{\frac{100}{\sqrt{2}} \angle 0°}{\frac{2}{\sqrt{2}} \angle -45°} = 50 \angle 45° \fallingdotseq 35.36 + j35.36$$

저항(유효분) : 35.36[Ω]
리액턴스(무효분) : 35.36[Ω]

11 $C[F]$인 콘덴서에 $q[C]$의 전하를 충전하였더니 C의 양단 전압이 $e[V]$이었다. C에 저장된 에너지는 몇 [J]인가?

[2016년 2회 산업기사]

① qe　　　　　② Ce

③ $\dfrac{1}{2}Cq^2$　　　　　④ $\dfrac{1}{2}Ce^2$

해설

$$W_C = \frac{1}{2}Ce^2, \quad W_L = \frac{1}{2}LI^2$$

12 어떤 콘덴서를 300[V]로 충전하는 데 9[J]의 에너지가 필요하였다. 이 콘덴서의 정전용량은 몇 [μF]인가?

[2019년 2회 기사]

① 100

② 200

③ 300

④ 400

해설

$$W_C = \frac{1}{2}CV^2$$

$$C = \frac{2W_C}{V^2} = \frac{2 \times 9}{300^2} \times 10^6 = 200[\mu F]$$

13 커패시터와 인덕터에서 물리적으로 급격히 변화할 수 없는 것은?

[2019년 3회 기사]

① 커패시터와 인덕터에서 모두 전압

② 커패시터와 인덕터에서 모두 전류

③ 커패시터에서 전류, 인덕터에서 전압

④ 커패시터에서 전압, 인덕터에서 전류

해설

$$W_C = \frac{1}{2}CV^2, \quad W_L = \frac{1}{2}LI^2$$

커패시터에서는 전압, 인덕터에서는 전류를 급변할 수 없다.

14 RLC 직렬회로에서 공진 시의 전류는 공급전압에 대하여 어떤 위상차를 갖는가?

[2018년 1회 산업기사]

① 0°

② 90°

③ 180°

④ 270°

해설 RLC 직렬공진 시(전압과 전류가 동상 0°)

$I = $ 최대, $Z = $ 최소

$$f = \frac{1}{2\pi\sqrt{LC}}, \quad Q = \frac{1}{R}\sqrt{\frac{L}{C}}$$

정답 12 ② 13 ④ 14 ①

15 1,000[Hz]인 정현파 교류에서 5[mH]인 유도리액턴스와 같은 용량리액턴스를 갖는 C의 값은 약 몇 [μF]인가?

[2015년 1회 산업기사]

① 4.07

② 5.07

③ 6.07

④ 7.07

해설
- 유도리액턴스 $X_L = \omega L = 2\pi \times 1,000 \times 5 \times 10^{-3} \fallingdotseq 31.42[\Omega]$
- 용량리액턴스 $X_C = \dfrac{1}{\omega C} = \dfrac{1}{2\pi \times 1,000 \times C} = X_L = 31.42[\Omega]$

∴ 정전용량 $C = \dfrac{1}{\omega X_C} = \dfrac{1}{2\pi \times 1,000 \times X_C} = \dfrac{1}{2\pi \times 1,000 \times 31.42} \times 10^6 \fallingdotseq 5.07[\mu F]$

16 정현파 교류전원 $e = E_m \sin(\omega t + \theta)[V]$가 인가된 RLC 직렬회로에 있어서 $\omega L > \dfrac{1}{\omega C}$일 경우, 이 회로에 흐르는 전류 $I[A]$의 위상은 인가전압 $e[V]$의 위상보다 어떻게 되는가?

[2017년 3회 기사]

① $\tan^{-1} \dfrac{\omega L - \dfrac{1}{\omega C}}{R}$ 앞선다.

② $\tan^{-1} \dfrac{\omega L - \dfrac{1}{\omega C}}{R}$ 뒤진다.

③ $\tan^{-1} R\left(\dfrac{1}{\omega L} - \omega C\right)$ 앞선다.

④ $\tan^{-1} R\left(\dfrac{1}{\omega L} - \omega C\right)$ 뒤진다.

해설

$\theta = \tan^{-1} \dfrac{X_L - X_C}{R} = \tan^{-1} \dfrac{\omega L - \dfrac{1}{\omega C}}{R}$

$\omega L > \dfrac{1}{\omega C}$일 때 $\theta > 0$이므로 전류는 전압보다 θ만큼 뒤진다.

17 다음과 같은 회로의 $a-b$ 간 합성 인덕턴스는 몇 [H]인가?(단, $L1=4$[H], $L2=4$[H], $L3=2$[H], $L4=2$[H]이다)

[2018년 2회 산업기사]

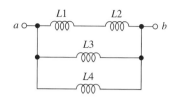

① $\dfrac{8}{9}$

② 6

③ 9

④ 12

해설 $L = \dfrac{1}{\dfrac{1}{8}+\dfrac{8}{8}} = \dfrac{1}{\dfrac{9}{8}} = \dfrac{8}{9}$ [H]

18 저항 $R=15$[Ω]과 인덕턴스 $L=3$[mH]를 병렬로 접속한 회로의 서셉턴스의 크기는 약 몇 [℧]인가?(단, $\omega=2\pi\times10^5$)

[2021년 1회 기사]

① 3.2×10^{-2}

② 8.6×10^{-3}

③ 5.3×10^{-4}

④ 4.9×10^{-5}

해설 $B = \dfrac{1}{X_L} = \dfrac{1}{\omega L} = \dfrac{1}{2\pi\times10^5\times3\times10^{-3}} \fallingdotseq 5.3\times10^{-4}$

19 저항 $\dfrac{1}{3}$[Ω], 유도리액턴스 $\dfrac{1}{4}$[Ω]인 $R-L$ 병렬회로의 합성 어드미턴스[℧]는?

[2018년 2회 산업기사]

① $3+j4$

② $3-j4$

③ $\dfrac{1}{3}+j\dfrac{1}{4}$

④ $\dfrac{1}{3}-j\dfrac{1}{4}$

해설 $\begin{aligned} Y &= Y_1 + Y_2 \\ &= \dfrac{1}{R} + \dfrac{1}{jX_L} \\ &= \dfrac{1}{\dfrac{1}{3}} + \dfrac{1}{j\dfrac{1}{4}} = 3-j4 \end{aligned}$

정답 17 ① 18 ③ 19 ②

20 그림과 같은 회로에서 유도성 리액턴스 X_L의 값[Ω]은?   [2017년 3회 산업기사]

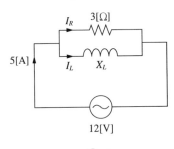

① 8

② 6

③ 4

④ 1

해설 $R-L$ 병렬회로에서 교류일 때

전전류 $I = I_R - jI_L = \sqrt{I_R{}^2 + I_L{}^2}\,[\text{A}]$

$I_L = \sqrt{I^2 - I_R{}^2} = \sqrt{5^2 - \left(\dfrac{12}{3}\right)^2} = 3\,[\text{A}]$

유도리액턴스 $X_L = \dfrac{V}{I_L} = \dfrac{12}{3} = 4\,[\Omega]$

21 그림과 같은 회로에서 전류 I[A]는?   [2016년 1회 산업기사]

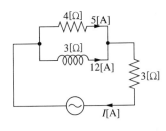

① 7

② 10

③ 13

④ 17

해설 $I = \sqrt{I_\text{유}^2 + I_\text{무}^2} = \sqrt{5^2 + 12^2} = 13$

22 그림과 같은 $R-C$ 병렬회로에서 전원전압이 $e(t)=3e^{-5t}$인 경우 이 회로의 임피던스는?

[2017년 3회 기사]

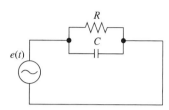

① $\dfrac{j\omega RC}{1+j\omega RC}$

② $\dfrac{R}{1-5RC}$

③ $\dfrac{R}{1+RCs}$

④ $\dfrac{1+j\omega RC}{R}$

해설

$$Z=\dfrac{\dfrac{R}{j\omega C}}{R+\dfrac{1}{j\omega C}}=\dfrac{R}{1+j\omega CR}$$

$$e(t)=Ae^{j\theta}=Ae^{j\omega t}$$

$e(t)=3e^{-5t}=Ae^{j\omega t}$에서 $j\omega=-5$를 대입하면

$$Z=\dfrac{R}{1-5CR}$$

23 그림과 같은 회로에서 $a-b$ 양단 간의 전압은 몇 [V]인가?

[2015년 1회 산업기사]

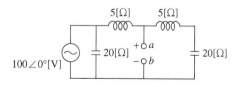

① 80

② 90

③ 120

④ 150

해설

$$I=\dfrac{100}{j5+j5-j20}=\dfrac{100}{-j10}=\dfrac{100j}{-j10j}=j10$$

$$V_{ab}=IX=j10(j5-j20)=150[\text{V}]$$

24 *RLC* 병렬공진회로에 관한 설명 중 틀린 것은? [2018년 3회 산업기사]

① R의 비중이 작을수록 Q가 높다.

② 공진 시 입력 어드미턴스는 매우 작아진다.

③ 공진 주파수 이하에서의 입력전류는 전압보다 위상이 뒤진다.

④ 공진 시 L 또는 C에 흐르는 전류는 입력전류 크기의 Q배가 된다.

해설 $R-L-C$ 병렬공진회로 $Q=R\sqrt{\dfrac{C}{L}}$ 에서 선택도 Q는 R과 비례한다.

25 그림과 같은 회로에서 전류 I[A]는? [2017년 2회 기사]

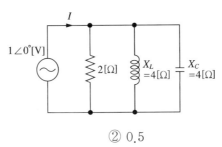

① 0.2 ② 0.5

③ 0.7 ④ 0.9

해설 $I_L=\dfrac{V}{X_L}=\dfrac{V}{j\omega L}=\dfrac{1}{j4}=-j0.25$

$I_C=\dfrac{V}{X_C}=\dfrac{V}{-j\dfrac{1}{\omega C}}=j\dfrac{1}{4}=j0.25$

$I=I_R+I_L+I_C=0.5-j0.25+j0.25=0.5$

(L과 C가 병렬공진이므로 $I=I_R$에 흐르는 전류는 같다)

26 그림의 RLC 직·병렬회로를 등가 병렬회로로 바꿀 경우, 저항과 리액턴스는 각각 몇 [Ω]인 가?

[2016년 1회 기사]

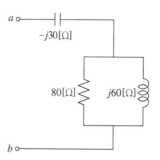

① 46.23, $j87.67$
② 46.23, $j107.15$
③ 31.25, $j87.67$
④ 31.25, $j107.15$

해설

$$Y = Y_1 + Y_2 = \frac{1}{Z_1} + \frac{1}{Z_2} = \frac{1}{80} + \frac{1}{j60}$$

$$Z_{12} = \frac{1}{\frac{1}{80} + \frac{1}{j60}} = 28.8 + j38.4$$

$$Z = Z_C + Z_{12} = -j30 + 28.8 + j38.4 = 28.8 + j8.4$$

$$Y = \frac{1}{Z} = \frac{1}{28.8 + j8.4} = \frac{4}{124} - j\frac{7}{750} \fallingdotseq 0.032 - j9.333 \times 10^{-3}$$

$$\therefore R = \frac{1}{G} = \frac{1}{0.032} = 31.25, \quad X \fallingdotseq \frac{1}{B} = \frac{1}{-j9.333 \times 10^{-3}} = j107.15$$

27 그림과 같은 회로에서 공진 시의 어드미턴스[℧]는?

[2014년 2회 산업기사 / 2017년 2회 기사 / 2017년 3회 산업기사]

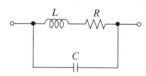

① $\dfrac{CR}{L}$
② $\dfrac{LC}{R}$
③ $\dfrac{C}{RL}$
④ $\dfrac{R}{LC}$

해설 어드미턴스

$$Y = \frac{1}{R + j\omega L} + j\omega C = \frac{R - j\omega L}{(R + j\omega L)(R - j\omega L)} + j\omega C = \frac{R - j\omega L}{R^2 + (\omega L)^2} + j\omega C$$

$$= \frac{R}{R^2 + (\omega L)^2} - \frac{j\omega L}{R^2 + (\omega L)^2} + j\omega C = \frac{R}{R^2 + (\omega L)^2} + j\left(\omega C - \frac{\omega L}{R^2 + (\omega L)^2}\right)$$

공진 시 $\omega C = \dfrac{\omega L}{R^2 + (\omega L)^2}$ 이므로 대입하면

$$R^2 + (\omega L)^2 = \frac{\omega L}{\omega C} \text{에서 } R^2 + (\omega L)^2 = \frac{L}{C}$$

$$\therefore \ Y = \frac{R}{R^2 + (\omega L)^2} \text{ 에서 } Y = \frac{R}{\dfrac{L}{C}} = \frac{RC}{L}$$

28 그림과 같은 회로에서 L_2에 흐르는 전류 I_2[A]가 단자전압 V[V]보다 위상이 90° 뒤지기 위한 조건은?(단, ω는 회로의 각주파수[rad/s]이다) [2020년 1, 2회 산업기사]

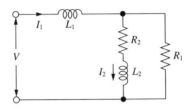

① $\dfrac{R_2}{R_1} = \dfrac{L_2}{L_1}$

② $R_1 R_2 = L_1 L_2$

③ $R_1 R_2 = \omega L_1 L_2$

④ $R_1 R_2 = \omega^2 L_1 L_2$

해설

$$Z = j\omega L_1 + \frac{(R_2 + j\omega L_2)R_1}{R_2 + j\omega L_2 + R_1}$$

$$= \frac{j\omega L_1 R_1 + j\omega L_1 R_2 - \omega^2 L_1 L_2 + R_1 R_2 + j\omega L_2 R_1}{R_1 + R_2 + j\omega L_2}$$

$$= \frac{(-\omega^2 L_1 L_2 + R_1 R_2) + j[\omega L_1(R_1 + R_2) + \omega L_2 R_1]}{R_1 + R_2 + j\omega L_2}$$

$$I_1 = \frac{V}{Z} = \frac{V}{\dfrac{(-\omega^2 L_1 L_2 + R_1 R_2) + j[\omega L_1(R_1 + R_2) + \omega L_2 R_1]}{R_1 + R_2 + j\omega L_2}}$$

$$= \frac{V(R_1 + R_2 + j\omega L_2)}{(-\omega^2 L_1 L_2 + R_1 R_2) + j[\omega L_1(R_1 + R_2) + \omega L_2 R_1]}$$

$$I_2 = \frac{R_1}{R_1 + R_2 + j\omega L_2} \times I_1$$

$$= \frac{R_1}{R_1 + R_2 + j\omega L_2} \times \frac{V(R_1 + R_2 + j\omega L_2)}{(-\omega^2 L_1 L_2 + R_1 R_2) + j[\omega L_1(R_1 + R_2) + \omega L_2 R_1]}$$

$$= \frac{R_1 V}{(-\omega^2 L_1 L_2 + R_1 R_2) + j[\omega L_1(R_1 + R_2) + \omega L_2 R_1]}$$

I_2가 V보다 위상이 90° 뒤지기 위한 조건은 유효분이 0과 같다.

$-\omega^2 L_1 L_2 + R_1 R_2 = 0$

$\therefore\ R_1 R_2 = \omega^2 L_1 L_2$

    정답

4. 교류전력

(1) 회로소자에서의 전력

① 피상전력(Apparent Power)[VA]

교류의 부하 또는 전원의 용량을 표시하는 전력, 전원에서 공급되는 전력

$$P_a = VI = I^2 Z = \frac{V^2}{Z} = \overline{V} I = P \pm jP_r \, (+jP_r \, : \, 용량성, \, -jP_r \, : \, 유도성)$$

$$= \sqrt{P^2 + P_r^2} \, [VA]$$

② 유효전력(Active Power)[W]

전원에서 공급되어 부하에서 유효하게 이용되는 전력, 전원에서 부하로 실제 소비되는 전력(소비전력, 부하전력, 평균전력)

$$P = P_a \cos\theta = VI\cos\theta = \frac{1}{2} V_m I_m \cos\theta$$

$$= I^2 R = \frac{V^2 R}{R^2 + X^2}$$

$$= \sqrt{P_a^2 - P_r^2} \, [W]$$

③ 무효전력(Reactive Power)

실제로는 일을 하지 않아 부하에서 전력으로 이용할 수 없는 전력

$$P_r = P_a \sin\theta = VI\sin\theta = \frac{1}{2} V_m I_m \sin\theta$$

$$= I^2 X = \frac{V^2 X}{R^2 + X^2}$$

$$= \sqrt{P_a^2 - P^2} \, [Var]$$

④ 역률(Power Factor)

피상전력 중에서 유효전력으로 사용되는 비율

$$\cos\theta = \frac{P}{P_a} = \frac{VI\cos\theta}{VI}$$

㉠ 역률 개선 : 부하의 역률을 1(100[%])에 가깝게 높이는 것

㉡ 콘덴서의 용량

$$Q_c = P(\tan\theta_1 - \tan\theta_2) = P\left(\frac{\sin\theta_1}{\cos\theta_1} - \frac{\sin\theta_2}{\cos\theta_2}\right)[kVA]$$

$\cos\theta_1$: 개선 전의 역률, $\cos\theta_2$: 개선 후의 역률, P : 유효전력[kW]

(2) 최대전력 전송전력

① 내부저항 r 이 있는 직류회로

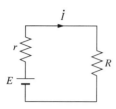

㉠ 조건 : $r = R$

㉡ 최대전력 : $P_{\max} = \dfrac{E^2}{4R} = \dfrac{E^2}{4r}$ [W]

② 입력 측이 L 또는 C만의 회로

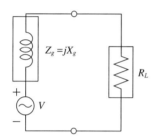

㉠ 조건 : $R = X_C = \dfrac{1}{\omega C}$, $R = X_L = \omega L$

㉡ 최대전력 : $P_{\max} = \dfrac{V^2}{2X_L} = \dfrac{V^2}{2X_C}$ [W]

③ 교류회로

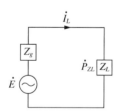

㉠ 조건 : $Z_L = \overline{Z_g}$

㉡ 최대전력 : $P_{\max} = \dfrac{V^2}{4R} = \dfrac{V^2}{4r}$ [W]

핵 / 심 / 예 / 제

01 RL 병렬회로의 양단에 $e = E_m \sin(\omega t + \theta)$[V]의 전압이 가해졌을 때 소비되는 유효전력[W]
은?

[2017년 2회 산업기사]

① $\dfrac{E_m^2}{2R}$

② $\dfrac{E_m^2}{\sqrt{2}\,R}$

③ $\dfrac{E_m}{2R}$

④ $\dfrac{E_m}{\sqrt{2}\,R}$

해설

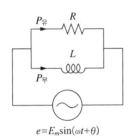

$$P = \frac{V^2}{R} = \frac{\left(\dfrac{E_m}{\sqrt{2}}\right)^2}{R} = \frac{E_m^2}{2R}$$

02 전압과 전류가 각각 $e = 141.4\sin\left(377t + \dfrac{\pi}{3}\right)$[V], $i = \sqrt{8}\sin\left(377t + \dfrac{\pi}{6}\right)$[A]인 회로의 소
비전력은 약 몇 [W]인가?

[2015년 3회 산업기사 / 2019년 3회 산업기사]

① 100

② 173

③ 200

④ 344

해설 단상 소비전력

$$P = VI\cos\theta = \frac{141.4}{\sqrt{2}} \times \frac{\sqrt{8}}{\sqrt{2}} \times \cos 30° \fallingdotseq 173.2 \fallingdotseq 173\,[\text{W}]$$

여기서, 위상차 $\theta = \dfrac{\pi}{3} - \dfrac{\pi}{6} = \dfrac{\pi}{6} = 30°$

정답 01 ① 02 ②

03 어떤 소자에 걸리는 전압이 $100\sqrt{2}\cos\left(314t-\dfrac{\pi}{6}\right)$[V]이고, 흐르는 전류가

$3\sqrt{2}\cos\left(314t+\dfrac{\pi}{6}\right)$[A]일 때 소비되는 전력[W]은? [2018년 2회 기사]

① 100   ② 150

③ 250   ④ 300

> **해설** $P=100\times3\times\cos60°=150$[W]

04 부하에 $100\angle30°$[V]의 전압을 가하였을 때 $10\angle60°$[A]의 전류가 흘렀다면 부하에서 소비되는 유효전력은 약 몇 [W]인가? [2018년 2회 산업기사]

① 400   ② 500

③ 682   ④ 866

> **해설** $P=100\times10\times\cos30°≒866$[W]

05 저항 $R[\Omega]$, 리액턴스 $X[\Omega]$와의 직렬회로에 교류전압 V[V]를 가했을 때 소비되는 전력 [W]은? [2017년 2회 산업기사]

① $\dfrac{V^2R}{\sqrt{R^2+X^2}}$ ② $\dfrac{V}{\sqrt{R^2+X^2}}$

③ $\dfrac{V^2R}{R^2+X^2}$ ④ $\dfrac{X}{R^2+X^2}$

> **해설**
> 유효전력 $P=\dfrac{V^2R}{R^2+X^2}$
>
> 피상전력 $P_a=\dfrac{V^2Z}{R^2+X^2}$
>
> 무효전력 $P_r=\dfrac{V^2X}{R^2+X^2}$

06 저항 $R= 6[\Omega]$과 유도리액턴스 $X_L= 8[\Omega]$이 직렬로 접속된 회로에서 $v= 200\sqrt{2}\sin\omega t[\mathrm{V}]$인 전압을 인가하였다. 이 회로의 소비되는 전력[kW]은?

[2019년 1회 산업기사]

① 1.2

② 2.2

③ 2.4

④ 3.2

해설 유효전력 $P= \dfrac{V^2R}{R^2+X^2} = \dfrac{200^2\times 6}{6^2+8^2} = 2,400[\mathrm{W}] = 2.4[\mathrm{kW}]$

07 그림과 같은 회로에 주파수 60[Hz], 교류전압 200[V]의 전원이 인가되었다. R의 전력손실을 $L= 0$일 때의 1/2로 하면 L의 크기는 약 몇 [H]인가?(단, $R= 600[\Omega]$이다)

[2015년 3회 기사]

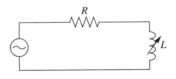

① 0.59

② 1.59

③ 3.62

④ 4.62

해설

$$P= \frac{V^2R}{R^2+X_L^2} = \frac{1}{2}\frac{V^2}{R}$$

$$\frac{R}{R^2+X_L^2} = \frac{1}{2R}$$

$$2R^2 = R^2+X_L^2$$

$$R^2 = (2\pi fL)^2$$

$$R= 2\pi fL$$

$$L= \frac{R}{2\pi f} = \frac{600}{2\pi 60} \fallingdotseq 1.59[\mathrm{H}]$$

08 [Var]는 무엇의 단위인가? [2016년 2회 산업기사]

① 효 율　　　　　　　　　② 유효전력

③ 피상전력　　　　　　　　④ 무효전력

> 해설
>
> 효율 $= \dfrac{출력}{입력} \times 100$
>
> 유효전력[W], 피상전력[VA], 무효전력[Var]

09 100[V], 800[W], 역률 80[%]인 교류회로의 리액턴스는 몇 [Ω]인가? [2018년 3회 산업기사]

① 6　　　　　② 8　　　　　③ 10　　　　　④ 12

> 해설
>
> • $\cos\theta = \dfrac{P}{P_a}$
>
> $0.8 = \dfrac{800}{P_a}$
>
> $P_a = 1,000[\mathrm{VA}]$
>
> • $P_a = VI = 100 \times I - 1,000$
>
> $I = 10[\mathrm{A}]$
>
> • $Z = \dfrac{V}{I} = \dfrac{100}{10} = 10[\Omega]$
>
> ∴ $X = Z\sin\theta = 10 \times 0.6 = 6[\Omega]$
>
> ※ $\sin\theta = \sqrt{1 - \cos^2\theta}$

10 코일에 단상 100[V]의 전압을 가하면 30[A]의 전류가 흐르고 1.8[kW]의 전력을 소비한다고
한다. 이 코일과 병렬로 콘덴서를 접속하여 회로의 합성역률을 100[%]로 하기 위한 용량리액
턴스는 대략 몇 [Ω]이어야 하는가?　　[2013년 1회 산업기사 / 2017년 3회 산업기사 / 2020년 3회 산업기사]

① 1.2　　　　　② 2.6　　　　　③ 3.2　　　　　④ 4.2

> 해설
>
> L회로에서 $P_a = VI = 100 \times 30 = 3,000[\mathrm{VA}]$
>
> $P_r = \sqrt{P_a^2 - P^2} = \sqrt{3,000^2 - 1,800^2} = 2,400[\mathrm{Var}]$
>
> 역률이 100[%](손실이 최소)가 되기 위해 $Q = \dfrac{V^2}{X_C}[\mathrm{Var}]$의 콘덴서를 병렬접속하여 무효분을 0으로
>
> 만든다. 즉, 무효전력만큼 콘덴서를 설치해야 된다.
>
> 용량리액턴스 $X_C = \dfrac{V^2}{Q} = \dfrac{100^2}{2,400} ≒ 4.2[\Omega]$

11 22[kVA]의 부하가 0.8의 역률로 운전될 때 이 부하의 무효전력[kVar]은? [2020년 3회 산업기사]

① 11.5 ② 12.3

③ 13.2 ④ 14.5

해설 $P_r = P_a \sin\theta = 22 \times 0.6 = 13.2[\mathrm{kVar}]$

12 어떤 교류전동기의 명판에 역률 = 0.6, 소비전력 = 120[kW]로 표기되어 있다. 이 전동기의 무효전력은 몇 [kVar]인가? [2018년 3회 산업기사]

① 80 ② 100

③ 140 ④ 160

해설 $Q_r = P_a \sin\theta$
$$= P\frac{\sin\theta}{\cos\theta} = 120 \times \frac{0.8}{0.6} = 160[\mathrm{kVar}]$$

13 어떤 회로의 유효전력이 300[W], 무효전력이 400[Var]이다. 이 회로의 복소전력의 크기[VA]는? [2020년 3회 기사]

① 350 ② 500

③ 600 ④ 700

해설 $P_a = \sqrt{300^2 + 400^2} = 500$

정답 11 ③ 12 ④ 13 ②

14 $V = 50\sqrt{3} - j50[\text{V}]$, $I = 15\sqrt{3} + j15[\text{A}]$일 때 유효전력 $P[\text{W}]$와 무효전력 $P_r[\text{Var}]$은 각각 얼마인가? [2012년 2회 산업기사 / 2020년 1, 2회 산업기사]

① $P = 3,000$, $P_r = 1,500$

② $P = 1,500$, $P_r = 1,500\sqrt{3}$

③ $P = 750$, $P_r = 750\sqrt{3}$

④ $P = 2,250$, $P_r = 1,500\sqrt{3}$

해설 **복소전력**

$P_a = \overline{V}I = P \pm jP_r[\text{VA}] = (50\sqrt{3} + j50)(15\sqrt{3} + j15) = 1,500 + j1,500\sqrt{3}$

$\therefore P = 1,500[\text{W}]$, $P_r = 1,500\sqrt{3}[\text{Var}]$

15 $8 + j6[\Omega]$인 임피던스에 $13 + j20[\text{V}]$의 전압을 인가할 때 복소전력은 약 몇 $[\text{VA}]$인가?

[2020년 1, 2회 기사]

① $12.7 + j34.1$

② $12.7 + j55.5$

③ $45.5 + j34.1$

④ $45.5 + j55.5$

해설 $I = \dfrac{V}{Z} = \dfrac{13 + j20}{8 + j6} = 2.24 + j0.82$

$P_a = V\dot{I} = (13 + j20)(2.24 - j0.82) = 45.5 + j34.1$

14 ② 15 ③ 정답

16 회로에서 $I_1 = 2e^{-j\frac{\pi}{6}}$[A], $I_2 = 5e^{j\frac{\pi}{6}}$[A], $I_3 = 5.0$[A], $Z_3 = 1.0$[Ω]일 때 부하(Z_1, Z_2, Z_3) 전체에 대한 복소전력은 약 몇 [VA]인가? [2022년 2회 기사]

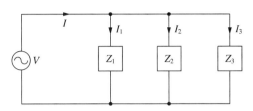

① $55.3 - j7.5$

② $55.3 + j7.5$

③ $45 - j26$

④ $45 + j26$

해설 $V = I_3 Z_3 = 5$[V]

$I = I_1 + I_2 + I_3 = 2\angle -30 + 5\angle 30 + 5 = 11.062 + j1.5$

$P_a = V\dot{I} = 5(11.062 - j1.5) = 55.31 - j7.5$

17 어떤 회로에서 유효전력 80[W], 무효전력 60[Var]일 때 역률은?

[2012년 1회 기사 / 2015년 1회 기사]

① 0.8[%]　　　　　　　　　　　② 8[%]

③ 80[%]　　　　　　　　　　　④ 800[%]

해설 **역률**

$$\cos\theta = \frac{R}{Z} \times 100 = \frac{RI}{ZI} \times 100 = \frac{P}{P_a} \times 100 = \frac{P}{\sqrt{P^2 + P_r^2}} \times 100 = \frac{80}{\sqrt{80^2 + 60^2}} \times 100 = 80[\%]$$

18 평형 3상 부하에 선간전압의 크기가 200[V]인 평형 3상 전압을 인가했을 때 흐르는 선전류의 크기가 8.6[A]이고 무효전력이 1,298[Var]이었다. 이때 이 부하의 역률은 약 얼마인가?

[2021년 3회 기사]

① 0.6   ② 0.7

③ 0.8   ④ 0.9

> **해설**
> $$\cos\theta = \frac{P}{P_a} = \frac{\sqrt{P_a^2 - P_r^2}}{\sqrt{3}\,VI} = \frac{\sqrt{(\sqrt{3}\,VI)^2 - P_r^2}}{\sqrt{3}\,VI} = \frac{\sqrt{(\sqrt{3}\times 200\times 8.6)^2 - 1{,}298^2}}{\sqrt{3}\times 200\times 8.6} \fallingdotseq 0.9$$

19 $E = 40 + j30$[V]의 전압을 가하면 $I = 30 + j10$[A]의 전류가 흐른다. 이 회로의 역률은?

[2014년 3회 산업기사 / 2017년 2회 기사]

① 0.456   ② 0.567

③ 0.854   ④ 0.949

> **해설** 복소전력
> $$P_a = \overline{V}I = P \pm jP_r\,[\text{VA}] = (40 - j30)(30 + j10) = 1{,}500 - j500$$
> $$P = 1{,}500[\text{W}]\ ,\ \ P_r = 500[\text{Var}]$$
> $$P_a = \sqrt{P^2 + P_r^2} = \sqrt{1{,}500^2 + 500^2} \fallingdotseq 1{,}581[\text{VA}]\ \text{에서}$$
> 역률 $\cos\theta = \dfrac{P}{P_a} = \dfrac{1{,}500}{1{,}581} \fallingdotseq 0.949$

20 어느 회로에 $V = 120 + j90$[V]의 전압을 인가하면 $I = 3 + j4$[A]의 전류가 흐른다. 이 회로의 역률은?

[2020년 3회 산업기사]

① 0.92   ② 0.94

③ 0.96   ④ 0.98

> **해설**
> $$P_a = \dot{V}I = (120 - j90)(3 + j4) = 720 + j210$$
> $$\cos\theta = \frac{P}{\sqrt{P^2 + P_r^2}} = \frac{720}{\sqrt{720^2 + 210^2}} \fallingdotseq 0.96$$

21 어떤 회로에 전압을 115[V] 인가하였더니 유효전력이 230[W], 무효전력이 345[Var]를 지시한 다면 회로에 흐르는 전류는 약 몇 [A]인가? [2018년 2회 기사]

① 2.5   ② 5.6   ③ 3.6   ④ 4.5

해설 전 류

$$I \times 115 = \sqrt{230^2 + 345^2}$$

$$I = \frac{\sqrt{230^2 + 345^2}}{115} \fallingdotseq 3.6[\text{A}]$$

22 0.2[H]의 인덕터와 150[Ω]의 저항을 직렬로 접속하고 220[V] 상용교류를 인가하였다. 1시간 동안 소비된 전력량은 약 몇 [Wh]인가? [2018년 3회 산업기사]

① 209.6   ② 226.4   ③ 257.6   ④ 286.9

해설 $R-L$ 직렬회로

$$W = Pt[\text{Wh}]$$

$$P = I^2 R = 1.31^2 \times 150 \fallingdotseq 257.4, \quad I = \frac{V}{Z} = \frac{220}{167.9} \fallingdotseq 1.31$$

$$Z = \sqrt{R^2 + X_L^2} = \sqrt{150^2 + 75.4^2} \fallingdotseq 167.9$$

여기서 $X_L = \omega L = 2\pi f L = 2\pi \times 60 \times 0.2 \fallingdotseq 75.4[\Omega]$

$$\therefore \ W = Pt = 257.4 \times 1 = 257.4[\text{Wh}]$$

23 그림과 같이 전압 V와 저항 R로 구성되는 회로단자 $A-B$ 간에 적당한 저항 R_L을 접속하여 R_L에서 소비되는 전력을 최대로 하게 했다. 이때 R_L에서 소비되는 전력 P는? [2016년 1회 기사]

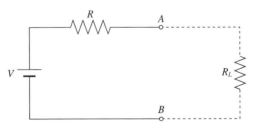

① $\dfrac{V^2}{4R}$ ② $\dfrac{V^2}{2R}$ ③ R ④ $2R$

해설

$$P = I^2 R = \left(\frac{V}{R + R_L}\right)^2 \cdot R \text{에서} \ R = R_L \text{이면} \ \left(\frac{V}{2R}\right)^2 R = \frac{V^2}{4R^2} R = \frac{V^2}{4R}$$

24 다음 회로에서 부하 R에 최대전력이 공급될 때의 전력값이 5[W]라고 하면 $R_L + R_i$의 값은 몇 [Ω]인가?(단, R_i는 전원의 내부저항이다) [2017년 2회 산업기사]

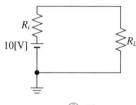

① 5

② 10

③ 15

④ 20

$$P_{max} = \frac{V^2}{4R}\ \text{에서}\ \ 5 = \frac{10^2}{4R}$$

$R = 5$이므로 $r + R = 10[\Omega]$

25 내부 임피던스가 $0.3 + j2[\Omega]$인 발전기에 임피던스가 $1.1 + j3[\Omega]$인 선로를 연결하여 어떤 부하에 전력을 공급하고 있다. 이 부하의 임피던스가 몇 [Ω]일 때 발전기로부터 부하로 전달되는 전력이 최대가 되는가? [2021년 3회 기사]

① $1.4 - j5$

② $1.4 + j5$

③ 1.4

④ $j5$

해설 $Z = 0.3 + j2 + 1.1 + j3$

$Z = 1.4 + j5$

최대전력 전달조건

$Z_L = \overline{Z_g}$

$Z = 1.4 - j5$

5. 결합회로

(1) 자기인덕턴스와 상호인덕턴스

① 자기인덕턴스(Self Inductance)

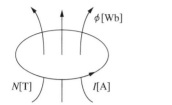

$$\phi = LI$$
$$N\phi = LI$$

㉠ 자기인덕턴스

역기전력이 자기 자신의 회로에 흐르는 전류의 변화로 유도될 때의 인덕턴스

$$L = \frac{N\phi}{I}[\text{H}]$$

㉡ 자기인덕턴스에 의해 유기되는 기전력

$$e = -N\frac{d\phi}{dt} = -L\frac{di}{dt}[\text{V}]$$

② 상호인덕턴스(Mutual Inductance)

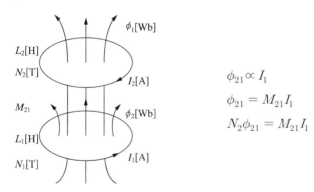

$$\phi_{21} \propto I_1$$
$$\phi_{21} = M_{21}I_1$$
$$N_2\phi_{21} = M_{21}I_1$$

㉠ 상호인덕턴스

역기전력이 결합되어 있는 상대방의 회로에 흐르는 전류의 변화로 유도되는 인덕턴스

$$M_{21} = \frac{N_2\phi_{21}}{I_1} = \frac{N_2\dfrac{N_1 I_1}{R}}{I_1} = \frac{N_1 N_2}{R}[\text{H}], \quad L_1 = \frac{N_1^2}{R}$$

$$M_{12} = \frac{N_1\phi_{12}}{I_2} = \frac{N_1\dfrac{N_2 I_2}{R}}{I_2} = \frac{N_1 N_2}{R}[\text{H}], \quad L_2 = \frac{N_2^2}{R}$$

ⓛ 1차 측 전류에 의해 2차 측에 유기되는 상호유도전압

$$e_2 = -N_2 \frac{d\phi_{21}}{dt} = -M_{21} \frac{di_1}{dt} \, [\mathrm{V}]$$

③ 결합계수(k)

두 코일 간의 전자적인 결합의 정도를 표시하는 계수

$$k = \sqrt{\frac{\phi_{21}}{\phi_1} \frac{\phi_{12}}{\phi_2}} = \sqrt{\frac{\dfrac{M_{21} I_1}{N_2}}{\dfrac{L_1 I_1}{N_1}} \frac{\dfrac{M_{12} I_2}{N_1}}{\dfrac{L_2 I_2}{N_2}}} = \frac{M}{\sqrt{L_1 L_2}} \, (0 \le k \le 1)$$

$k = 0$: 미결합, $k = 1$: 완전결합

(2) 인덕턴스의 접속

① 인덕턴스의 직렬접속

ㄱ 가동결합

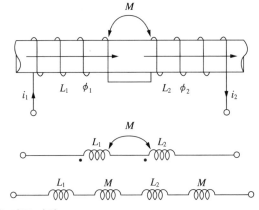

- 가극성 결합
- 자속의 방향이 같다.
- $L_0 = L_1 + L_2 + 2M$

ㄴ 차동결합

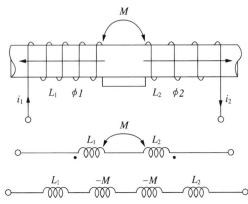

- 감극성 결합
- 자속의 방향이 반대
- $L_0 = L_1 + L_2 - 2M$

② 인덕턴스의 병렬접속

㉠ 가동결합

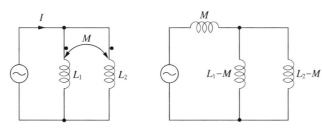

$$L_0 = M + \frac{(L_1 - M)(L_2 - M)}{L_1 - M + L_2 - M} = \frac{L_1 L_2 - M^2}{L_1 + L_2 - 2M} \text{ [H]}$$

㉡ 차동결합

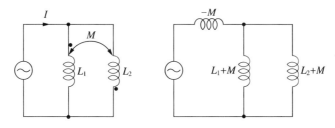

$$L_0 = -M + \frac{(L_1 + M)(L_2 + M)}{L_1 + M + L_2 + M} = \frac{L_1 L_2 - M^2}{L_1 + L_2 + 2M} \text{ [H]}$$

③ 이상적인 변압기

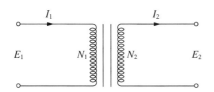

$$\text{권수비}(a) = \frac{N_1}{N_2} = \frac{E_1}{E_2} = \frac{I_2}{I_1} = \sqrt{\frac{Z_1}{Z_2}} = \sqrt{\frac{R_1}{R_2}} = \sqrt{\frac{X_1}{X_2}} = \sqrt{\frac{L_1}{L_2}}$$

(3) 브리지회로(Bridge Circuit)

① 휘트스톤 브리지(Wheatstone Bridge)회로

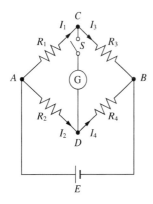

ㄱ 목적 : 나머지 저항값을 조절하여 가운데 전류가 흐르지 않도록 한 다음 모르는 미지의 저항값을 찾으려고 만든 회로

ㄴ 평형조건 : 양단의 전압 V_a와 V_b가 같을 때(전위차가 없어 가운데 전류가 흐르지 않는다)

$$V_a = \frac{Z_1}{Z_1 + Z_3} V, \quad V_b = \frac{Z_2}{Z_2 + Z_4} V$$

$$V_a = V_b$$

$$\frac{Z_1}{Z_1 + Z_3} V = \frac{Z_2}{Z_2 + Z_4} V$$

$$\therefore \ Z_1 Z_4 = Z_2 Z_3$$

② 캠벨 브리지(Campbell Bridge)회로

ㄱ 캠벨 브리지

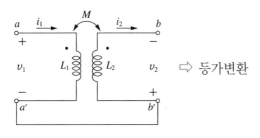 ⇨ 등가변환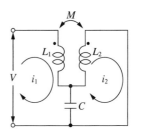

ㄴ i_2에 흐르는 전류가 0이 되기 위한 조건

M과 C가 직렬공진이 되기 위한 조건이므로 $\omega M = \dfrac{1}{\omega C}$

$$\therefore \ \omega^2 MC = 1$$

핵 / 심 / 예 / 제

01 어떤 코일에 흐르는 전류를 0.5[ms] 동안에 5[A]만큼 변화시킬 때 20[V]의 전압이 발생한다. 이 코일의 자기인덕턴스[mH]는?

[2015년 2회 산업기사]

① 2

② 4

③ 6

④ 8

해설

유도기전력 $e = -L\dfrac{dI}{dt} = -N\dfrac{d\phi}{dt}$ [V] 에서

인덕턴스 $L = e \times \dfrac{dt}{dI} = 20 \times \dfrac{0.5 \times 10^{-3}}{5} \times 10^3 = 2$ [mH]

02 그림과 같은 회로에서 스위치 S를 $t = 0$에서 닫았을 때 $v_L(t)|_{t=0} = 100$ [V], $\dfrac{di(t)}{dt}\Big|_{t=0}$ $= 400$ [A/s] 이다. L[H]의 값은?

[2020년 1, 2회 산업기사]

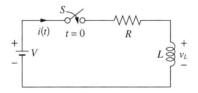

① 0.75   ② 0.5

③ 0.25   ④ 0.1

해설

$e = L\dfrac{di}{dt}$ 에서

$L = e \times \dfrac{dt}{di} = 100 \times \dfrac{1}{400} = 0.25$ [H]

03 회로에서 $V = 10[\mathrm{V}]$, $R = 10[\Omega]$, $L = 1[\mathrm{H}]$, $C = 10[\mu\mathrm{F}]$ 그리고 $V_c(0) = 0$일 때 스위치 K를 닫은 직후 전류의 변화율 $\dfrac{di}{dt}(0^+)$의 값[A/sec]은?

[2019년 1회 기사]

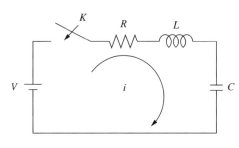

① 0   ② 1

③ 5   ④ 10

해설

$$v = L\frac{di}{dt}$$

$$\frac{di}{dt} = \frac{v}{L} = \frac{10}{1} = 10[\mathrm{A/sec}]$$

04 다음과 같은 회로에서 $i_1 = I_m\sin\omega t[\mathrm{A}]$일 때, 개방된 2차 단자에 나타나는 유기기전력 e_2는 몇 [V]인가?

[2017년 2회 산업기사]

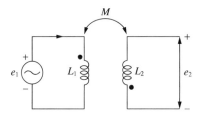

① $\omega M I_m\sin(\omega t - 90°)$ ② $\omega M I_m\cos(\omega t - 90°)$

③ $-\omega M\sin\omega t$ ④ $\omega M\cos\omega t$

해설

$$e = -M\frac{di}{dt} = -M\frac{d}{dt}I_m\sin\omega t = -\omega M I_m\cos\omega t = -\omega M I_m\sin(\omega t + 90°) = \omega M I_m\sin(\omega t - 90°)$$

$$\sin\omega t \xrightarrow{\text{미분}} \omega\cos\omega t \quad \cos\omega t \xrightarrow{\text{미분}} -\omega\sin\omega t$$

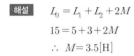

05 인덕턴스가 각각 5[H], 3[H]인 두 코일을 모두 dot 방향으로 전류가 흐르게 직렬로 연결하고 인덕턴스를 측정하였더니 15[H]이었다. 두 코일 간의 상호 인덕턴스[H]는?

[2019년 2회 산업기사]

① 3.5
② 4.5
③ 7
④ 9

> **해설**
> $L_0 = L_1 + L_2 + 2M$
> $15 = 5 + 3 + 2M$
> $\therefore M = 3.5[\text{H}]$

06 그림과 같은 회로의 합성인덕턴스는?　[2013년 1회 산업기사 / 2014년 1회 산업기사 / 2017년 3회 기사]

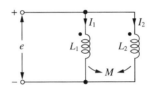

① $\dfrac{L_1 L_2 - M^2}{L_1 + L_2 - 2M}$
② $\dfrac{L_1 L_2 + M^2}{L_1 + L_2 - 2M}$
③ $\dfrac{L_1 L_2 - M^2}{L_1 + L_2 + 2M}$
④ $\dfrac{L_1 L_2 + M^2}{L_1 + L_2 + 2M}$

> **해설** 인덕턴스의 병렬연결, 가극성($-M$)이므로
> 합성인덕턴스 $L = M + \dfrac{(L_1 - M)(L_2 - M)}{(L_1 - M) + (L_2 - M)} = \dfrac{L_1 L_2 - M^2}{L_1 + L_2 - 2M}$

07 20[mH]와 60[mH]의 두 인덕턴스가 병렬로 연결되어 있다. 합성인덕턴스의 값[mH]은?(단, 상호인덕턴스는 없는 것으로 한다)

[2015년 3회 산업기사]

① 15
② 20
③ 50
④ 75

> **해설** 인덕턴스의 병렬연결, 가극성($-M$)이므로
> 합성인덕턴스 $L = \dfrac{L_1 L_2 - M^2}{L_1 + L_2 \mp 2M}$
> 상호인덕턴스가 $M = 0$으로 주어졌으므로
> $L = \dfrac{L_1 L_2}{L_1 + L_2} = \dfrac{20 \times 60}{20 + 60} = 15[\text{mH}]$

08 인덕턴스 $L = 20$[mH]인 코일에 실횻값 $E = 50$[V], 주파수 $f = 60$[Hz]인 정현파 전압을 인 가했을 때 코일에 축적되는 평균 자기에너지는 약 몇 [J]인가?

[2016년 3회 기사 / 2017년 1회 산업기사]

① 6.3

② 4.4

③ 0.63

④ 0.44

해설

$$W_L = \frac{1}{2}LI^2 = \frac{1}{2}L\left(\frac{E}{X_L}\right)^2 = \frac{1}{2}L\left(\frac{E}{\omega L}\right)^2 = \frac{1}{2}\times 20\times 10^{-3}\times\left(\frac{50}{2\pi\times 60\times 20\times 10^{-3}}\right)^2 \fallingdotseq 0.44[\text{J}]$$

09 전원 측 저항 1[kΩ], 부하저항 10[Ω]일 때, 이것에 변압비 $n:1$의 이상변압기를 사용하여 정합을 취하려 한다. n의 값으로 옳은 것은?

[2015년 2회 기사]

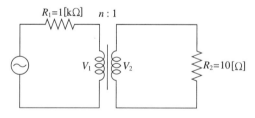

① 1

② 10

③ 100

④ 1,000

해설

변압기 권수비 $a = \dfrac{n}{1} = n = \sqrt{\dfrac{R_1}{R_2}} = \sqrt{\dfrac{1,000}{10}} = 10$

10 다음과 같은 교류 브리지회로에서 Z_0에 흐르는 전류가 0이 되기 위한 각 임피던스의 조건은?

[2017년 2회 산업기사]

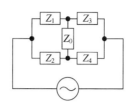

① $Z_1 Z_2 = Z_3 Z_4$

② $Z_1 Z_2 = Z_3 Z_0$

③ $Z_2 Z_3 = Z_1 Z_0$

④ $Z_2 Z_3 = Z_1 Z_4$

해설 Z_0에 흐르는 전류가 0이 되기 위한 조건 : $Z_1 Z_4 = Z_2 Z_3$

11 다음 회로에서 절점 a와 절점 b의 전압이 같은 조건은?

[2017년 1회 기사]

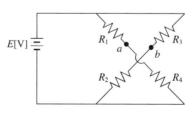

① $R_1 R_3 = R_2 R_4$

② $R_1 R_2 = R_3 R_4$

③ $R_1 + R_3 = R_2 + R_4$

④ $R_1 + R_2 = R_3 + R_4$

해설
$$\frac{R_1}{R_1 + R_4} = \frac{R_3}{R_2 + R_3}$$

$$\therefore R_1 R_2 = R_3 R_4$$

12 다음과 같은 회로에서 단자 a, b 사이의 합성저항[Ω]은? [2017년 3회 산업기사]

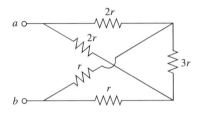

① r

② $\dfrac{1}{2}r$

③ $\dfrac{3}{2}r$

④ $3r$

<u>해설</u> 브리지회로의 평형상태이므로

$$R = \frac{3r \times 3r}{3r + 3r} = \frac{9r^2}{6r} = \frac{3}{2}r\,[\Omega]$$

13 그림과 같은 교류 브리지가 평형상태에 있다. $L[\mathrm{H}]$의 값은 얼마인가?

[2012년 1회 산업기사 / 2020년 4회 기사]

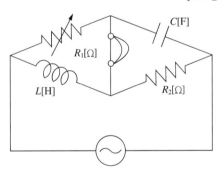

① $L = \dfrac{R_1 R_2}{C}$

② $L = \dfrac{C}{R_1 R_2}$

③ $L = R_1 R_2 C$

④ $L = \dfrac{R_2}{R_1 C}$

<u>해설</u> 브리지회로 평형조건 : $Z_1 Z_2 = Z_3 Z_4$

$R_1 R_2 = \omega L \times \dfrac{1}{\omega C}$에서 $R_1 R_2 = \dfrac{L}{C}$

∴ 인덕턴스 $L = R_1 R_2 C$

6. 선형회로망

(1) 회로망 해석

① 회로망 기하학

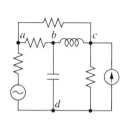 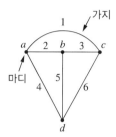

ㄱ 마디(절점, n) : 회로 내에 두 개 이상의 회로소자가 연결되어 있는 점

ㄴ 접속점 : 회로 내에 세 개 이상의 회로소자가 연결되어 있는 점

ㄷ 가지(지로, m) : 마디와 마디를 연결하는 선

ㄹ 나무 : 모든 마디를 연결하고 폐회로를 형성하지 않는 가지의 최소집합

　 나무의 총수 : $n-1$[개]

ㅁ 보목 : 나무를 제외한 가지

　 보목의 수 : $b-(n-1)$[개]

ㅂ 커트셋 : 가지를 한 번만 지나서 폐회로를 형성하는 가지의 최소집합

　 커트셋의 예 : (4, 5, 6), (1, 3, 5, 4), (1, 3, 6) 등

ㅅ 기본커트셋 : 나무의 가지를 하나만 포함하는 커트셋

② 전압원과 전류원

ㄱ 전압원

　• 이상적인 전압원　　　　　• 실제 전압원

　내부임피던스 : $Z_g = 0$　　　내부임피던스 : $Z_g \neq 0$

ㄴ 전류원

　• 이상적인 전류원　　　　　• 실제 전류원

　내부임피던스 : $Z_g = \infty$　　　내부임피던스 : $Z_g \neq \infty$

(2) 회로망 정리

① 키르히호프 법칙(적용범위에 한계가 없다)

ⓐ 제1법칙(전류법칙, KCL ; Kirchhoff Current Law)

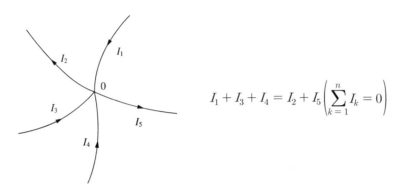

$$I_1 + I_3 + I_4 = I_2 + I_5 \left(\sum_{k=1}^{n} I_k = 0 \right)$$

ⓑ 제2법칙(전압법칙, KVL ; Kirchhoff Voltage Law)

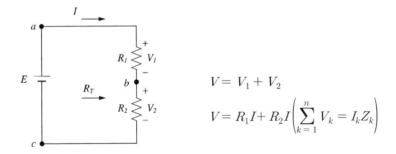

$$V = V_1 + V_2$$

$$V = R_1 I + R_2 I \left(\sum_{k=1}^{n} V_k = I_k Z_k \right)$$

② 중첩의 원리

ⓐ 정의 : 다수의 전원을 포함하는 선형회로망에 있어서 회로 내의 임의의 점의 전류의 크기 또는 임의의 두 점 간의 전압의 크기는 개개의 전원이 단독으로 존재할 때에 그 점을 흐르는 전류 또는 그 두 점 간의 전압을 합한 것과 같다는 원리

ⓑ 단독 해석방법(전원 소거방법)

전압원은 단락(Short), 전류원은 개방(Open)하여 해석한다.

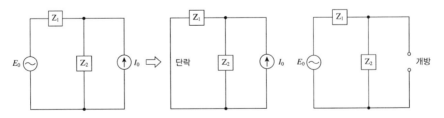

ⓒ 적용범위 : 선형회로에서만 적용 가능

③ 테브낭의 정리(Thevenin's Theorem) : 등가 전압원 원리

　㉠ 정의 : 임의의 회로망에 대한 부하 측의 개방단자에서 회로망 쪽으로 본 내부합성 임피던스(전압원 단락, 전류원 개방 상태에서 구한 임피던스)의 회로는 개방단자 전압에 내부합성 임피던스와 직렬로 연결된 회로와 같다는 원리

　㉡ 해석방법 : 전압원은 단락(Short), 전류원은 개방(Open)하여 해석한다.

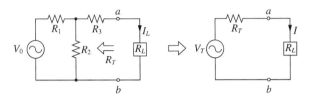

$$R_T = R_3 + \frac{R_1 R_2}{R_1 + R_2}, \quad V_T = \frac{R_2}{R_1 + R_2} V_0, \quad I = \frac{V_T}{R_T + R_L}$$

④ 노턴의 정리(Norton's Theorem) : 등가 전류원 원리

　㉠ 정의 : 전원을 포함한 회로망에서 임의의 단자를 단락했을 때 흐르는 단락전류와 부하 측 개방단자에서 회로망 쪽으로 본 내부합성 임피던스(전압원 단락, 전류원 개방 상태에서 구한 임피던스)의 회로는 단락전류와 내부임피던스가 병렬로 연결된 회로와 같다는 원리

　㉡ 해석방법 : 전압원은 단락(Short), 전류원은 개방(Open)하여 해석한다.

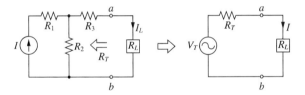

$$R_T = R_2 + R_3, \quad V_T = I \times R_2, \quad I = \frac{V_T}{R_T + R_L}$$

　※ 테브낭과 노턴의 정리는 쌍대관계

⑤ 밀만의 정리(Millman's Theorem)

　㉠ 정의 : 여러 개의 전압원이 병렬로 접속되어 있는 회로에서 그 병렬 접속점에 나타나
　　　　는 합성전압은 각각의 전압원을 단락했을 때 흐르는 전류의 대수합을 각각의 전원의
　　　　내부어드미턴스의 대수합으로 나눈 것과 같다는 원리

　㉡ 해석방법

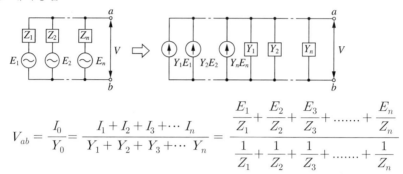

$$V_{ab} = \frac{I_0}{Y_0} = \frac{I_1 + I_2 + I_3 + \cdots I_n}{Y_1 + Y_2 + Y_3 + \cdots Y_n} = \frac{\dfrac{E_1}{Z_1} + \dfrac{E_2}{Z_2} + \dfrac{E_3}{Z_3} + \cdots\cdots + \dfrac{E_n}{Z_n}}{\dfrac{1}{Z_1} + \dfrac{1}{Z_2} + \dfrac{1}{Z_3} + \cdots\cdots + \dfrac{1}{Z_n}}$$

⑥ 회로망 접속

　㉠ 정의 : 임의의 회로망에 다른 회로망을 접속할 경우 접속단자에 흐르는 전류를 구하
　　　　는 원리로 접속단자에 각각 전압이 나타나고 각각의 단자에서 바라본 합성임피던스
　　　　의 회로의 단자에 흐르는 전류는 각각의 단자전압의 합을 임피던스의 합으로 나눈
　　　　값과 같다는 원리

　㉡ 해석방법

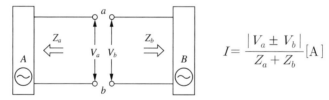

$$I = \frac{|V_a \pm V_b|}{Z_a + Z_b} [\mathrm{A}]$$

⑦ 가역의 정리

　㉠ 정의 : 선형, 쌍형성 수동소자로 된 회로망의 한 지로에 전압전원을 삽입할 때 다른
　　　　임의의 지로에 흐르는 전류는 후자의 지로에 동일한 전압전원을 삽입할 때 전자의
　　　　지로에 흐르는 전류와 같다.

　㉡ 해석방법

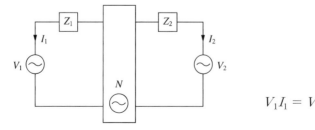

$$V_1 I_1 = V_2 I_2$$

핵 / 심 / 예 / 제

01 전하보존의 법칙(Conservation of Charge)과 가장 관계가 있는 것은? [2016년 3회 기사]

① 키르히호프의 전류법칙　　　② 키르히호프의 전압법칙
③ 옴의 법칙　　　　　　　　　④ 렌츠의 법칙

해설　유입하는 전류와 유출하는 전류의 양은 같다.

02 그림에서 10[Ω]의 저항에 흐르는 전류는 몇 [A]인가? [2016년 3회 산업기사 / 2020년 3회 산업기사]

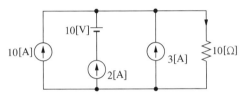

① 13　　　　　　　　　　　　② 14
③ 15　　　　　　　　　　　　④ 16

해설　중첩의 원리
• 전압원 적용 : 전류=0
• 전류원 적용 : 전류원 총합 $I = 10+2+3 = 15[A]$

03 그림과 같은 회로의 컨덕턴스 G_2에서 흐르는 전류 i는 몇 [A]인가? [2017년 1회 기사]

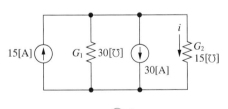

① −5　　　　　　　　　　　　② 5
③ −10　　　　　　　　　　　④ 10

해설　$i = \dfrac{G_2}{G_1 + G_2} I = \dfrac{15}{30+15} \times 15 = 5$
방향이 반대방향이므로 −5[A]

04 그림과 같은 회로에서 5[Ω]에 흐르는 전류 I는 몇 [A]인가?　　　[2020년 1, 2회 산업기사]

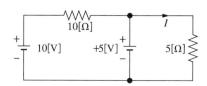

①　$\dfrac{1}{2}$　　　　　②　$\dfrac{2}{3}$　　　　　③　1　　　　　④　$\dfrac{5}{3}$

해설　$I = \dfrac{V}{R} = \dfrac{5}{5} = 1[A]$

05 회로에서 전압 V_{ab}[V]는?　　　[2021년 1회 기사]

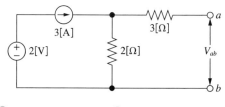

①　2　　　　　②　3　　　　　③　6　　　　　④　9

해설　$V_{ab} = IR = 3 \times 2 = 6[V]$

06 다음 회로에서 I를 구하면 몇 [A]인가?　　　[2016년 2회 산업기사 / 2018년 3회 기사]

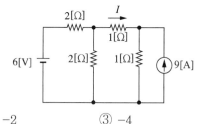

①　2　　　　　②　−2　　　　　③　−4　　　　　④　4

해설　**중첩의 원리(전압원 : 단락, 전류원 : 개방)**

・전류원만 인가 시 : 전압원 단락 $I_R{'} = \dfrac{1}{1+2} \times (-9) = -3[A]$

・전압원만 인가 시 : 전류원 개방 $I = \dfrac{V}{R} = \dfrac{6}{3} = 2[A]$

$I_R{''} = \dfrac{V_R}{R} = \dfrac{2}{2} = 1[A]$

∴ $I = I_R{'} + I_R{''} = -3 + 1 = -2[A]$

07 회로에서 저항 1[Ω]에 흐르는 전류 I[A]는?

[2021년 2회 기사]

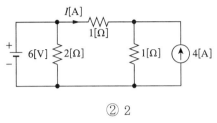

① 3   ② 2

③ 1   ④ −1

해설 • 전압원 해석 시

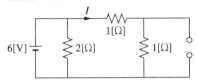

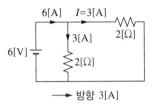

• 전류원 해석 시

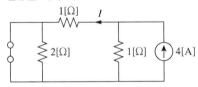

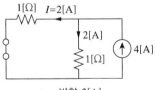

그러므로 → 3[A] ← 2[A]이며,
→ 1[A]이다.

08 회로에서 0.5[Ω] 양단 전압(V)은 약 몇 [V]인가?

[2020년 1, 2회 기사]

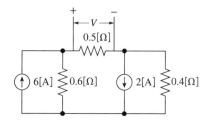

① 0.6
② 0.93
③ 1.47
④ 1.5

해설

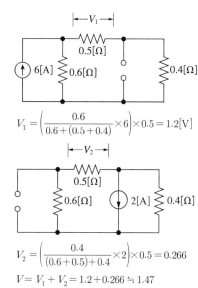

$$V_1 = \left(\frac{0.6}{0.6+(0.5+0.4)} \times 6\right) \times 0.5 = 1.2[V]$$

$$V_2 = \left(\frac{0.4}{(0.6+0.5)+0.4} \times 2\right) \times 0.5 = 0.266$$

$$V = V_1 + V_2 = 1.2 + 0.266 ≒ 1.47$$

09 회로에서 6[Ω]에 흐르는 전류[A]는?

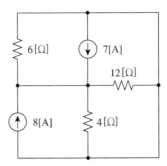

① 2.5

② 5

③ 7.5

④ 10

해설 중첩의 원리를 이용

• 7[A] 개방 시

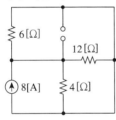 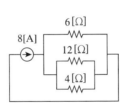 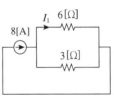

(4[Ω]과 12[Ω]의 병렬의 합성저항은 3[Ω]이다)

$$I_1 = \frac{3}{6+3} \times 8 = 2.667[\text{A}]$$

• 8(A) 개방 시

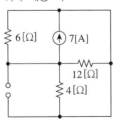 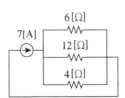 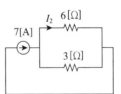

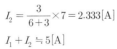

$$I_2 = \frac{3}{6+3} \times 7 = 2.333[\text{A}]$$

$$I_1 + I_2 \fallingdotseq 5[\text{A}]$$

10 그림과 같은 회로에서 i_x는 몇 [A]인가?

[2016년 1회 기사]

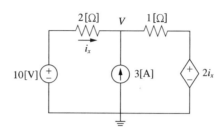

① 3.2

② 2.6

③ 2.0

④ 1.4

해설 전류원 3[A]를 개방

$I_x(2+1) = 10-2I_x$

$3I_x = 10-2I_x$

$5I_x = 10$

$I_x = 2[A]$

10[V] 전압원을 단락시키면

$I_x+3 = \dfrac{V-2I_x}{1}$

$I_x+3 = V-2I_x$ 정리하면 $I_x = \dfrac{V-3}{3}$ ············· ⓐ

$I_x = \dfrac{-V}{2}$에서 $V = -2I_x$ ························· ⓑ

ⓑ식을 ⓐ식에 대입하면 $I_x = \dfrac{-2I_x-3}{3}$에서 $I_x = -0.6$

전체 $I_x = 2-0.6 = 1.4[A]$

11 회로에서 20[Ω]의 저항이 소비하는 전력은 몇 [W]인가?

[2020년 3회 기사]

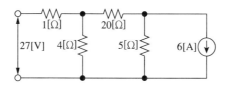

① 14

② 27

③ 40

④ 80

해설

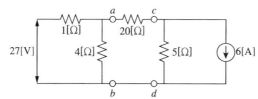

• 테브낭 정리

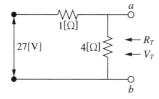

$$R_T = \frac{4 \times 1}{4+1} = \frac{4}{5} = 0.8[\Omega] \,(\text{전압원 단락})$$

$$V_T = \frac{4}{1+4} \times 27 = 21.6[\text{V}]$$

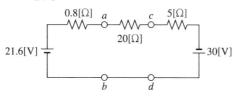

$$I = \frac{21.6 + 30}{0.8 + 20 + 5} = 2$$

$$P = I^2 R = 2^2 \times 20 = 80[\text{W}]$$

12 회로망 출력단자 $a-b$에서 바라본 등가임피던스는?(단, $V_1 = 6[V]$, $V_2 = 3[V]$, $I_1 = 10[A]$, $R_1 = 15[\Omega]$, $R_2 = 10[\Omega]$, $L = 2[H]$, $j\omega = s$ 이다) [2013년 1회 기사 / 2019년 1회 기사]

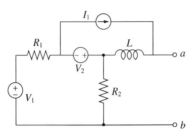

① $\dfrac{1}{s+3}$

② $s+15$

③ $\dfrac{3}{s+2}$

④ $2s+6$

해설 테브낭 저항(전압원 단락, 전류원 개방)

$$Z_{ab} = \frac{R_1 R_2}{R_1 + R_2} + j\omega L = \frac{15 \times 10}{15 + 10} + 2s = 6 + 2s$$

13 테브낭의 정리를 이용하여 (a)회로를 (b)와 같은 등가회로로 바꾸려 한다. $V[V]$와 $R[\Omega]$의 값은? [2017년 1회 산업기사]

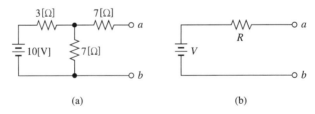

(a)   (b)

① 7[V], 9.1[Ω]

② 10[V], 9.1[Ω]

③ 7[V], 6.5[Ω]

④ 10[V], 6.5[Ω]

해설

$$R = \frac{3 \times 7}{3+7} + 7 = 9.1[\Omega]$$

$$V = \frac{7}{3+7} \times 10 = 7[V]$$

14 회로의 양 단자에서 테브낭의 정리에 의한 등가회로로 변환할 경우 V_{ab} 전압과 테브낭 등가저항은?

[2017년 2회 산업기사]

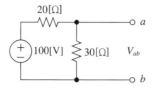

① 60[V], 12[Ω]　　　　② 60[V], 15[Ω]

③ 50[V], 15[Ω]　　　　④ 50[V], 50[Ω]

해설　테브낭 등가저항 $R = \dfrac{30 \times 20}{30 + 20} = 12[\Omega]$

$$V_{ab} = \dfrac{30}{20 + 30} \times 100 = 60[V]$$

15 그림 (a)와 (b)의 회로가 등가회로가 되기 위한 전류원 I[A]와 임피던스 Z[Ω]의 값은?

[2015년 2회 기사]

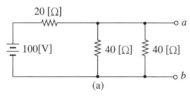 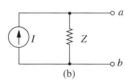

① 5[A], 10[Ω]

② 2.5[A], 10[Ω]

③ 5[A], 20[Ω]

④ 2.5[A], 20[Ω]

해설　전압원을 전류원으로 등가변환하면(전압원의 직렬 20[Ω]이 전류원에 병렬로 등가됨)

$$I = \dfrac{100}{20} = 5[A]$$

5[A] 전류에 20[Ω], 40[Ω], 40[Ω]이 병렬이 되므로

$$Z = \dfrac{1}{\dfrac{1}{20} + \dfrac{1}{40} + \dfrac{1}{40}} = 10[\Omega]$$

16 그림과 같은 회로에서 저항 0.2[Ω]에 흐르는 전류는 몇 [A]인가?

[2014년 1회 기사 / 2018년 2회 산업기사]

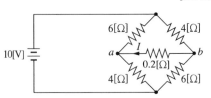

① 0.4

② -0.4

③ 0.2

④ -0.2

해설

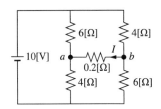 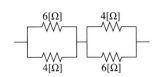

$$\frac{6 \times 4}{6+4} = 2.4[\Omega]$$

$$2.4[\Omega] + 2.4[\Omega] = 4.8[\Omega]$$

$V_a = 4[\text{V}], \quad V_b = 6[\text{V}] \, (V_a, \, V_b점의 \ 전위차)$

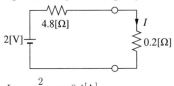

$$I = \frac{2}{4.8 + 0.2} = 0.4[\text{A}]$$

16 ① 정답

17 휘트스톤 브리지에서 R_L에 흐르는 전류(I)는 약 몇 [mA]인가? [2016년 2회 산업기사]

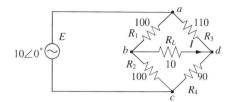

① 2.28

② 4.57

③ 7.84

④ 22.8

해설

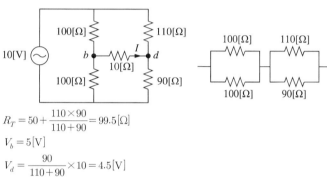

$$R_T = 50 + \frac{110 \times 90}{110 + 90} = 99.5[\Omega]$$

$$V_b = 5[\text{V}]$$

$$V_d = \frac{90}{110 + 90} \times 10 = 4.5[\text{V}]$$

$$I = \frac{0.5}{99.5 + 10} \times 10^3 \fallingdotseq 4.57[\text{mA}]$$

18 그림과 같은 불평형 Y형 회로에 평형 3상 전압을 가할 경우 중성점의 전위 V_n[V]는?(단, Y_1, Y_2, Y_3는 각 상의 어드미턴스[℧]이고, Z_1, Z_2, Z_3는 각 어드미턴스에 대한 임피던스 [Ω]이다)

[2013년 2회 산업기사 / 2020년 3회 산업기사]

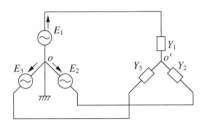

① $\dfrac{E_1 + E_2 + E_3}{Z_1 + Z_2 + Z_3}$

② $\dfrac{Z_1 E_1 + Z_2 E_2 + Z_3 E_3}{Z_1 + Z_2 + Z_3}$

③ $\dfrac{E_1 + E_2 + E_3}{Y_1 + Y_2 + Y_3}$

④ $\dfrac{Y_1 E_1 + Y_2 E_2 + Y_3 E_3}{Y_1 + Y_2 + Y_3}$

해설 밀만의 정리

$$V_n = \frac{Y_1 E_1 + Y_2 E_2 + Y_3 E_3}{Y_1 + Y_2 + Y_3} = \frac{\dfrac{E_1}{Z_1} + \dfrac{E_2}{Z_2} + \dfrac{E_3}{Z_3}}{\dfrac{1}{Z_1} + \dfrac{1}{Z_2} + \dfrac{1}{Z_3}}$$

19 회로의 단자 a와 b 사이에 나타나는 전압 V_{ab}는 몇 [V]인가?

[2020년 4회 기사]

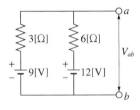

① 3

② 9

③ 10

④ 12

해설

$$V_{ab} = \frac{\dfrac{9}{3} + \dfrac{12}{6}}{\dfrac{1}{3} + \dfrac{1}{6}} = 10$$

20 그림의 회로에서 전류 I는 약 몇 [A]인가?(단, 저항의 단위는 [Ω]이다) [2019년 2회 산업기사]

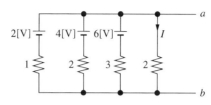

① 1.125

② 1.29

③ 6

④ 7

해설

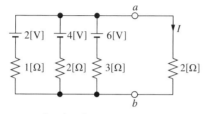

$$V_{ab} = \frac{\dfrac{2}{1}+\dfrac{4}{2}+\dfrac{6}{3}}{\dfrac{1}{1}+\dfrac{1}{2}+\dfrac{1}{3}} \fallingdotseq 3.273[\text{V}]$$

$$R_0 = \frac{1}{\dfrac{1}{1}+\dfrac{1}{2}+\dfrac{1}{3}} \fallingdotseq 0.545[\Omega]$$

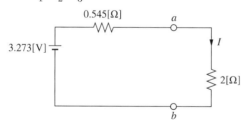

$$I = \frac{3.273}{2+0.543} \fallingdotseq 1.29[\text{A}]$$

21 그림에서 a, b단자의 전압이 100[V], a, b에서 본 능동 회로망 N의 임피던스가 15[Ω]일 때, a, b단자에 10[Ω]의 저항을 접속하면 a, b 사이에 흐르는 전류는 몇 [A]인가?

[2018년 3회 산업기사]

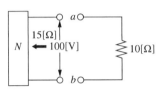

① 2 ② 4
③ 6 ④ 8

해설 $I = \dfrac{E}{R_1 + R_2} = \dfrac{100}{15 + 10} = 4\,[\text{A}]$

22 $a-b$단자의 전압이 $50\angle 0°$[V], $a-b$단자에서 본 능동 회로망(N)의 임피던스가 $Z = 6 + j8$ [Ω]일 때, $a-b$단자에 임피던스 $Z' = 2 - j2$[Ω]를 접속하면 이 임피던스에 흐르는 전류[A] 는?

[2019년 2회 산업기사]

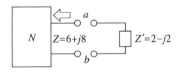

① $3 - j4$ ② $3 + j4$
③ $4 - j3$ ④ $4 + j3$

해설 $I = \dfrac{V}{Z} = \dfrac{50\angle 0°}{(6 + j8) + (2 - j2)} = 4 - j3\,[\text{A}]$

23 두 개의 회로망 N_1과 N_2가 있다. $a-b$단자, $a'-b'$단자의 각각의 전압은 50[V], 30[V]이다. 또 양 단자에서 N_1, N_2를 본 임피던스가 15[Ω]과 25[Ω]이다. $a-a'$, $b-b'$를 연결하면 이때 흐르는 전류는 몇 [A]인가? [2016년 2회 산업기사]

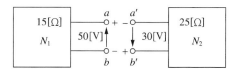

① 0.5

② 1

③ 2

④ 4

해설 $I = \dfrac{E_1 + E_2}{R_1 + R_2} = \dfrac{50 + 30}{15 + 25} = 2[\mathrm{A}]$

24 임피던스 궤적이 직선일 때 이의 역수인 어드미턴스 궤적은?

[2014년 1회 산업기사 / 2017년 2회 산업기사]

① 원점을 통하는 직선

② 원점을 통하지 않는 직선

③ 원점을 통하는 원

④ 원점을 통하지 않는 원

해설	임피던스 궤적	어드미턴스 궤적
$R-L$ 직렬회로	가변하는 축에 평행한 반직선 벡터 궤적 (1상한)	가변하지 않는 축에 원점이 위치한 반원 벡터 궤적(4상한)
$R-C$ 직렬회로	가변하는 축에 평행한 반직선 벡터 궤적 (4상한)	가변하지 않는 축에 원점이 위치한 반원 벡터 궤적(1상한)
$R-L$ 병렬회로	가변하지 않는 축에 원점이 위치한 반원 벡터 궤적(1상한)	가변하는 축에 평행한 반직선 벡터 궤적 (4상한)
$R-C$ 병렬회로	가변하지 않는 축에 원점이 위치한 반원 벡터 궤적(4상한)	가변하는 축에 평행한 반직선 벡터 궤적 (1상한)

7. 다상교류

(1) 3상 교류

① Y결선(스타결선, 성형결선)

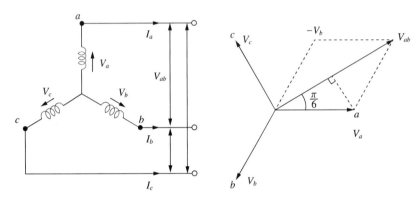

㉠ 선간전압과 상전압

$$V_L = \sqrt{3}\, V_P \angle 30° [\text{V}]$$

㉡ 선전류와 상전류

$$I_L = I_P \angle 0 [\text{A}]$$

㉢ 선전류

$$I_Y = \frac{V_L}{\sqrt{3}\, Z}, \quad I = \frac{P}{\sqrt{3}\, V_L \cos\theta \cdot \eta} \times (\cos\theta - j\sin\theta)$$

㉣ 전 력

• 소비전력

$$P = \sqrt{3}\, V_L I_L \cos\theta = 3 I_P^2 R = \frac{V_L^2 R}{R^2 + X^2} [\text{W}]$$

• 무효전력

$$P_r = 3 I_P^2 X = \sqrt{3}\, VI \sin\theta [\text{Var}]$$

• 피상전력

$$P_a = 3 I_p^2 Z = \sqrt{3}\, VI [\text{VA}]$$

② △결선(삼각결선, 환상결선)

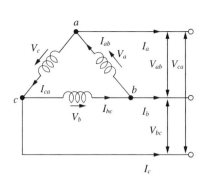 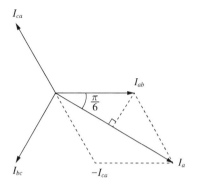

㉠ 선간전압과 상전압

$$V_L = V_P \angle 0°[\mathrm{V}]$$

㉡ 선전류와 상전류

$$I_L = \sqrt{3}\, I_P \angle -30°[\mathrm{A}]$$

㉢ 선전류

$$I_\triangle = \frac{\sqrt{3}\, V_L}{Z}, \ \ I = \frac{P}{\sqrt{3}\, V_L \cos\theta \cdot \eta} \times (\cos\theta - j\sin\theta)$$

$$\therefore \ I_\triangle = 3I_Y$$

㉣ 전 력

• 소비전력

$$P = \sqrt{3}\, V_L I_L \cos\theta = 3 I_P^2 R = \frac{3 V_L^2 R}{R^2 + X^2}\,[\mathrm{W}]$$

$$\therefore \ P_\triangle = 3 P_Y$$

• 무효전력

$$P_r = 3 I_P^2 X = \sqrt{3}\, V I \sin\theta [\mathrm{Var}]$$

• 피상전력

$$P_a = 3 I_p^2 Z = \sqrt{3}\, V I [\mathrm{VA}]$$

③ V결선

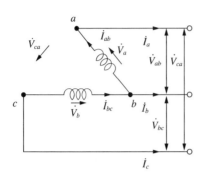 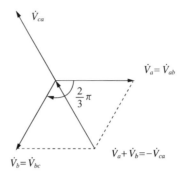

㉠ V결선 방법

　3상 회로에서 전원 변압기의 1상을 제거한 상태인 2대의 단상 변압기로 3상의 전원을 공급하여 운전하는 결선방법

㉡ V결선 출력

$$P_V = \sqrt{3}\,P_{\triangle 1}\,(P_{\triangle 1} :\,\triangle결선\ 1대의\ 용량)$$

$$= \sqrt{3}\,V_p I_p \cos\theta\,[\mathrm{kVA}]$$

㉢ 출력비

$$\frac{\mathrm{V}\,결선\ 시\ 출력}{고장\ 전\ 3대의\ 출력} = \frac{\sqrt{3}\,P_{\triangle 1}}{3 \times P_{\triangle 1}} = \frac{1}{\sqrt{3}} = 0.577\,[57\%]$$

㉣ 이용률

$$\frac{\mathrm{V}\,결선\ 시\ 출력}{고장\ 후\ 2대의\ 출력} = \frac{\sqrt{3}\,P_{\triangle 1}}{2 \times P_{\triangle 1}} = \frac{\sqrt{3}}{2} = 0.866\,[86\%]$$

④ Y ↔ △ 변환

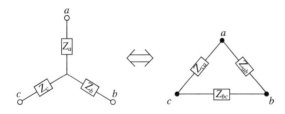

　㉠ △ ⟹ Y 변환

$$Z_a = \frac{Z_{ab} \cdot Z_{ca}}{Z_{ab} + Z_{bc} + Z_{ca}} \, [\Omega]$$

$$Z_b = \frac{Z_{ab} \cdot Z_{bc}}{Z_{ab} + Z_{bc} + Z_{ca}} \, [\Omega]$$

$$Z_c = \frac{Z_{bc} \cdot Z_{ca}}{Z_{ab} + Z_{bc} + Z_{ca}} \, [\Omega]$$

　㉡ Y ⟹ △ 변환

$$Z_{ab} = \frac{Z_a Z_b + Z_b Z_c + Z_c Z_a}{Z_c} \, [\Omega]$$

$$Z_{bc} = \frac{Z_a Z_b + Z_b Z_c + Z_c Z_a}{Z_a} \, [\Omega]$$

$$Z_{ca} = \frac{Z_a Z_b + Z_b Z_c + Z_c Z_a}{Z_b} \, [\Omega]$$

$$\therefore \ Z_a = \frac{1}{3} Z_{ab}$$

(2) n상 교류

① Y결선

　㉠ $V_L = 2\sin\dfrac{\pi}{n} V_P \angle \dfrac{\pi}{2}\left(1 - \dfrac{2}{n}\right)$

　㉡ $I_L = I_P$

② △결선

　㉠ $V_L = V_P$

　㉡ $I_L = 2\sin\dfrac{\pi}{n} I_P \angle -\dfrac{\pi}{2}\left(1 - \dfrac{2}{n}\right)$

③ 전 력

$$P = \frac{n}{2\sin\dfrac{\pi}{n}} V_L I_L \cos\theta \, [\text{W}]$$

　※ 비대칭 다상교류가 만드는 회전자계 : 타원형 회전자계
　※ 대칭 다상교류가 만드는 회전자계 : 원형 회전자계

(3) 전력계법에 의한 전력측정

① 2전력계법

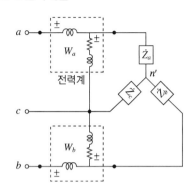 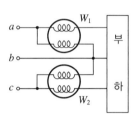

㉠ 유효전력 : $P = W_1 + W_2 [\mathrm{W}]$

㉡ 무효전력 : $P_r = \sqrt{3}\,(W_1 - W_2)[\mathrm{Var}]$

㉢ 피상전력 : $P_a = 2\sqrt{W_1^2 + W_2^2 - W_1 W_2}\,[\mathrm{VA}]$

㉣ 역률 : $\cos\theta = \dfrac{W_1 + W_2}{2\sqrt{W_1^2 + W_2^2 - W_1 W_2}}$

※ 한쪽의 지시값이 다른 쪽의 2배일 때 : $\cos\theta = 86.6[\%]$

3배일 때 : $\cos\theta = 75[\%]$

0일 때 : $\cos\theta = 50[\%]$

② 1전력계법

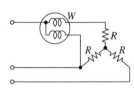

㉠ 유효전력 : $P = 2 \times W[\mathrm{W}]$

㉡ 무효전력 : $P_r = 0[\mathrm{Var}]$

㉢ 피상전력 : $P_a = 2 \times W[\mathrm{VA}]$

㉣ 역률 : $\cos\theta = 1$

핵 / 심 / 예 / 제

01 Y결선의 평형 3상 회로에서 선간전압 V_{ab}와 상전압 V_{an}의 관계로 옳은 것은?
(단, $V_{bn} = V_{an}e^{-j(2\pi/3)}$, $V_{cn} = V_{bn}e^{-j(2\pi/3)}$) [2020년 1, 2회 기사]

① $V_{ab} = \dfrac{1}{\sqrt{3}}e^{j(\pi/6)}V_{an}$

② $V_{ab} = \sqrt{3}\,e^{j(\pi/6)}V_{an}$

③ $V_{ab} = \dfrac{1}{\sqrt{3}}e^{-j(\pi/6)}V_{an}$

④ $V_{ab} = \sqrt{3}\,e^{-j(\pi/6)}V_{an}$

해설
$$V_{ab} = \sqrt{3}\,V_{an}\angle 30°$$
$$V_{ab} = \sqrt{3}\,V_{an}e^{j\frac{\pi}{6}}$$

02 Y결선 전원에서 각 상전압이 100[V]일 때 선간전압[V]은?

[2013년 2회 산업기사 / 2017년 2회 산업기사]

① 150   ② 170
③ 173   ④ 179

해설 Y결선에서 $I_l = I_p[\mathrm{A}]$, $V_l = \sqrt{3}\,V_p[\mathrm{V}]$
∴ 선간전압 $V_l = \sqrt{3}\,V_p = 100\sqrt{3} \fallingdotseq 173[\mathrm{V}]$

03 Y결선된 대칭 3상 회로에서 전원 한 상의 전압이 $V_a = 220\sqrt{2}\,\sin\omega t[\mathrm{V}]$일 때 선간전압의 실 훗값은 약 몇 [V]인가?

[2016년 2회 산업기사 / 2019년 3회 산업기사]

① 220   ② 310
③ 380   ④ 540

해설 $V_l = \sqrt{3}\,V_p = \sqrt{3}\times 220 \fallingdotseq 380[\mathrm{V}]$

정답 01 ②   02 ③   03 ③

04 대칭 3상 Y결선 부하에서 각 상의 임피던스가 $Z = 16 + j12[\Omega]$이고 부하전류가 5[A]일 때, 이 부하의 선간전압[V]은?

[2012년 3회 산업기사 / 2018년 2회 산업기사]

① $100\sqrt{3}$

② $100\sqrt{2}$

③ $200\sqrt{3}$

④ $200\sqrt{2}$

해설 Y결선에서 $I_l = I_p[A]$, $V_l = \sqrt{3}\,V_p[V]$

상전압 $V_p = I_p \times Z = 5 \times \sqrt{16^2 + 12^2} = 100[V]$

∴ 선간전압 $V_l = \sqrt{3}\,V_p = 100\sqrt{3}\,[V]$

05 상전압이 120[V]인 평형 3상 Y결선의 전원에 Y결선 부하를 도선으로 연결하였다. 도선의 임피던스는 $1 + j[\Omega]$이고 부하의 임피던스는 $20 + j10[\Omega]$이다. 이때 부하에 걸리는 전압은 약 몇 [V]인가?

[2016년 3회 기사]

① $67.18\angle -25.4°$

② $101.62\angle 0°$

③ $113.14\angle -1.1°$

④ $118.42\angle -30°$

해설 전체전류 $I_p = \dfrac{V_p}{Z} = \dfrac{120}{21 + j11} = \dfrac{120}{23.70\angle 27.64°} = 5.06\angle -27.64°$

부하에 걸리는 전압 $V_p = I_p Z = (5.06\angle -27.64°)(20 + j10)$

$\qquad\qquad\qquad\qquad = (5.06\angle -27.64°)(10\sqrt{5}\angle 26.56°) = 113.14\angle -1.08°$

(복소수로 나온 값을 극형식으로 바꾸는 방법 : 계산에 의해 나온 답을 SHIFT 2·3번을 누르면 됨)

06 그림과 같이 $R[\Omega]$의 저항을 Y 결선으로 하여 단자의 a, b 및 c에 비대칭 3상 전압을 가할 때, a단자의 중성점 N에 대한 전압은 약 몇 [V]인가?(단, $V_{ab} = 210[V]$, $V_{bc} = -90 - j180[V]$, $V_{ca} = -120 + j180[V]$)

[2018년 1회 기사]

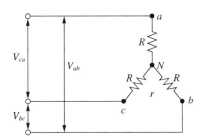

① 100

② 116

③ 121

④ 125

해설 $I_a + I_b + I_c = 0$

$$I_a = \frac{V_{an}}{R} \qquad I_b = \frac{V_{bn}}{R} \qquad I_c = \frac{V_{cn}}{R}$$

$$V_{an} + V_{bn} + V_{cn} = 0 \Rightarrow V_{bn} + V_{cn} = -V_{an}$$

$$V_{ab} - V_{ca} = (V_{an} - V_{bn}) - (V_{cn} - V_{an}) = 2V_{an} - (V_{bn} + V_{cn}) = 3V_{an}$$

$$V_{an} = \frac{V_{ab} - V_{ca}}{3} = \frac{(210 + 120 - j180)}{3} = 110 - j60$$

$$V_{an} = \sqrt{110^2 + 60^2} \fallingdotseq 125.3 \fallingdotseq 125[V]$$

07 $Z = 8 + j6[\Omega]$인 평형 Y부하에 선간전압 200[V]인 대칭 3상 전압을 가할 때, 선전류는 약 몇 [A]인가?

[2011년 2회 산업기사 / 2015년 1회 산업기사]

① 20 　　　　　　　　　　　② 11.5

③ 7.5 　　　　　　　　　　　④ 5.5

해설 Y결선에서 $I_l = I_p[A]$, $V_l = \sqrt{3}\,V_p[V]$

- 상전류 $I_p = \dfrac{V_p}{Z} = \dfrac{\frac{200}{\sqrt{3}}}{10} \fallingdotseq 11.5[A]$

- 선전류 $I_l = I_p \fallingdotseq 11.5[A]$

08 대칭 3상 Y결선에서 선간전압이 $200\sqrt{3}$ [V]이고 각 상의 임피던스가 $30+j40[\Omega]$의 평형부하일 때 선전류[A]는?

[2019년 1회 산업기사]

① 2

② $2\sqrt{3}$

③ 4

④ $4\sqrt{3}$

해설

$$I_l = I_p = \frac{V_p}{Z} = \frac{200}{50} = 4[\text{A}]$$

$$V_l = \sqrt{3}\,V_p \Rightarrow V_p = \frac{V_l}{\sqrt{3}} = \frac{200\sqrt{3}}{\sqrt{3}} = 200[\text{V}]$$

09 그림과 같은 평형 3상 Y형 결선에서 각 상이 8[Ω]의 저항과 6[Ω]의 리액턴스가 직렬로 접속된 부하에 선간전압 $100\sqrt{3}$ [V]가 공급되었다. 이때 선전류는 몇 [A]인가?

[2011년 1회 산업기사 / 2019년 2회 산업기사]

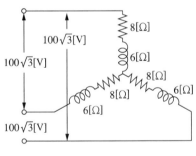

① 5

② 10

③ 15

④ 20

해설 Y 결선에서 $I_l = I_p[\text{A}]$, $V_l = \sqrt{3}\,V_p[\text{V}]$

• 상전류 $I_p = \dfrac{V_p}{Z} = \dfrac{\frac{100\sqrt{3}}{\sqrt{3}}}{10} = 10[\text{A}]$

• 선전류 $I_l = I_p = 10[\text{A}]$

10 성형(Y)결선의 부하가 있다. 선간전압 300[V]의 3상 교류를 가했을 때 선전류가 40[A]이고, 역률이 0.8이라면 리액턴스는 약 몇 [Ω]인가? [2017년 3회 기사]

① 1.66

② 2.60

③ 3.56

④ 4.33

해설

$$V_p = \frac{300}{\sqrt{3}}$$

$$Z = \frac{V_p}{I_p} = \frac{\frac{300}{\sqrt{3}}}{40} = \frac{300}{40\sqrt{3}}$$

$$X = Z\sin\theta = \frac{300}{40\sqrt{3}} \times 0.6 \fallingdotseq 2.6$$

11 평형 3상 3선식 회로에서 부하는 Y결선이고, 선간전압이 173.2∠0°[V]일 때 선전류는 20∠−120°[A]이었다면, Y결선된 부하 한 상의 임피던스는 약 몇 [Ω]인가? [2019년 2회 기사]

① $5\angle 60°$

② $5\angle 90°$

③ $5\sqrt{3}\angle 60°$

④ $5\sqrt{3}\angle 90°$

해설

$$Z_p = \frac{V_p}{I_p} = \frac{\frac{173.2}{\sqrt{3}}\angle -30°}{20\angle -120°} = \frac{100}{20}\angle -30° + 120° = 5\angle 90°$$

12 평형 3상 부하에 전력을 공급할 때 선전류값이 20[A]이고 부하의 소비전력이 4[kW]이다. 이 부하의 등가 Y회로에 대한 각 상의 저항은 약 몇 [Ω]인가?

[2011년 2회 산업기사 / 2019년 2회 산업기사]

① 3.3[Ω]

② 5.7[Ω]

③ 7.2[Ω]

④ 10[Ω]

해설 Y결선에서 $I_l = I_p[A]$, $V_l = \sqrt{3}V_p[V]$

∴ 저항 $R = \frac{P}{3I_p^2} = \frac{4,000}{3 \times 20^2} \fallingdotseq 3.3[Ω]$

13 평형 3상 Y결선회로의 선간전압 V_l, 상전압 V_p, 선전류 I_l, 상전류가 I_p일 때 다음의 관련식 중 틀린 것은?(단, P_y는 3상 부하전력을 의미한다) [2016년 3회 산업기사 / 2019년 3회 산업기사]

① $V_l = \sqrt{3}\, V_p$

② $I_l = I_p$

③ $P_y = \sqrt{3}\, V_l I_l \cos\theta$

④ $P_y = \sqrt{3}\, V_p I_p \cos\theta$

해설 Y결선 $I_l = I_p$, $V_l = \sqrt{3}\, V_p$
$$P_y = 3 V_p I_p \cos\theta = \sqrt{3}\, V_l I_l \cos\theta = 3 I_p^2 R = \sqrt{P_a^2 - P_r^2} = \frac{V_l^2 R}{R^2 + X^2}$$

14 3상 평형회로에서 선간전압이 200[V]이고 각 상의 임피던스가 $24 + j7[\Omega]$인 Y결선 3상 부하의 유효전력은 약 몇 [W]인가? [2019년 2회 산업기사]

① 192

② 512

③ 1,536

④ 4,608

해설 $P = \dfrac{V_e^2 \times R}{R^2 + X^2} = \dfrac{200^2 \times 24}{24^2 + 7^2} = 1{,}536[\text{W}]$

15 $Z = 5\sqrt{3} + j5[\Omega]$인 3개의 임피던스를 Y결선하여 선간전압 250[V]의 평형 3상 전원에 연결하였다. 이때 소비되는 유효전력은 약 몇 [W]인가? [2020년 1, 2회 산업기사]

① 3,125

② 5,413

③ 6,252

④ 7,120

해설 $P = \dfrac{V_l^2 R}{R^2 + X^2} = \dfrac{250^2 \times 5\sqrt{3}}{(5\sqrt{3})^2 + 5^2} = 5{,}413[\text{W}]$

13 ④ 14 ③ 15 ② 정답

16 한 상의 임피던스 $Z = 6 + j8\,[\Omega]$인 평형 Y부하에 평형 3상 전압 200[V]를 인가할 때 무효전력은 약 몇 [Var]인가? [2016년 1회 산업기사]

① 1,330
② 1,848
③ 2,381
④ 3,200

해설

$$P_r = 3I_p^2 X = 3\left(\frac{\dfrac{V_l}{\sqrt{3}}}{\sqrt{R^2 + X^2}}\right)^2 X = 3\left(\frac{\dfrac{200}{\sqrt{3}}}{\sqrt{6^2 + 8^2}}\right)^2 \times 8 = 3,200\,[\mathrm{Var}]$$

17 평형 3상 △결선 회로에서 선간전압(E_l)과 상전압(E_p)의 관계로 옳은 것은? [2016년 1회 기사]

① $E_l = \sqrt{3}\,E_p$
② $E_l = 3E_p$
③ $E_l = E_p$
④ $E_l = \dfrac{1}{\sqrt{3}}\,E_p$

해설 △결선
$E_l = E_p$
$I_l = \sqrt{3}\,I_p \angle -30°$

18 3상 회로에 △결선된 평형 순저항 부하를 사용하는 경우 선간전압 220[V], 상전류가 7.33[A]라면 1상의 부하저항은 약 몇 [Ω]인가?

[2012년 2회 산업기사 / 2015년 2회 산업기사 / 2019년 1회 산업기사]

① 80[Ω]
② 60[Ω]
③ 45[Ω]
④ 30[Ω]

해설 △결선에서 $I_l = \sqrt{3}\,I_p\,[\mathrm{A}]$, $V_l = V_p\,[\mathrm{V}]$

∴ 저항 $R = \dfrac{V_p}{I_p} = \dfrac{220}{7.33} ≒ 30\,[\Omega]$

19 전원과 부하가 다 같이 △ 결선된 3상 평형회로에서 전원전압이 200[V], 부하 한 상의 임피던스가 $6+j8[\Omega]$인 경우 선전류는 몇 [A]인가?

[2014년 1회 산업기사 / 2019년 1회 기사]

① 20

② $\dfrac{20}{\sqrt{3}}$

③ $20\sqrt{3}$

④ $40\sqrt{3}$

해설 △결선에서 $I_l = \sqrt{3}\,I_p[\text{A}]$, $V_l = V_p[\text{V}]$

상전류 $I_p = \dfrac{V_p}{Z} = \dfrac{200}{\sqrt{6^2+8^2}} = 20[\text{A}]$

∴ 선전류 $I_l = \sqrt{3}\,I_p = 20\sqrt{3}\,[\text{A}]$

20 1상의 직렬임피던스가 $R = 6[\Omega]$, $X_L = 8[\Omega]$인 △ 결선 평형부하가 있다. 여기에 선간전압 100[V]인 대칭 3상 교류전압을 가하면 선전류는 몇 [A]인가?

[2015년 1회 산업기사 / 2019년 2회 산업기사]

① $\dfrac{10\sqrt{3}}{3}$

② $3\sqrt{3}$

③ 10

④ $10\sqrt{3}$

해설 △결선에서 $I_l = \sqrt{3}\,I_p[\text{A}]$, $V_l = V_p[\text{V}]$

상전류 $I_p = \dfrac{V_p}{Z} = \dfrac{100}{\sqrt{6^2+8^2}} = 10[\text{A}]$

∴ 선전류 $I_l = \sqrt{3}\,I_p = 10\sqrt{3}\,[\text{A}]$

21 그림과 같은 평형 3상 회로에서 전원 전압이 $V_{ab} = 200$[V]이고 부하 한 상의 임피던스가 $Z = 4 + j3$[Ω]인 경우 전원과 부하 사이 선전류 I_a는 약 몇 [A]인가? [2021년 2회 기사]

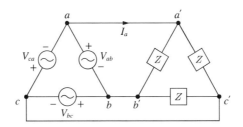

① $40\sqrt{3} \angle 36.87°$

② $40\sqrt{3} \angle -36.87°$

③ $40\sqrt{3} \angle 66.87°$

④ $40\sqrt{3} \angle -66.87°$

해설 △결선 시

선전류 $I_a = \sqrt{3} I_P \angle -30°$

$$I_P = \frac{V_P}{Z_P} = \frac{200}{4 + j3} = \frac{200}{\sqrt{4^2 + 3^2} \angle \tan^{-1}\frac{3}{4}}$$

$$= 40 \angle -36.87$$

선전류 $I_a = \sqrt{3} \times 40 \angle -30° - 36.87°$

$$= 40\sqrt{3} \angle -66.87°$$

22 그림과 같은 부하에 선간전압이 $V_{ab} = 100 \angle 30°$[V]인 평형 3상 전압을 가했을 때 선전류 I_a [A]는?

[2022년 2회 기사]

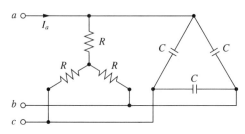

① $\dfrac{100}{\sqrt{3}}\left(\dfrac{1}{R} + j3\omega C\right)$

② $100\left(\dfrac{1}{R} + j\sqrt{3}\,\omega C\right)$

③ $\dfrac{100}{\sqrt{3}}\left(\dfrac{1}{R} + j\omega C\right)$

④ $100\left(\dfrac{1}{R} + j\omega C\right)$

해설

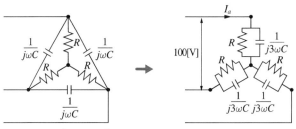

$I_a = Y_p V_p = \left(\dfrac{1}{R} + j3\omega C\right)\dfrac{100}{\sqrt{3}}$

$(100\angle 30 = 50\sqrt{3} + j50 = \sqrt{(50\sqrt{3})^2 + 50^2} = 100$

선간전압 피상분은 100[V]이다.

23 한 상의 임피던스가 $6 + j8$[Ω]인 △ 부하에 대칭선간전압 200[V]를 인가할 때 3상 전력[W] 은?

[2016년 2회 기사]

① 2,400   ② 4,160

③ 7,200   ④ 10,800

해설 $P = 3I_p^2 R = 3\left(\dfrac{V_p}{Z}\right)^2 R = 3\left(\dfrac{200}{\sqrt{6^2 + 8^2}}\right)^2 \times 6 = 7,200$[W]

24 선간전압이 200[V]인 대칭 3상 전원에 평형 3상 부하가 접속되어 있다. 부하 1상의 저항은 10[Ω], 유도리액턴스 15[Ω], 용량리액턴스 5[Ω]가 직렬로 접속된 것이다. 부하가 △ 결선일 경우, 선로전류[A]와 3상 전력[W]은 약 얼마인가? [2018년 2회 기사]

① $I_l = 10\sqrt{6}$, $P_3 = 6,000$
② $I_l = 10\sqrt{6}$, $P_3 = 8,000$
③ $I_l = 10\sqrt{3}$, $P_3 = 6,000$
④ $I_l = 10\sqrt{3}$, $P_3 = 8,000$

해설
$$Z = \sqrt{10^2 + 10^2} = 10\sqrt{2}$$
$$I_l = \sqrt{3}\,I_p = \sqrt{3} \times \frac{V_p}{Z} = \sqrt{3} \times \frac{200}{10\sqrt{2}} = 10\sqrt{6}\,[\text{A}]$$
$$P = 3I_p^2 R = 3\left(\frac{200}{10\sqrt{2}}\right)^2 \times 10 = 6,000\,[\text{W}]$$

25 1상의 임피던스가 $14 + j48\,[\Omega]$인 평형 △ 부하에 선간전압이 200[V]인 평형 3상 전압이 인가될 때 이 부하의 피상전력[VA]은? [2020년 3회 산업기사]

① 1,200 ② 1,384
③ 2,400 ④ 4,157

해설
$$P_a = \frac{3V_l^2 Z}{R^2 + X^2} = \frac{3 \times 200^2 \times \sqrt{14^2 + 48^2}}{14^2 + 48^2} = 2,400\,[\text{VA}]$$

26 △ 결선된 대칭 3상 부하가 있다. 역률이 0.8(지상)이고, 전소비전력이 1,800[W]이다. 한 상의 선로저항이 0.5[Ω]이고, 발생하는 전선로 손실이 50[W]이면 부하단자 전압은?

[2013년 3회 기사 / 2017년 2회 기사 / 2021년 1회 기사]

① 440[V] ② 402[V]
③ 324[V] ④ 225[V]

해설
선로손실 $P_l = 3I^2 R[\text{W}]$에서 전류 $I = \sqrt{\dfrac{P_l}{3R}} = \sqrt{\dfrac{50}{3 \times 0.5}} = 5.77\,[\text{A}]$

3상 소비전력 $P = \sqrt{3}\,VI\cos\theta[\text{W}]$에서
$$V = \frac{P}{\sqrt{3}\,I\cos\theta} = \frac{1,800}{\sqrt{3} \times 5.77 \times 0.8} \fallingdotseq 225\,[\text{V}]$$

27 선간전압 220[V], 역률 60[%]인 평형 3상 부하에서 소비전력 $P = 10$[kW]일 때 선전류는 약 몇 [A]인가?

[2016년 1회 산업기사]

① 25.3　　　　　　　　　　② 32.8

③ 43.7　　　　　　　　　　④ 53.6

해설 $P = \sqrt{3}\,V_l I_l \cos\theta$ 에서 $I_l = \dfrac{P}{\sqrt{3}\,V_l\cos\theta} = \dfrac{10\times10^3}{\sqrt{3}\times220\times0.6} \fallingdotseq 43.7[\mathrm{A}]$

28 선간전압이 200[V], 선전류가 $10\sqrt{3}$ [A], 부하역률이 80[%]인 평형 3상 회로의 무효전력 [Var]은?

[2016년 1회 기사 / 2021년 2회 기사]

① 3,600　　　　　　　　　② 3,000

③ 2,400　　　　　　　　　④ 1,800

해설 $P_r = \sqrt{3}\,VI\sin\theta = \sqrt{3}\times200\times10\sqrt{3}\times0.6 = 3,600$

29 선간전압이 100[V]이고, 역률이 0.6인 평형 3상 부하에서 무효전력이 $Q = 10$[kVar]일 때, 선전류의 크기는 약 몇 [A]인가?

[2020년 3회 기사]

① 57.7　　　　　　　　　　② 72.2

③ 96.2　　　　　　　　　　④ 125

해설 $Q = \sqrt{3}\,V_l I_l \sin\theta$

$I_l = \dfrac{Q}{\sqrt{3}\,V_l\sin\theta} = \dfrac{10\times10^3}{\sqrt{3}\times100\times0.8} \fallingdotseq 72.2$

※ $\cos\theta = 0.6$, $\sin\theta = 0.8$

30 $R[\Omega]$의 저항 3개를 Y로 접속하고 이것을 선간전압 200[V]의 평형 3상 교류전원에 연결할 때 선전류가 20[A]흘렀다. 이 3개의 저항을 △로 접속하고 동일 전원에 연결하였을 때의 선전류는 몇 [A]인가? [2014년 1회 산업기사 / 2017년 3회 산업기사]

① 30

② 40

③ 50

④ 60

해설

Y결선 → △결선	△결선 → Y결선
3배	$\frac{1}{3}$배
저항, 임피던스, 선전류, 소비전력	

- 전원, Y결선에서 $I_{lY} = I_{pY}[\text{A}]$, $V_{lY} = \sqrt{3}\,V_{pY}[\text{V}]$

상전류 $I_{pY} = \dfrac{V_{pY}}{R} = \dfrac{\frac{200}{\sqrt{3}}}{R} = \dfrac{200}{\sqrt{3}\,R}[\text{A}]$ 선전류 $I_{lY} = I_{pY}[\text{A}]$

- 부하, △결선에서 $I_{l\Delta} = \sqrt{3}\,I_{p\Delta}[\text{A}]$, $V_{p\Delta} = V_{pY}\sqrt{3}[\text{V}]$

상전류 $I_{p\Delta} = \dfrac{V_{p\Delta}}{R} = \dfrac{200}{R}[\text{A}]$ 선전류 $I_{l\Delta} = \sqrt{3}\,I_{p\Delta} = \sqrt{3} \times \dfrac{200}{R}[\text{A}]$

$\dfrac{I_{l\Delta}}{I_{lY}} = \sqrt{3} \times \dfrac{200}{R} \times \dfrac{\sqrt{3}\,R}{200}$

$\therefore\ I_{l\Delta} = \sqrt{3} \times \dfrac{200}{R} \times \dfrac{\sqrt{3}\,R}{200}I_{lY} = 3I_{lY} = 3 \times 20 = 60[\text{A}]$

31 △ 결선된 저항부하를 Y결선으로 바꾸면 소비전력은?(단, 저항과 선간전압은 일정하다)

[2015년 3회 산업기사 / 2016년 1회 산업기사]

① 3배로 된다.

② 9배로 된다.

③ $\frac{1}{9}$로 된다.

④ $\frac{1}{3}$로 된다.

해설

Y결선 → △결선	△결선 → Y결선
3배	$\frac{1}{3}$배
저항, 임피던스, 선전류, 소비전력	

32 평형 3상 부하의 결선을 Y에서 △로 하면 소비전력은 몇 배가 되는가? [2019년 3회 산업기사]

① 1.5

② 1.73

③ 3

④ 3.46

해설 $P_\triangle = 3P_Y$

33 다음과 같은 Y결선회로와 등가인 △결선회로의 A, B, C 값은 몇 [Ω]인가?

[2013년 2회 산업기사 / 2018년 1회 산업기사]

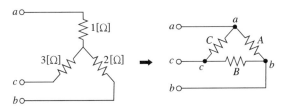

① $A = 11$, $B = \dfrac{11}{2}$, $C = \dfrac{11}{3}$

② $A = \dfrac{7}{3}$, $B = 7$, $C = \dfrac{7}{2}$

③ $A = \dfrac{11}{3}$, $B = 11$, $C = \dfrac{11}{2}$

④ $A = 7$, $B = \dfrac{7}{2}$, $C = \dfrac{7}{3}$

해설 Y결선을 △결선으로 변환

$$A = \frac{R_a \cdot R_b + R_b \cdot R_c + R_c \cdot R_a}{R_c} = \frac{3+6+2}{3} = \frac{11}{3}[\Omega]$$

$$B = \frac{11}{1} = 11[\Omega], \quad C = \frac{11}{2}[\Omega]$$

34 그림 (a)의 Y결선 회로를 그림 (b)의 △ 결선 회로로 등가변환했을 때 R_{ab}, R_{bc}, R_{ca} 는 각각 몇 [Ω]인가?(단, $R_a = 2[\Omega]$, $R_b = 3[\Omega]$, $R_c = 4[\Omega]$) [2022년 2회 기사]

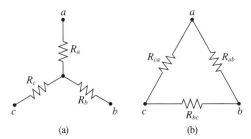

(a)　　　　(b)

① $R_{ab} = \dfrac{6}{9}$, $R_{bc} = \dfrac{12}{9}$, $R_{ca} = \dfrac{8}{9}$

② $R_{ab} = \dfrac{1}{3}$, $R_{bc} = 1$, $R_{ca} = \dfrac{1}{2}$

③ $R_{ab} = \dfrac{13}{2}$, $R_{bc} = 13$, $R_{ca} = \dfrac{26}{3}$

④ $R_{ab} = \dfrac{11}{3}$, $R_{bc} = 11$, $R_{ca} = \dfrac{11}{2}$

해설

$R_{ab} = \dfrac{R_a R_b + R_b R_c + R_c R_a}{R_c} = \dfrac{2\times3 + 3\times4 + 4\times2}{4} = \dfrac{26}{4} = \dfrac{13}{2}$

$R_{bc} = \dfrac{R_a R_b + R_b R_c + R_c R_a}{R_a} = \dfrac{26}{2} = 13$

$R_{ca} = \dfrac{R_a R_b + R_b R_c + R_c R_a}{R_b} = \dfrac{26}{3}$

35 그림과 같은 순 저항회로에서 대칭 3상 전압을 가할 때 각 선에 흐르는 전류가 같으려면 R의 값은 몇 [Ω]인가?

[2019년 2회 기사]

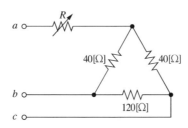

① 8
② 12
③ 16
④ 20

해설

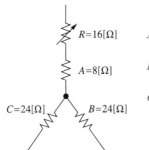

$$A = \frac{40 \times 40}{40 + 40 + 120} = \frac{1,600}{200} = 8[\Omega]$$

$$B = \frac{40 \times 120}{40 + 40 + 120} = \frac{4,800}{200} = 24[\Omega]$$

$$C = \frac{40 \times 120}{40 + 40 + 120} = \frac{4,800}{200} = 24[\Omega]$$

36 그림과 같이 △ 회로를 Y회로로 등가변환하였을 때 임피던스 $Z_a[\Omega]$는?

[2021년 1회 기사]

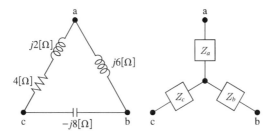

① 12
② $-3 + j6$
③ $4 - j8$
④ $6 + j8$

해설 $Z_a = \dfrac{(4 + j2) \cdot j6}{j2 + 4 + j6 - j8} = \dfrac{-12 + j24}{4} = -3 + j6$

37 저항만으로 구성된 그림의 회로에 평형 3상 전압을 가했을 때 각 선에 흐르는 선전류가 모두 같게 되기 위한 $R[\Omega]$의 값은?

[2020년 3회 산업기사]

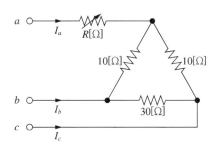

① 2

② 4

③ 6

④ 8

해설

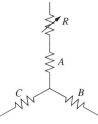

$$A = \frac{10 \times 10}{10 + 10 + 30} = 2$$

$$B = \frac{10 \times 30}{10 + 10 + 30} = 6$$

$$C = \frac{10 \times 30}{10 + 10 + 30} = 6$$

∴ 3φ평형일 때 $R = 4[\Omega]$

38 9[Ω]과 3[Ω]인 저항 6개를 그림과 같이 연결하였을 때, *a*와 *b* 사이의 합성저항[Ω]은?

[2020년 1, 2회 산업기사]

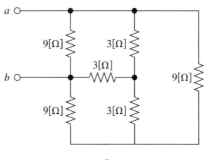

① 9 ② 4

③ 3 ④ 2

해설

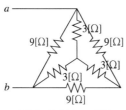

Y결선의 3[Ω]을 △결선으로 바꾸면 9[Ω]

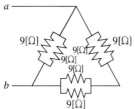

병렬 9[Ω] → 합성저항 4.5[Ω]

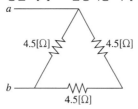

$$R(\text{합성저항}) = \frac{4.5 \times 9}{4.5 + 9} = 3[\Omega]$$

39 $r[\Omega]$인 6개의 저항을 그림과 같이 접속하고 평형 3상 전압 E를 가했을 때 전류 I는 몇 [A]인가? (단, $r=3[\Omega]$, $E=60[V]$이다)

[2018년 1회 산업기사]

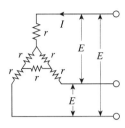

① 8.66
② 9.56
③ 10.8
④ 12.6

해설

$$I = \frac{E}{r} = \frac{\frac{60}{\sqrt{3}}}{4} ≒ 8.66[A]$$

40 그림과 같이 접속된 회로에 평형 3상 전압 E [V]를 가할 때의 전류 I_1[A]은?

[2016년 3회 산업기사]

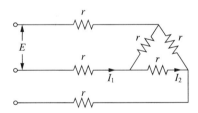

① $\dfrac{\sqrt{3}}{4E}$
② $\dfrac{4E}{\sqrt{3}}$
③ $\dfrac{4r}{\sqrt{3}E}$
④ $\dfrac{\sqrt{3}E}{4r}$

해설

I_1 선전류 : $I_l = I_p = \dfrac{E}{R} = \dfrac{\frac{E}{\sqrt{3}}}{\frac{4}{3}r} = \dfrac{\sqrt{3}}{4r}E$

41 같은 저항 $r[\Omega]$ 6개를 사용하여 그림과 같이 결선하고 대칭 3상 전압 $V[\text{V}]$를 가하였을 때 흐르는 전류 I는 몇 $[\text{A}]$인가?   [2018년 3회 산업기사 / 2020년 1, 2회 기사 / 2021년 3회 기사]

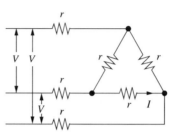

① $\dfrac{V}{2r}$ ② $\dfrac{V}{3r}$ ③ $\dfrac{V}{4r}$ ④ $\dfrac{V}{5r}$

해설

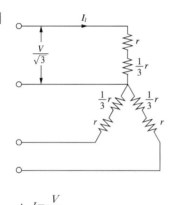

$\triangle \rightarrow$Y로 바꾸면 $\dfrac{1}{3}r$

$$I_l = \frac{\dfrac{V}{\sqrt{3}}}{\dfrac{1}{3}r + r} = \frac{\dfrac{V}{\sqrt{3}}}{\dfrac{4r}{3}} = \frac{3V \times \sqrt{3}}{4\sqrt{3}\,r \times \sqrt{3}}$$

$$= \frac{\sqrt{3}\,V}{4r}$$

$\triangle$결선의 $I_l = \sqrt{3}\,I_p$

$$I_p = \frac{1}{\sqrt{3}}I_l$$

$$\therefore I = \frac{V}{4r}$$

42 전원이 Y결선, 부하가 $\triangle$ 결선된 3상 대칭회로가 있다. 전원의 상전압이 220[V]이고 전원의 상전류가 10[A]일 경우, 부하 한 상의 임피던스[Ω]는?   [2011년 2회 산업기사 / 2018년 3회 산업기사]

① 66   ② $22\sqrt{3}$

③ 22   ④ $\dfrac{22}{\sqrt{3}}$

해설
- Y결선에서 $I_{lY} = I_{pY}[\text{A}]$, $V_{lY} = \sqrt{3}\,V_{pY}[\text{V}]$
- 부하, $\triangle$결선에서 $I_{l\Delta} = \sqrt{3}\,I_{p\Delta}[\text{A}]$, $V_{p\Delta} = V_{pY}\sqrt{3}[\text{V}]$
- 임피던스 $Z_a = \dfrac{V_{p\Delta}}{I_{p\Delta}} = \dfrac{220\sqrt{3}}{\dfrac{10}{\sqrt{3}}} = 66[\Omega]$

41 ③ 42 ①   **정답**

43 3상 평형회로에서 Y결선의 부하가 연결되어 있고, 부하에서의 선간전압이 $V_{ab} = 100\sqrt{3}$ $\angle 0°$[V]일 때 선전류가 $I_a = 20\angle -60°$[A]이었다. 이 부하의 한 상의 임피던스[Ω]는?(단, 3상 전압의 상순은 a-b-c이다)

[2022년 1회 기사]

① $5\angle 30°$ ② $5\sqrt{3}\angle 30°$

③ $5\angle 60°$ ④ $5\sqrt{3}\angle 60°$

해설

$$Z = \frac{V_P}{I_P} = \frac{100\angle -30°}{20\angle -60°}$$
$$= 5\angle -30° -(-60°)$$
$$= 5\angle 30°$$

44 역률이 60[%]이고 1상의 임피던스가 60[Ω]인 유도부하를 $\triangle$로 결선하고 여기에 병렬로 저항 20[Ω]을 Y결선으로 하여 3상 선간전압 200[V]를 가할 때의 소비전력[W]은?

[2015년 1회 산업기사]

① 3,200   ② 3,000

③ 2,000   ④ 1,000

해설 부하가 Y결선과 $\triangle$결선이 병렬로 연결되어 있어 각각의 전력을 구하여 더하면 전체전력이 된다.

- $P_{\triangle} = 3V_p I_p \cos\theta = 3 \times 200 \times \frac{200}{60} \times 0.6 = 1,200[\text{W}]$

- $P_Y = 3I_p^2 R = 3\left(\frac{\frac{200}{\sqrt{3}}}{20}\right)^2 \times 20 = 2,000[\text{W}]$

  $\therefore\ P = P_{\triangle} + P_Y = 1,200 + 2,000 = 3,200[\text{W}]$

45 3대의 단상 변압기를 △ 결선으로 하여 운전하던 중 변압기 1대가 고장으로 제거되어 V결선으로 한 경우 공급할 수 있는 전력은 고장 전 전력의 몇 [%]인가?

[2014년 2회 산업기사 / 2017년 3회 산업기사 / 2020년 4회 기사]

① 57.7

② 50.0

③ 63.3

④ 67.7

> **해설** 출력 $P_V = \sqrt{3}\,P_1 = \sqrt{3}\,V_l I_l \cos\theta\,[\mathrm{W}]$
>
> • V결선의 출력비$= \dfrac{P_V}{P_\triangle} = \dfrac{\sqrt{3}\,P_1}{3P_1} \times 100 ≒ 57.7[\%]$
>
> • V결선의 이용률$= \dfrac{\sqrt{3}\,P_1}{2P_1} \times 100 ≒ 86.6[\%]$

46 동일한 용량 2대의 단상 변압기를 V결선하여 3상으로 운전하고 있다. 단상 변압기 2대의 용량에 대한 3상 V결선 시 변압기 용량의 비인 변압기 이용률은 약 몇 [%]인가?

[2020년 3회 산업기사]

① 57.7

② 70.7

③ 80.1

④ 86.6

> **해설** 출력비(고장률) = 57.7[%]
> 이용률 = 86.6[%]

47 20[kVA] 변압기 2대로 공급할 수 있는 최대 3상 전력은 약 몇 [kVA]인가?

[2016년 1회 산업기사]

① 17

② 25

③ 35

④ 40

> **해설** $P_V = \sqrt{3}\,V_p I_p = \sqrt{3} \times 20 ≒ 34.64 ≒ 35[\mathrm{kVA}]$

48 용량이 50[kVA]인 단상 변압기 3대를 △결선하여 3상으로 운전하는 중 1대의 변압기에 고장이 발생하였다. 나머지 2대의 변압기를 이용하여 3상 V결선으로 운전하는 경우 최대출력은 몇 [kVA]인가?

[2020년 1, 2회 산업기사]

① $30\sqrt{3}$

② $50\sqrt{3}$

③ $100\sqrt{3}$

④ $200\sqrt{3}$

해설 $P_V = \sqrt{3}\ V_p I_p = \sqrt{3} \times 50$

49 100[kVA] 단상 변압기 3대로 △결선하여 3상 전원을 공급하던 중 1대의 고장으로 V결선하였다면 출력은 약 몇 [kVA]인가?

[2017년 1회 산업기사]

① 100

② 173

③ 245

④ 300

해설 $P_V = \sqrt{3}\ V_p I_p = \sqrt{3} \times 100 \fallingdotseq 173[kVA]$

50 대칭 n상 Y결선에서 선간전압의 크기는 상전압의 몇 배인가?

[2017년 3회 산업기사]

① $\sin\dfrac{\pi}{n}$

② $\cos\dfrac{\pi}{n}$

③ $2\sin\dfrac{\pi}{n}$

④ $2\cos\dfrac{\pi}{n}$

해설

$V_l = 2 V_p \sin\dfrac{\pi}{n}$

$\therefore \dfrac{V_l}{V_p} = 2\sin\dfrac{\pi}{n}$

51 대칭 n상 환상결선에서 선전류와 상전류 사이의 위상차는 어떻게 되는가?

[2012년 2회 산업기사 / 2015년 1회 기사 / 2019년 1회 산업기사]

① $\dfrac{\pi}{2}\left(1-\dfrac{2}{n}\right)$　　　　　　　② $2\left(1-\dfrac{2}{n}\right)$

③ $\dfrac{n}{2}\left(1-\dfrac{\pi}{2}\right)$　　　　　　　④ $\dfrac{\pi}{2}\left(1-\dfrac{n}{2}\right)$

> **해설**　대칭 n상 Y결선(성형결선)
> 선간전압과 상전압 간의 위상차 $\theta = \dfrac{\pi}{2}\left(1-\dfrac{2}{n}\right)$만큼 앞선다.

52 대칭 5상 회로의 선간전압과 상전압의 위상차는?

[2014년 3회 산업기사 / 2018년 3회 산업기사 / 2019년 1회 기사]

① $27°$　　　　　　　　② $36°$
③ $54°$　　　　　　　　④ $72°$

> **해설**　대칭 5상 Y결선(성형결선)
> 선간전압과 상전압 간의 위상차 $54°$만큼 앞선다.
> 여기서, $\theta = \dfrac{\pi}{2}\left(1-\dfrac{2}{n}\right) = \dfrac{\pi}{2}\left(1-\dfrac{2}{5}\right) = 54°$

53 대칭 6상 성형(Star)결선에서 선간전압 크기와 상전압 크기의 관계로 옳은 것은?(단, V_l : 선간전압 크기, V_p : 상전압 크기)

[2019년 3회 기사]

① $V_l = V_p$　　　　　　② $V_l = \sqrt{3}\,V_p$

③ $V_l = \dfrac{1}{\sqrt{3}}\,V_p$　　　　　④ $V_l = \dfrac{2}{\sqrt{3}}\,V_p$

> **해설**　$6\phi \begin{cases} V_l = V_p \\ I_l = I_p \end{cases}$

54 대칭 6상 전원이 있다. 환상결선으로 권선에 120[A]의 전류를 흘린다고 하면 선전류는?

[2012년 3회 산업기사 / 2019년 2회 산업기사]

① 60[A]
② 90[A]
③ 120[A]
④ 150[A]

해설 △결선, 대칭 6상 회로의 선전류

$$I_l = 2I_p \sin\frac{\pi}{n} = 2 \times 120 \times \sin\frac{\pi}{6} = 120[\text{A}]$$

여기서, n : 상수

55 대칭 6상 기전력의 선간 전압과 상기전력의 위상차는?

[2017년 2회 산업기사]

① 120°
② 60°
③ 30°
④ 15°

해설 $V_l = 2\sin\frac{\pi}{m} V_p \angle \frac{\pi}{2}\left(1 - \frac{2}{m}\right)$ 에서 $\frac{\pi}{2}\left(1 - \frac{2}{6}\right) = \frac{\pi}{2} \times \frac{4}{6} = \frac{\pi}{3} = 60°$

56 대칭 10상 회로의 선간전압이 100[V]일 때 상전압은 약 몇 [V]인가?(단, sin18°=0.309이다)

[2018년 1회 산업기사]

① 161.8
② 172
③ 183.1
④ 193

해설 $V_l = 2\sin\frac{\pi}{n} V_p$

$$100 = 2 \times \sin\frac{\pi}{10} \times V_p$$

$$V_p = \frac{100}{2 \times \sin\frac{\pi}{10}} \fallingdotseq 161.8[\text{V}]$$

정답 54 ③ 55 ② 56 ①

57 2전력계법으로 평형 3상 전력을 측정하였더니 각각의 전력계가 500[W], 300[W]를 지시하였다면 전 전력[W]은? [2015년 1회 산업기사 / 2019년 3회 기사]

① 200
② 300
③ 500
④ 800

해설 유효전력 $P = P_1 + P_2 = 500 + 300 = 800[\text{W}]$
무효전력 $P = \sqrt{3}\,(P_1 - P_2)[\text{Var}]$
피상전력 $P_a = 2\sqrt{P_1^2 + P_2^2 - P_1 P_2}\,[\text{VA}]$

58 2전력계법으로 평형 3상 전력을 측정하였더니 한쪽의 지시가 500[W], 다른 한쪽의 지시가 1,500[W]이었다. 피상전력은 약 몇 [VA]인가? [2015년 1회 기사 / 2019년 2회 기사]

① 2,000
② 2,310
③ 2,646
④ 2,771

해설 유효전력 $P = P_1 + P_2[\text{W}]$
무효전력 $P = \sqrt{3}\,(P_1 - P_2)[\text{Var}]$
피상전력 $P_a = 2\sqrt{P_1^2 + P_2^2 - P_1 P_2}\,[\text{VA}] = 2\sqrt{500^2 + 1,500^2 - 500 \times 1,500} \fallingdotseq 2,646[\text{VA}]$

59 2전력계법으로 평형 3상 전력을 측정하였더니 한쪽의 지시가 700[W], 다른 쪽의 지시가 1,400[W]이었다. 피상전력은 약 몇 [VA]인가? [2018년 3회 기사]

① 2,425
② 2,771
③ 2,873
④ 2,974

해설 **2전력계법**
$$\cos\theta = \frac{W_1 + W_2}{\sqrt{3}\,VI} = \frac{P_1 + P_2}{2\sqrt{P_1^2 + P_2^2 - P_1 P_2}}$$
$$\therefore P_a = 2\sqrt{P_1^2 + P_2^2 - P_1 P_2}$$
$$= 2\sqrt{700^2 + 1,400^2 - 700 \times 1,400} \fallingdotseq 2,425[\text{VA}]$$

60 두 대의 전력계를 사용하여 3상 평형 부하의 역률을 측정하려고 한다. 전력계의 지시가 각각 $P_1[\text{W}]$, $P_2[\text{W}]$할 때 이 회로의 역률은?

[2019년 1회 산업기사]

① $\dfrac{\sqrt{P_1 + P_2}}{P_1 + P_2}$

② $\dfrac{P_1 + P_2}{P_1^2 + P_2^2 - 2P_1 P_2}$

③ $\dfrac{2(P_1 + P_2)}{\sqrt{P_1^2 + P_2^2 - P_1 P_2}}$

④ $\dfrac{P_1 + P_2}{2\sqrt{P_1^2 + P_2^2 - P_1 P_2}}$

해설 유효전력 $P = P_1 + P_2$

무효전력 $P = \sqrt{3}(P_1 - P_2)$

피상전력 $P_a = 2\sqrt{P_1^2 + P_2^2 - P_1 P_2}$

역률 $= \dfrac{\text{유효전력}}{\text{피상전력}} = \dfrac{P_1 + P_2}{2\sqrt{P_1^2 + P_2^2 - P_1 P_2}}$

61 2개의 전력계로 평형 3상 부하의 전력을 측정하였더니 한쪽의 지시값이 다른 쪽 전력계의 지시값보다 3배이었다면 부하역률은 약 얼마인가?

[2012년 1회 산업기사 / 2018년 2회 기사]

① 0.37

② 0.57

③ 0.76

④ 0.86

해설 2전력계법 $P_1 = 3P_2$

역률 $\cos\theta = \dfrac{P_1 + P_2}{2\sqrt{P_1^2 + P_2^2 - P_1 P_2}} = \dfrac{3P_2 + P_2}{2\sqrt{(3P_2)^2 + P_2^2 - 3P_2^2}}$

$= \dfrac{4P_2}{2\sqrt{9P_2^2 + P_2^2 - 3P_2^2}} = \dfrac{2}{\sqrt{7}} \fallingdotseq 0.76$

(지시값이 2배는 86.6[%], 지시값이 3배는 76[%], 지시값이 하나만 존재하면 50[%])

62 그림은 평형 3상 회로에서 운전하고 있는 유도전동기의 결선도이다. 각 계기의 지시가 $W_1 =$ 2.36[kW], $W_2 = 5.95$[kW], $V = 200$[V], $I = 30$[A]일 때, 이 유도전동기의 역률은 약 몇 [%]인가?

[2016년 3회 산업기사]

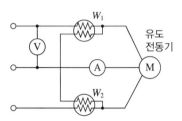

① 80   ② 76

③ 70   ④ 66

해설

$$\cos\theta = \frac{W_1 + W_2}{2\sqrt{W_1^2 + W_2^2 - W_1 W_2}} = \frac{2.36 + 5.95}{2\sqrt{2.36^2 + 5.95^2 - 2.36 \times 5.95}} \times 100 ≒ 80[\%]$$

$$\cos\theta = \frac{W_1 + W_2}{\sqrt{3}\,VI} \times 100 ≒ 80[\%]$$

63 대칭 3상 전압이 공급되는 3상 유도전동기에서 각 계기의 지시는 다음과 같다. 유도전동기의 역률은 약 얼마인가?

[2020년 4회 기사]

> 전력계(W_1) : 2.84[kW], 전력계(W_2) : 6.00[kW]
>
> 전압계(V) : 200[V], 전류계(A) : 30[A]

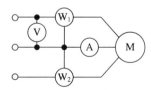

① 0.70   ② 0.75

③ 0.80   ④ 0.85

해설

$$\cos\theta = \frac{W_1 + W_2}{\sqrt{3}\,VI} = \frac{(2.84 + 6) \times 10^3}{\sqrt{3} \times 200 \times 30} ≒ 0.85$$

64 평형 3상 저항 부하가 3상 4선식 회로에 접속되어 있을 때 단상 전력계를 그림과 같이 접속하였더니 그 지시값이 W[W]이었다. 이 부하의 3상 전력[W]은?

[2019년 3회 산업기사 / 2022년 1회 기사]

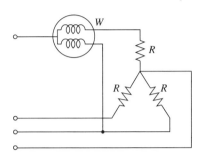

① $\sqrt{2}\,W$

② $2\,W$

③ $\sqrt{3}\,W$

④ $3\,W$

해설

$$W = E_{ab}I_a\cos 30° = E_{ab}I_a \times \frac{\sqrt{3}}{2}$$

$$2W = \sqrt{3}\,E_{ab}I_a$$

$$2W = \sqrt{3}\,VI = P$$

$$\therefore\ P = 2W$$

65 선간전압이 V_{ab}[V]인 3상 평형 전원에 대칭 부하 R[Ω]이 그림과 같이 접속되어 있을 때, a, b 두 상 간에 접속된 전력계의 지시값이 W[W]라면 c상 전류의 크기[A]는? [2020년 3회 기사]

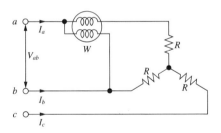

① $\dfrac{W}{3\,V_{ab}}$

② $\dfrac{2\,W}{3\,V_{ab}}$

③ $\dfrac{2\,W}{\sqrt{3}\,V_{ab}}$

④ $\dfrac{\sqrt{3}\,W}{V_{ab}}$

해설   1전력계법$(\cos\theta = 1)$

$$P = 2W = \sqrt{3}\,V_l I_l$$

$$I_l = \frac{2W}{\sqrt{3}\,V_l} = \frac{2W}{\sqrt{3}\,V_{ab}}$$

66 그림은 상순이 $a-b-c$인 3상 대칭회로이다. 선간전압이 220[V]이고 부하 한 상의 임피던스가 $100\angle 60°[\Omega]$일 때 전력계 W_a의 지시값[W]은? [2016년 2회 산업기사]

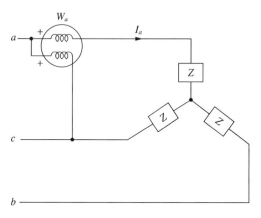

① 242
② 386
③ 419
④ 484

해설

$$2W=3V_pI_p \text{에서} \quad W=\frac{3\left(\dfrac{V_l}{\sqrt{3}}\right)\times\left(\dfrac{\frac{V_l}{\sqrt{3}}}{Z}\right)}{2}=\frac{3\left(\dfrac{220}{\sqrt{3}}\times\dfrac{\frac{220}{\sqrt{3}}}{100}\right)}{2}=242[\text{W}]$$

67 공간적으로 서로 $\dfrac{2\pi}{n}$[rad]의 각도를 두고 배치한 n개의 코일에 대칭 n상 교류를 흘리면 그 중심에 생기는 회전자계의 모양은? [2018년 2회 기사]

① 원형 회전자계
② 타원형 회전자계
③ 원통형 회전자계
④ 원추형 회전자계

해설 대칭 다상 교류는 원형 회전자계가 발생하고, 비대칭 다상 교류는 타원형 자계가 발행한다.

68 비대칭 다상 교류가 만드는 회전자계는? [2016년 2회 산업기사]

① 교번자기장
② 타원형 회전자기장
③ 원형 회전자기장
④ 포물선 회전자기장

해설 • 대칭 : 원형
　　• 비대칭 : 타원형

66 ① 　67 ① 　68 ② 　정답

8. 대칭좌표법

(1) 대칭좌표법에 의한 해석

① 벡터 연산자 a

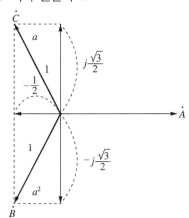

$$a = 1 \angle 120° = \cos 120° + j \sin 120° = -\frac{1}{2} + j\frac{\sqrt{3}}{2}$$

$$a^2 = 1 \angle 240° = \cos 240° + j \sin 240° = -\frac{1}{2} - j\frac{\sqrt{3}}{2}$$

$$a^3 = 1 \angle 360° = 1$$

$$a + a^2 = -\frac{1}{2} + j\frac{\sqrt{3}}{2} - \frac{1}{2} - j\frac{\sqrt{3}}{2} = -1$$

$$1 + a + a^2 = 0$$

② 불평형 3상 회로

㉠ 상의 성분

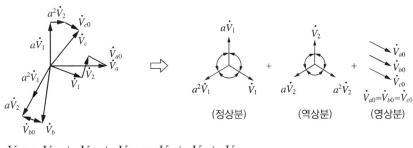

$$V_a = V_{a0} + V_{a1} + V_{a2} = V_0 + V_1 + V_2$$

$$V_b = V_{b0} + V_{b1} + V_{b2} = V_0 + a^2 V_1 + a V_2$$

$$V_c = V_{c0} + V_{c1} + V_{c2} = V_0 + a V_1 + a^2 V_2$$

$$\begin{bmatrix} V_a \\ V_b \\ V_c \end{bmatrix} = \begin{bmatrix} 1 & 1 & 1 \\ 1 & a^2 & a \\ 1 & a & a^2 \end{bmatrix} \begin{bmatrix} V_0 \\ V_1 \\ V_2 \end{bmatrix}$$

- 영상분(지락, 접지, 3상 4선식, Y결선) : 같은 크기와 동일한 위상각을 가진 각 불평형 3상의 공통 성분
- 정상분(발전기에서 공급되는 정격전압, 전류) : 전원과 동일한 상회전 방향으로 120°의 위상각을 가진 각 상의 성분
- 역상분(불평형을 유발하는 성분) : 상회전 방향이 정상분과 반대이며 120°의 위상각을 가진 각 상의 성분

ⓒ 영상, 정상, 역상 전압

$$\begin{bmatrix} V_0 \\ V_1 \\ V_2 \end{bmatrix} = \frac{1}{3} \begin{bmatrix} 1 & 1 & 1 \\ 1 & a & a^2 \\ 1 & a^2 & a \end{bmatrix} \begin{bmatrix} V_a \\ V_b \\ V_c \end{bmatrix}$$

- 영상전압

  $V_0 = \dfrac{1}{3}(V_a + V_b + V_c)$: 3상 평형일 때는 영상분이 존재하지 않는다.

- 정상전압

  $V_1 = \dfrac{1}{3}(V_a + aV_b + a^2V_c)$: 3상 평형일 때 정상분은 기준전압 V_a이다.

- 역상전압

  $V_2 = \dfrac{1}{3}(V_a + a^2V_b + aV_c)$: 3상 평형일 때는 역상분이 존재하지 않는다.

ⓒ 불평형률

평형의 이탈 정도를 표시하는 양

$불평형률[\%] = \dfrac{역상분}{정상분} \times 100\,[\%]$

ⓔ 대칭분에 의한 전력표시

$\dot{P}_a = P + jP_r = \overline{V_a}\dot{I}_a + \overline{V_b}\dot{I}_b + \overline{V_c}\dot{I}_c$

$\therefore \ P = 3\overline{V_0}I_0 + 3\overline{V_1}I_1 + 3\overline{V_2}I_2$

ⓜ a상 기준으로 한 대칭분

$V_0 = 0, \ V_1 = V_a, \ V_2 = 0$

(2) 고장계산

① 발전기 기본식

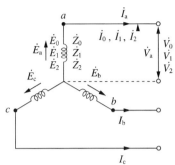

$$\dot{V}_0 = \dot{E}_0 - \dot{I}_0\dot{Z}_0$$

$$\dot{V}_1 = \dot{E}_1 - \dot{I}_1\dot{Z}_1$$

$$\dot{V}_2 = \dot{E}_2 - \dot{I}_2\dot{Z}_2$$

3상 교류발전기의 기본식

$$\dot{V}_0 = -\dot{I}_0\dot{Z}_0, \quad \dot{V}_1 = E_a - \dot{I}_1\dot{Z}_1, \quad \dot{V}_2 = -\dot{I}_2\dot{Z}_2$$

② 고장의 종류

　㉠ 1선 지락(영상분+정상분+역상분)

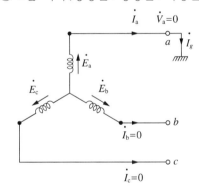

$I_0 = I_1 = I_2 \neq 0$인 고장으로

$$I_g = 3I_0 = \frac{3E_a}{Z_0 + Z_1 + Z_2}$$

　㉡ 2선 지락(영상분+정상분+역상분) : $V_0 = V_1 = V_2 \neq 0$인 고장

ⓒ 선간단락(정상분+역상분)

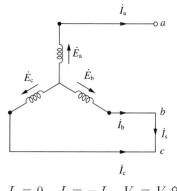

$I_0 = 0$, $I_1 = -I_2$, $V_1 = V_2$인 고장으로

$$I_s = (a^2 - a)\frac{E_a}{Z_1 + Z_2}$$

ⓓ 3선 단락(정상분, 평형고장) : $I_a = I_1 = \dfrac{E_a}{Z_1}$인 고장

핵 / 심 / 예 / 제

01 $a + a^2$의 값은?(단, $a = e^{j2\pi/3} = 1\angle 120°$ 이다) [2019년 3회 산업기사]

① 0

② -1

③ 1

④ a^3

> **해설**
>
> $a = 1\angle 120 = -\dfrac{1}{2} + j\dfrac{\sqrt{3}}{2}$
>
> $a^2 = 1\angle 240 = -\dfrac{1}{2} - j\dfrac{\sqrt{3}}{2}$
>
> $a^2 + a = -1$

02 대칭 3상 교류에서 각 상의 전압이 v_a[V], v_b[V], v_c[V]일 때 3상 전압의 합은?

  [2011년 2회 산업기사 / 2014년 1회 산업기사 / 2018년 1회 산업기사]

① 0[V]

② $0.3v_a$[V]

③ $0.5v_a$[V]

④ $3v_a$[V]

> **해설** a상 기준 3상 전압의 합
>
> $v_a + v_b + v_c = v_a + a^2 v_a + a v_a = (1 + a^2 + a)v_a = 0$
>
> $(1 + a + a^2 = 0)$

03 다음과 같은 회로에서 E_1, E_2, E_3[V]를 대칭 3상 전압이라 할 때 전압 E_0[V]은?

  [2017년 1회 산업기사 / 2020년 1, 2회 산업기사]

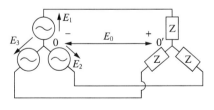

① 0

② $\dfrac{E_1}{3}$

③ $\dfrac{2}{3}E_1$

④ E_1

> **해설** $3\phi3$W식에서 대칭일 때 중성점의 전압은 0[V]

04 3상 △ 부하에서 각 선전류 I_a, I_b, I_c라 하면, 전류의 영상분은?(단, 회로는 평형상태이다)

[2013년 3회 기사 / 2017년 3회 기사 / 2021년 1회 기사]

① ∞
② $\dfrac{1}{3}$
③ 1
④ 0

해설 영상전류 $I_0 = \dfrac{1}{3}(I_a + I_b + I_c)$

∴ 평형상태에서 $I_a + I_b + I_c = 0$이므로 $I_0 = 0[\text{A}]$

05 대칭좌표법에 관한 설명이 아닌 것은?
[2017년 2회 산업기사]

① 대칭좌표법은 일반적인 비대칭 3상 교류회로의 계산에도 이용된다.
② 대칭 3상 전입의 영상분과 역상분은 0이고, 정상분만 남는다.
③ 비대칭 3상 교류회로는 영상분, 역상분 및 정상분의 3성분으로 해석한다.
④ 비대칭 3상 회로의 접지식 회로에는 영상분이 존재하지 않는다.

해설 접지식, 지락, 3φ4W식의 중성선은 영상분이 존재한다.

06 3상 4선식에서 중성선이 필요하지 않아서 중성선을 제거하여 3상 3선식으로 하려고 한다. 이 때 중성선의 조건식은 어떻게 되는가?(단, I_a, I_b, I_c[A]는 각 상의 전류이다)

[2015년 2회 산업기사]

① $I_a + I_b + I_c = 1$
② $I_a + I_b + I_c = \sqrt{3}$
③ $I_a + I_b + I_c = 3$
④ $I_a + I_b + I_c = 0$

해설 영상분은 접지선이나 중성선에 존재하므로 중성선을 제거하면 영상전류가 0이 되어야 한다.

$I_0 = \dfrac{1}{3}(I_a + I_b + I_c) = 0$에서 $I_0 = I_a + I_b + I_c = 0$

07 비접지 3상 Y회로에서 전류 $I_a = 15 + j2[\text{A}]$, $I_b = -20 - j14[\text{A}]$일 경우 $I_c[\text{A}]$는?

[2017년 1회 기사]

① $5 + j12$　　　　　　　　　② $-5 + j12$

③ $5 - j12$　　　　　　　　　④ $-5 - j12$

해설　$I_a + I_b + I_c = 0$
$15 + j2 - 20 - j14 + I_c = 0$
$-5 - j12 + I_c = 0$
$I_c = 5 + j12$

08 상순이 abc의 3상 회로에 있어서 대칭분 전압이 $V_0 = -8 + j3[\text{V}]$, $V_1 = 6 - j8[\text{V}]$, $V_2 = 8 + j12[\text{V}]$일 때, a상의 전압 $V_a[\text{V}]$는?　　[2011년 1회 산업기사 / 2020년 3회 산업기사]

① $6 + j7$　　　　　　　　　② $8 + j12$

③ $6 + j14$　　　　　　　　　④ $16 + j4$

해설　a상의 전압 $V_a = V_0 + V_1 + V_2 = -8 + j3 + 6 - j8 + 8 + j12 = 6 + j7$

09 전류의 대칭분이 $I_0 = -2 + j4[\text{A}]$, $I_1 = 6 - j5[\text{A}]$, $I_2 = 8 + j10[\text{A}]$일 때 3상 전류 중 a상 전류(I_a)의 크기($|I_a|$)는 몇 [A]인가?(단, I_0는 영상분이고, I_1은 정상분이고, I_2는 역상분이다)

[2020년 1, 2회 산업기사]

① 9　　　　　　　　　　　② 12

③ 15　　　　　　　　　　　④ 19

해설　$I_a = I_0 + I_1 + I_2 = -2 + j4 + 6 - j5 + 8 + j10$
$= 12 + j9$
$= \sqrt{12^2 + 9^2} = 15$

10 3상 회로의 영상분, 정상분, 역상분을 각각 I_0, I_1, I_2라 하고 선전류를 I_a, I_b, I_c라 할 때 I_b
는? $\left(단, a = -\frac{1}{2} + j\frac{\sqrt{3}}{2} 이다\right)$ [2014년 2회 산업기사 / 2017년 3회 산업기사 / 2018년 2회 산업기사]

① $I_0 + I_1 + I_2$

② $\frac{1}{3}(I_0 + I_1 + I_2)$

③ $I_0 + a^2 I_1 + a I_2$

④ $\frac{1}{3}(I_0 + a I_1 + a^2 I_2)$

> 해설 **3상 불평형전류 I_a, I_b, I_c**
> - $I_a = I_0 + I_1 + I_2$
> - $I_b = I_0 + a^2 I_1 + a I_2$
> - $I_c = I_0 + a I_1 + a^2 I_2$

11 대칭좌표법에서 사용되는 용어 중 3상에 공통된 성분을 표시하는 것은?

[2011년 1회 산업기사 / 2018년 2회 산업기사 / 2018년 3회 산업기사]

① 공통분

② 정상분

③ 역상분

④ 영상분

> 해설 대칭좌표법에서 불평형 3상 전압이나 전류를 평행의 세 성분으로 분해하면
> 영상 $V_0 = \frac{1}{3}(V_a + V_b + V_c)$
> 정상 $V_1 = \frac{1}{3}(V_a + a V_b + a^2 V_c)$
> 역상 $V_2 = \frac{1}{3}(V_a + a^2 V_b + a V_c)$이 되고, 공통성분은 영상분이다.

12 대칭좌표법에서 대칭분을 각 상전압으로 표시한 것 중 틀린 것은?

[2014년 2회 기사 / 2018년 1회 기사]

① $E_0 = \frac{1}{3}(E_a + E_b + E_c)$

② $E_1 = \frac{1}{3}(E_a + a E_b + a^2 E_c)$

③ $E_2 = \frac{1}{3}(E_a + a^2 E_b + a E_c)$

④ $E_3 = \frac{1}{3}(E_a^2 + E_b^2 + E_c^2)$

> 해설 **3상 불평형 전압 E_a, E_b, E_c**
> - 영상전압 $E_0 = \frac{1}{3}(E_a + E_b + E_c)$
> - 정상전압 $E_1 = \frac{1}{3}(E_a + a E_b + a^2 E_c)$
> - 역상전압 $E_2 = \frac{1}{3}(E_a + a^2 E_b + a E_c)$

10 ③ 11 ④ 12 ④ 정답

13 불평형 3상 전류가 $I_a = 15 + j2$[A], $I_b = -20 - j14$[A], $I_c = -3 + j10$[A]일 때의 영상전류 I_0는? [2013년 3회 산업기사 / 2017년 2회 산업기사 / 2018년 3회 산업기사 / 2021년 2회 기사]

① $2.85 + j0.36$[A] ② $-2.67 - j0.67$[A]

③ $1.57 - j3.25$[A] ④ $12.67 + j2$[A]

해설 영상전류 $i_0 = \dfrac{1}{3}(i_a + i_b + i_c)$

$\qquad = \dfrac{1}{3}(15 - 20 - 3 + j2 - j14 + j10)$

$\qquad = \dfrac{1}{3}(-8 - j2) \fallingdotseq -2.67 - j0.67$

14 불평형 3상 전류 $I_a = 25 + j4$[A], $I_b = -18 - j16$[A], $I_c = 7 + j15$[A]일 때 영상전류 I_0[A]는? [2020년 4회 기사]

① $2.67 + j$ ② $2.67 + j2$

③ $4.67 + j$ ④ $4.67 + j2$

해설 $I_0 = \dfrac{1}{3}(I_a + I_b + I_c) = \dfrac{1}{3}(25 + j4 - 18 - j16 + 7 + j15) \fallingdotseq 4.67 + j$

15 각 상의 전류가 $i_a = 30\sin\omega t$[A], $i_b = 30\sin(\omega t - 90°)$[A], $i_c = 30\sin(\omega t + 90°)$[A]일 때 영상분 전류[A]의 순시치는? [2020년 1, 2회 산업기사]

① $10\sin\omega t$ ② $10\sin\dfrac{\omega t}{3}$

③ $30\sin\omega t$ ④ $\dfrac{30}{\sqrt{3}}\sin(\omega t + 45°)$

해설 $I_0 = \dfrac{1}{3}(I_a + I_b + I_c)$

$\qquad = \dfrac{1}{3}\{30\sin\omega t + 30\sin(\omega t - 90°) + 30\sin(\omega t + 90°)\}$

$\qquad (i_b$와 i_c의 위상차가 180°이므로, $i_b + i_c = 0$이다)

$\qquad = \dfrac{1}{3} \times 30\sin\omega t$

$\qquad = 10\sin\omega t$

16 각 상의 전압이 다음과 같을 때 영상분 전압[V]의 순시치는?(단, 3상 전압의 상순은 a-b-c이다)

[2022년 1회 기사]

$$v_a(t) = 40\sin\omega t[\text{V}]$$
$$v_b(t) = 40\sin\left(\omega t - \frac{\pi}{2}\right)[\text{V}]$$
$$v_c(t) = 40\sin\left(\omega t + \frac{\pi}{2}\right)[\text{V}]$$

① $40\sin\omega t$

② $\dfrac{40}{3}\sin\omega t$

③ $\dfrac{40}{3}\sin\left(\omega t - \dfrac{\pi}{2}\right)$

④ $\dfrac{40}{3}\sin\left(\omega t + \dfrac{\pi}{2}\right)$

해설

$V_o = \dfrac{1}{3}(V_a + V_b + V_c) = \dfrac{1}{3}\left\{40\sin\omega t + 40\sin\left(\omega t - \dfrac{\pi}{2}\right) + 40\sin\left(\omega t + \dfrac{\pi}{2}\right)\right\}$

V_b와 V_c의 위상차가 180°이므로, $V_b + V_c = 0$이다.

$V_o = \dfrac{1}{3} \times 40\sin\omega t = \dfrac{40}{3}\sin\omega t$

17 각 상의 전류가 $i_a(t) = 90\sin\omega t[\text{A}]$, $i_b(t) = 90\sin(\omega t - 90°)[\text{A}]$, $i_c(t) = 90\sin(\omega t + 90°)[\text{A}]$일 때 영상분 전류[A]의 순시치는?

[2021년 3회 기사]

① $30\cos\omega t$ ② $30\sin\omega t$

③ $90\sin\omega t$ ④ $90\cos\omega t$

해설

$I_0 = \dfrac{1}{3}(i_a + i_b + i_c)$

$= \dfrac{1}{3}\{90\sin\omega t + 90\sin(\omega t - 90) + 90\sin(\omega t + 90)\}$

$= \dfrac{1}{3} \times 90\sin\omega t$

$= 30\sin\omega t$

※ i_b와 i_c의 위상차가 180°이므로 $i_b + i_c = 0$

18 3상 불평형 전압을 V_a, V_b, V_c라고 할 때 정상전압은?$\left(\text{단, } a = -\dfrac{1}{2} + j\dfrac{\sqrt{3}}{2} \text{ 이다}\right)$

[2012년 1회 산업기사 / 2016년 3회 산업기사 / 2019년 1회 산업기사 / 2019년 3회 기사]

① $\dfrac{1}{3}(V_a + aV_b + a^2V_c)$ ② $\dfrac{1}{3}(V_a + a^2V_b + aV_c)$

③ $\dfrac{1}{3}(V_a + a^2V_b + V_c)$ ④ $\dfrac{1}{3}(V_a + V_b + V_c)$

해설 3상 불평형전압 V_a, V_b, V_c

• 영상전압 : $V_0 = \dfrac{1}{3}(V_a + V_b + V_c)$

• 정상전압 : $V_1 = \dfrac{1}{3}(V_a + aV_b + a^2V_c)$

• 역상전압 : $V_2 = \dfrac{1}{3}(V_a + a^2V_b + aV_c)$

---

19 3상 전류가 $I_a = 10 + j3[\text{A}]$, $I_b = -5 - j2[\text{A}]$, $I_c = -3 + j4[\text{A}]$일 때 정상분 전류의 크기는 약 몇 [A]인가?

[2020년 1, 2회 기사]

① 5 ② 6.4

③ 10.5 ④ 13.34

해설
$$I_1 = \dfrac{1}{3}\big(I_a + aI_b + a^2I_c\big)$$
$$= \dfrac{1}{3}(10 + j3 + 1\angle 120 \times (-5 - j2) + 1\angle 240 \times (-3 + j4))$$
$$= 6.398 + j0.0893 = \sqrt{6.398^2 + 0.0893^2} = 6.398 = 6.4[\text{A}]$$

---

20 대칭 3상 전압이 a상 $V_a[\text{V}]$, b상 $V_b = a^2V_a[\text{V}]$, c상 $V_c = aV_a[\text{V}]$일 때 a상을 기준으로 한 대칭분 전압 중 정상분 $V_1[\text{V}]$은 어떻게 표시되는가?$\left(\text{단, } a = -\dfrac{1}{2} + j\dfrac{\sqrt{3}}{2} \text{ 이다}\right)$

[2016년 1회 산업기사 / 2018년 3회 산업기사 / 2019년 1회 기사]

① 0 ② V_a

③ aV_a ④ a^2V_a

해설 대칭 3상일 때 정상분 전압은 기준전압 V_a만 발생된다.

21 불평형 3상 전류가 다음과 같을 때 역상전류 I_2는 약 몇 [A]인가?

[2017년 1회 산업기사 / 2020년 3회 기사]

$$I_a = 15 + j2[\text{A}] \qquad I_b = -20 - j14[\text{A}] \qquad I_c = -3 + j10[\text{A}]$$

① $1.91 + j6.24$

② $2.17 + j5.34$

③ $3.38 - j4.26$

④ $4.27 - j3.68$

해설 $I_2 = \dfrac{1}{3}(I_a + a^2 I_b + a I_c) = \dfrac{1}{3}\{15 + j2 + 1\angle 240 \times (-20 - j14) + 1\angle 120 \times (-3 + j10)\} \fallingdotseq 1.91 + j6.24$

22 상의 순서가 $a - b - c$인 불평형 3상 교류회로에서 각 상의 전류가 $I_a = 7.28\angle 15.95°[\text{A}]$, $I_b = 12.81\angle -128.66°[\text{A}]$, $I_c = 7.21\angle 123.69°[\text{A}]$일 때 역상분 전류는 약 몇 [A]인가?

[2022년 2회 기사]

① $8.95\angle -1.14°$

② $8.95\angle 1.14°$

③ $2.51\angle -96.55°$

④ $2.51\angle 96.55°$

해설 $I_2 = \dfrac{1}{3}\left(I_a + a^2 I_b + a I_c\right)$

$= \dfrac{1}{3}(7.28\angle 15.95° + 1\angle 240° \times 12.81\angle -128.66° + 1\angle 120° \times 7.21\angle 123.69°)$

$= -0.285839 + j2.489712$에서

계산기 SHIFT 2,3을 누르면 $2.506\angle 96.549°$

23 3상 불평형 회로의 전압에서 불평형률[%]은?

[2012년 2회 산업기사 / 2016년 3회 산업기사 / 2018년 1회 기사 / 2019년 3회 산업기사]

① $\dfrac{영상전압}{정상전압} \times 100[\%]$
② $\dfrac{정상전압}{역상전압} \times 100[\%]$

③ $\dfrac{정상전압}{영상전압} \times 100[\%]$
④ $\dfrac{역상전압}{정상전압} \times 100[\%]$

해설 3상 불평형률 $= \dfrac{역상전압}{정상전압} \times 100[\%]$

24 3상 불평형 전압에서 역상전압이 50[V], 정상전압이 200[V], 영상전압이 10[V]라고 할 때, 전압의 불평형률[%]은?

[2018년 2회 산업기사]

① 1 ② 5 ③ 25 ④ 50

해설 3상 불평형률 $= \dfrac{역상전압}{정상전압} \times 100[\%] = \dfrac{50}{200} \times 100 = 25[\%]$

25 3상 회로의 선간전압이 각각 80[V], 50[V], 50[V]일 때의 전압의 불평형률[%]은?

[2016년 2회 산업기사]

① 39.6 ② 57.3
③ 73.6 ④ 86.7

해설 80[V], 50[V], 50[V]를 벡터로 표현하면
$V_a = 80, \quad V_b = -40 - j30, \quad V_c = -40 + j30$
$a = -\dfrac{1}{2} + j\dfrac{\sqrt{3}}{2}, \quad a^2 = -\dfrac{1}{2} - j\dfrac{\sqrt{3}}{2}$

불평형률 $= \dfrac{역상분}{정상분} \times 100 = \dfrac{\dfrac{1}{3}(V_a + a^2 V_b + a V_c)}{\dfrac{1}{3}(V_a + a V_b + a^2 V_c)} \times 100$

공식에 위 수식을 아래 수식에 대입하여 계산하면 39.6[%]가 나온다.

26 단자전압의 각 대칭분 V_0, V_1, V_2가 0이 아니면서 서로 같게 되는 고장의 종류는?

[2014년 1회 산업기사]

① 1선 지락　　　　　　　　　② 선간 단락

③ 2선 지락　　　　　　　　　④ 3선 단락

해설　• 1선 지락 : 영상분, 정상분, 역상분
　　　• 2선 지락 : 영상분, 정상분, 역상분, 모든 성분≠0
　　　• 선간 단락 : 정상분, 역상분
　　　• 3상 단락 : 정상분

27 전류의 대칭분을 I_0, I_1, I_2 유기기전력 및 단자전압의 대칭분을 E_a, E_b, E_c 및 V_0, V_1, V_2 라 할 때 3상 교류 발전기의 기본식 중 정상분 V_1값은?(단, Z_0, Z_1, Z_2는 영상, 정상, 역상 임피던스이다)

[2013년 2회 기사 / 2018년 3회 기사]

① $-Z_0 I_0$　　　　　　　　　② $-Z_2 I_2$

③ $E_a - Z_1 I_1$　　　　　　　④ $E_b - Z_2 I_2$

해설　발전기의 기본식
　　　• 정상분 : $V_1 = E_a - Z_1 I_1$
　　　• 역상분 : $V_2 = -Z_2 I_2$
　　　• 영상분 : $V_0 = -Z_0 I_0$

9. 비정현파

(1) 비정현파 교류

① 비정현파

정현파로부터 일그러진 파형을 총칭하여 비정현파(Non-sinusoidal Wave)라 한다.

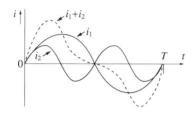

② 비정현파의 발생원인

㉠ 교류 발전기에서의 전기자 반작용에 의한 일그러짐

㉡ 변압기에서의 철심의 자기포화

㉢ 변압기에서의 히스테리시스 현상에 의한 여자전류의 일그러짐

㉣ 다이오드의 비직선성에 의한 전류의 일그러짐

(2) 푸리에 급수(Fourier Series)

① 푸리에 급수의 정의

푸리에 급수는 주파수와 진폭을 달리하는 무수히 많은 성분을 갖는 비정현파를 무수히 많은 삼각함수의 합으로 표현하는 것을 의미한다.

② 급수 표현식

$$f(t) = a_0 + a_1\cos\omega t + a_2\cos 2\omega t + a_3\cos 3\omega t + \cdots + a_n\cos n\omega t$$
$$+ b_1\sin\omega t + b_2\sin 2\omega t + b_3\sin 3\omega t + \cdots + b_n\sin n\omega t$$

$$= a_0 + \sum_{n=1}^{\infty} a_n\cos n\omega t + \sum_{n=1}^{\infty} b_n\sin n\omega t$$

※ 비정현파 교류 = 직류분 + 기본파 + 고조파

③ 푸리에 급수에 의한 전개

㉠ 직류분(a_0) : 비정현파의 한 주기까지의 평균값

$$\int_0^T f(t)dt = a_0 T \rightarrow a_0 = \frac{1}{T}\int_0^T f(t)dt = \frac{1}{2\pi}\int_0^{2\pi} f(\omega t)\,d(\omega t)$$

㉡ a_n : 양변에 $\cos m\omega t$를 곱하고 한 주기를 적분한 값

$$\int_0^T f(t)\cos m\omega t\,dt = \int_0^T f(t)\cos m\omega t\,dt + \sum_{n=1}^{\infty} \int_0^T a_n \cos n\omega t \cos m\omega t\,dt$$

$$+ \sum_{n=1}^{\infty} \int_0^T b_n \sin n\omega t \cos m\omega\,dt$$

$$\int_0^T a_n \cos n\omega t \cos m\omega t\,dt = \frac{a_n}{2} \int_0^T [\cos(n+m)\omega t + \cos(n-m)\omega t]\,dt$$

$$= a_n \frac{T}{2}(m=n)$$

$$\therefore \quad \int_0^T f(t)\cos m\omega t\,dt = a_n \frac{T}{2}$$

$$\therefore \quad a_n = \frac{2}{T}\int_0^T f(t)\cos m\omega t\,dt = \frac{1}{\pi}\int_0^{2\pi} f(\omega t)\cos n\omega t\,d(\omega t)$$

ⓒ b_n : 양변에 $\sin m\omega t\,dt$를 곱하고 한 주기를 적분한 값

$$\int_0^T f(t)\sin m\omega t\,dt = \int_0^T a_0 \sin m\omega t\,dt + \sum_{n=1}^{\infty} \int_0^T a_n \cos n\omega t \sin m\omega t\,dt$$

$$+ \sum_{n=1}^{\infty} \int_0^T b_n \sin n\omega t \sin m\omega t\,dt$$

$$\int_0^T b_n \sin n\omega t \sin m\,dt = \frac{b_n}{2} \int_0^T [\cos(n-m)\omega t - \cos(m+n)\omega t]\,dt$$

$$= b_n \frac{T}{2}(m=n)$$

$$\therefore \quad \int_o^t f(t)\sin m\omega t\,dt = \frac{b_n}{2}T$$

$$\therefore \quad b_n = \frac{2}{T}\int_0^T f(t)\sin m\omega t = \frac{1}{\pi}\int_0^{2\pi} f(\omega t)\sin n\omega t\,d(\omega t)$$

④ 푸리에 급수의 정현표현

$$f(t) = a_0 + \sum_{n=1}^{\infty} a_n \cos n\omega t + \sum_{n=1}^{\infty} b_n \sin n\omega t$$

$$= a_0 + \sum_{n=1}^{\infty} c_n \sin(n\omega t + \theta_n)\left(c_n = \sqrt{a_n^2 + b_n^2},\ \theta_n = \tan^{-1}\frac{b_n}{a_n}\right)$$

⑤ 대칭성 비정현파의 푸리에 급수 변환

㉠ 기함수 : 정현대칭, 원점대칭 – sin항만 존재(n : 정수)

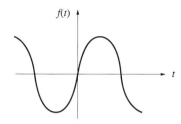

$f(t) = -f(-t)$

$a_0 = 0, \ a_n = 0$

$f(t) = \displaystyle\sum_{n=1}^{\infty} b_n \sin n\omega t$

㉡ 우함수 : 여현대칭, Y축 대칭 – a_0, cos항만 존재(n : 정수)

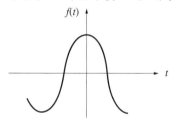

$f(t) = f(-t)$

$b_n = 0$

$f(t) = a_0 + \displaystyle\sum_{n=1}^{\infty} a_n \cos n\omega t$

㉢ 반파대칭 : sin항과 cos항 존재(n : 홀수항 1, 3, 5...)

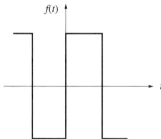

$f(t) = -f(t+\pi) = -f\left(t+\dfrac{T}{2}\right)$

$a_0 = 0$

$f(t) = \displaystyle\sum_{n=1}^{\infty} a_n \cos n\omega t + \sum_{n=1}^{\infty} b_n \sin n\omega t$

ⓔ 정현반파 대칭 : sin항 중 홀수항만 존재

ⓜ 여현반파 대칭 : cos항 중 홀수항만 존재

⑥ 톱니파의 푸리에 급수식

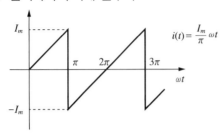

$i(t) = \dfrac{I_m}{\pi} \omega t$

$$f(t) \neq -f\left(t + \dfrac{T}{2}\right)$$

$$f(t) = \dfrac{2A}{\pi}\left(\sin\omega t - \dfrac{1}{2}\sin 2\omega t + \dfrac{1}{3}\sin 3\omega t - \dfrac{1}{4}\sin 4\omega t + \cdots\right)$$

⑦ 구형파의 푸리에 급수식 : 무수히 많은 주파수 성분의 합성

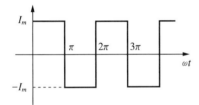

$$f(t) = \dfrac{4I_m}{\pi}\left(\sin\omega t + \dfrac{1}{3}\sin 3\omega t + \dfrac{1}{5}\sin 5\omega t + \cdots\right)$$

⑧ 상회전

※ 기본파와 동일 : $3n+1$ 고조파 ⇒ 4, 7, 10, 13 ⋯

※ 각 상 동상 : $3n$ 고조파 ⇒ 3, 6, 9, 12 ⋯

※ 기본파와 반대 : $3n-1$ 고조파 ⇒ 2, 5, 8, 11 ⋯

(3) 비정현파의 계산

① 비정현파의 실횻값 : 각 파의 실횻값의 제곱의 합의 제곱근

$$v = V_0 + V_{m1}\sin\omega t + V_{m2}\sin 2\omega t + V_{m3}\sin 3\omega t \cdots$$

$$V = \sqrt{V_0{}^2 + \left(\dfrac{V_{m1}}{\sqrt{2}}\right)^2 + \left(\dfrac{V_{m2}}{\sqrt{2}}\right)^2 \cdots}$$

$$i = I_0 + I_{m1}\sin\omega t + I_{m2}\sin 2\omega t + I_{m3}\sin 3\omega t \cdots$$

$$I = \sqrt{I_0{}^2 + \left(\frac{I_{m1}}{\sqrt{2}}\right)^2 + \left(\frac{I_{m2}}{\sqrt{2}}\right)^2 \cdots}$$

② 왜형률(Distortion Factor)

기본파에 대해 고조파 성분이 어느 정도 포함되었는가를 나타내는 지표(정현파를 기준으로 일그러짐률)

$$왜형률 = \frac{전\ 고조파의\ 실횻값}{기본파의\ 실횻값} \times 100$$

$$= \sqrt{\left(\frac{V_2}{V_1}\right)^2 + \left(\frac{V_3}{V_1}\right)^2 + \left(\frac{V_4}{V_1}\right)^2 \cdots} \times 100$$

$$= \frac{\sqrt{V_2^2 + V_3^2 + V_4^2 \cdots}}{V_1} \times 100$$

③ 비정현파의 전력

㉠ 평균전력(소비전력=유효전력) : 직류분과 각 고조파 전력의 합으로 나타내며(주파수가 다르면 전력은 존재하지 않는다) 같은 고조파 성분으로 구한다.

$$P = V_0 I_0 + \sum_{n=1}^{\infty} V_n I_n \cos\theta_n$$

$$= V_0 I_0 + V_1 I_1 \cos\theta_1 + V_2 I_2 \cos\theta_2 + \cdots$$

$$= \frac{V_0^2}{R} + \frac{V_1^2 R}{R^2 + X_1^2} + \frac{V_2^2 R}{R^2 + X_2^2} + \cdots$$

$$= \frac{V_n^2 R}{R^2 + (n\omega L)^2}$$

$$= \frac{V_n^2 R}{R^2 + \left(\dfrac{1}{n\omega C}\right)^2}$$

㉡ 무효전력 : 같은 고조파 성분으로 구한다.

$$P_r = \sum_{n=1}^{\infty} V_n I_n \sin\theta_n$$

$$= V_1 I_1 \sin\theta_1 + V_2 I_2 \sin\theta_2 + \cdots$$

$$= \frac{V_1^2 X_1}{R^2 + X_1^2} + \frac{V_2^2 X_2}{R^2 + X_2^2} + \cdots$$

© 피상전력 : 전전압 실횻값과 전전류 실횻값의 곱으로 구한다.

$$P_a = VI = \sqrt{V_0^2 + V_1^2 + V_2^2 + \cdots} \times \sqrt{I_0^2 + I_1^2 + I_2^2 + \cdots}$$

② 역 률

$$\cos\theta = \frac{P}{P_a} = \frac{V_0 I_0 + V_1 I_1 \cos\theta_1 + V_2 I_2 \cos\theta_2 + \cdots}{\sqrt{V_0^2 + V_1^2 + V_2^2 + \cdots} \times \sqrt{I_0^2 + I_1^2 + I_2^2 + \cdots}}$$

④ 직렬임피던스

　㉠ 유도리액턴스

$$Z_n = R + jn\omega L = \sqrt{R^2 + (n\omega L)^2}$$

$$I_n = \frac{V_n}{\sqrt{R^2 + (n\omega L)^2}}$$

　㉡ 용량리액턴스

$$Z_n = R - j\frac{1}{n\omega C} = \sqrt{R^2 + \left(\frac{1}{n\omega C}\right)^2}$$

$$I_n = \frac{V_n}{\sqrt{R^2 + \left(\frac{1}{n\omega C}\right)^2}}$$

⑤ 공진조건

$$n\omega L = \frac{1}{n\omega C}\text{에서 } \omega^2 = \frac{1}{n^2 LC}, \ \omega = \frac{1}{n\sqrt{LC}}$$

$$\therefore f = \frac{1}{2\pi n\sqrt{LC}}[\text{Hz}]$$

⑥ △ - Y결선

　㉠ △ 결선 : 제3고조파 전류는 동상이므로 △ 결선 내에서 순환전류가 발생하여 선에는 나타나지 않는다.

$$I_p = \sqrt{I_1^2 + I_3^2 + I_5^2}$$

$$I_l = \sqrt{3}\, I_p = \sqrt{3} \times \sqrt{I_1^2 + I_5^2}$$

　㉡ Y결선 : 제3고조파 기전력은 동상이므로 상에만 존재하고 선 간에는 나타나지 않는다.

$$V_p = \sqrt{V_1^2 + V_3^2 + V_5^2}$$

$$V_l = \sqrt{3}\, V_p = \sqrt{3} \times \sqrt{V_1^2 + V_5^2}$$

핵 / 심 / 예 / 제

01 비정현파의 성분을 가장 적합하게 나타낸 것은? [2012년 2회 산업기사 / 2019년 1회 산업기사]

① 직류분 + 고조파

② 교류분 + 고조파

③ 직류분 + 기본파 + 고조파

④ 교류분 + 기본파 + 고조파

해설 비정현파(일그러진 파형의 총칭)는 직류분과 기본파, 고조파로 구성되어 있다.

02 주기함수 $f(t)$의 푸리에 급수 전개식으로 옳은 것은? [2012년 3회 기사 / 2014년 3회 산업기사]

① $f(t) = \displaystyle\sum_{n=1}^{\infty} a_n \sin n\omega t + \sum_{n=1}^{\infty} b_n \sin n\omega t$

② $f(t) = b_0 + \displaystyle\sum_{n=2}^{\infty} a_n \sin n\omega t + \sum_{n=2}^{\infty} b_n \cos n\omega t$

③ $f(t) = a_0 + \displaystyle\sum_{n=1}^{\infty} a_n \cos n\omega t + \sum_{n=1}^{\infty} b_n \sin n\omega t$

④ $f(t) = \displaystyle\sum_{n=1}^{\infty} a_n \cos n\omega t + \sum_{n=1}^{\infty} b_n \cos n\omega t$

해설 푸리에 급수 : 비정현파 = 직류분 + 기본파 + 고조파

$$f(t) = a_0 + \sum_{n=1}^{\infty} a_n \cos n\omega t + \sum_{n=1}^{\infty} b_n \sin n\omega t$$

03 비정현파에서 정현대칭의 조건은 어느 것인가?　　　[2013년 1회 산업기사 / 2016년 2회 산업기사]

① $f(t) = f(-t)$

② $f(t) = -f(-t)$

③ $f(t) = -f(t)$

④ $f(t) = -f\left(t + \dfrac{T}{2}\right)$

해설

정현대칭	여현대칭	반파대칭
sin항	직류, cos항	고조파의 홀수항
$f(t) = -f(-t)$	$f(t) = f(-t)$	$f(t) = -f\left(t + \dfrac{T}{2}\right)$
원점 대칭, 기함수	수직선 대칭, 우함수	반주기마다 크기가 같고 부호 반대인 대칭

04 비정현파 $f(x)$ 가 반파대칭 및 정현대칭일 때 옳은 식은?(단, 주기는 2π 이다)

[2018년 1회 산업기사]

① $f(-x) = f(x)$, $f(x + \pi) = f(x)$

② $f(-x) = f(x)$, $f(x + 2\pi) = f(x)$

③ $f(-x) = -f(x)$, $-f(x + \pi) = f(x)$

④ $f(-x) = -f(x)$, $-f(x + 2\pi) = f(x)$

해설　정현대칭
$f(x) = -f(-x) \rightarrow f(-x) = -f(x)$
반파대칭
$f(x) = -f\left(x + \dfrac{X}{2}\right)$
$\qquad = -f\left(x + \dfrac{2\pi}{2}\right) = -f(x + \pi)$
$\rightarrow -f(x + \pi) = f(x)$

05 $f_e(t)$ 가 우함수이고 $f_o(t)$ 가 기함수일 때 주기함수 $f(t) = f_e(t) + f_o(t)$ 에 대한 다음 식 중 틀린 것은?

[2022년 1회 기사]

① $f_e(t) = f_e(-t)$

② $f_o(t) = -f_o(-t)$

③ $f_o(t) = \dfrac{1}{2}[f(t) - f(-t)]$

④ $f_e(t) = \dfrac{1}{2}[f(t) - f(-t)]$

해설

① $f_e(t) = f_e(-t)$

② $f_o(t) = -f_o(-t)$

③ $\dfrac{1}{2}[f(t) - f(-t)] = \dfrac{1}{2}[f_e(t) + f_o(t) - f_e(t) - f_o(-t)]$

$\qquad\qquad\qquad = \dfrac{1}{2}[f_e(t) + f_o(t) - f_e(t) + f_o(t)]$

$\qquad\qquad\qquad = \dfrac{1}{2}[2 \cdot f_o(t)]$

$\qquad\qquad\qquad = f_o(t)$

06 반파 및 정현대칭의 왜형파의 푸리에 급수에서 옳게 표현된 것은?

$$\left(단, \; f(t) = a_0 + \sum_{n=1}^{\infty} a_n \cos n\omega t + \sum_{n=1}^{\infty} b_n \sin n\omega t \,이다 \right)$$

[2012년 1회 산업기사 / 2015년 2회 산업기사 / 2020년 1, 2회 산업기사]

① a_n 의 우수항만 존재한다.

② a_n 의 기수항만 존재한다.

③ b_n 의 우수항만 존재한다.

④ b_n 의 기수항만 존재한다.

해설

정현대칭	여현대칭	반파대칭
sin항	직류, cos항	고조파의 홀수항
$f(t) = -f(-t)$	$f(t) = f(-t)$	$f(t) = -f\left(t + \dfrac{T}{2}\right)$
원점 대칭, 기함수	수직선 대칭, 우함수	반주기마다 크기가 같고 부호 반대인 대칭

07 그림과 같은 비정현파의 주기함수에 대한 설명으로 틀린 것은? [2016년 3회 산업기사]

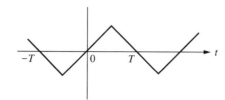

① 기함수파이다.
② 반파 대칭파이다.
③ 직류성분은 존재하지 않는다.
④ 홀수차의 정현항 계수는 0이다.

> 해설 반파 정현 대칭함수이므로 $f(t) = -f(t+\pi)$와 $f(t) = -f(-t)$의 두 조건을 만족하는 기함수파이다.
> 직류분은 존재하지 않는다.

08 반파대칭의 왜형파에 포함되는 고조파는? [2015년 2회 기사]

① 제2고조파
② 제4고조파
③ 제5고조파
④ 제6고조파

> 해설
>
> | 반파대칭 |
> |---|
> | $f(t) = \sum_{n=1}^{\infty} a_n \cos n\omega t + \sum_{n=1}^{\infty} b_n \sin n\omega t,\ \ n = 1,\ 3,\ 5,\ 7 \cdots$ |
> | $f(t) = -f(\pi + t)$ |
> | 반주기마다 크기가 같고 부호 반대인 대칭 예 $t,\ \sin\omega t$ |
>
> ※ 홀수항만 존재

09 주기적인 구형파 신호의 구성은? [2017년 2회 산업기사]

① 직류 성분만으로 구성된다.
② 기본파 성분만으로 구성된다.
③ 고조파 성분만으로 구성된다.
④ 직류 성분, 기본파 성분, 무수히 많은 고조파 성분으로 구성된다.

> 해설 **구형파** : 무수히 많은 고조파 성분이 포함되어 있다.

10 그림의 왜형파를 푸리에 급수로 전개할 때, 옳은 것은? [2018년 1회 기사]

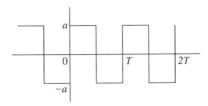

① 우수파만 포함함다.
② 기수파만 포함한다.
③ 우수파 · 기수파 모두 포함한다.
④ 푸리에 급수로 전개할 수 없다.

해설 반파정현대칭으로 기수파만 포함된다.

11 다음과 같은 파형을 푸리에 급수로 전개하면? [2012년 2회 산업기사 / 2017년 3회 산업기사]

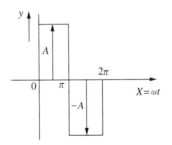

① $y = \dfrac{A}{\pi} + \dfrac{\sin 2x}{2} + \dfrac{\sin 4x}{4} + \cdots\cdots$

② $y = \dfrac{4A}{\pi}\left(\sin\alpha\sin x + \dfrac{1}{9}\sin 3\alpha\sin 3x + \cdots\right)$

③ $y = \dfrac{4A}{\pi}\left(\sin x + \dfrac{1}{3}\sin 3x + \dfrac{1}{5}\sin 5x \cdots\right)$

④ $y = \dfrac{4}{\pi}\left(\dfrac{\cos 2x}{1.3} + \dfrac{\cos 4x}{3.5} + \dfrac{\cos 6x}{5.7} + \cdots\right)$

해설 반파대칭 및 정현파대칭이므로 $b_n = a_n = 0$이 되어 기수항의 $\sin$항만 존재한다.
$$f(t) = b_1\sin\omega t + b_3\sin 3\omega t + \cdots$$

12 $i(t) = \dfrac{4I_m}{\pi}\left(\sin\omega t + \dfrac{1}{3}\sin3\omega t + \dfrac{1}{5}\sin5\omega t + \cdots\right)$ 로 표시하는 파형은?

[2016년 1회 산업기사]

①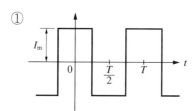

②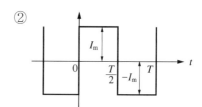

③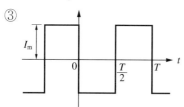

④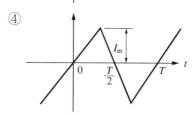

해설 반파대칭 및 정현파대칭이므로 $b_n = 0$, $a_0 = 0$가 되어 기수차의 sin항만 존재한다.

13 전압의 순시값이 $v = 3 + 10\sqrt{2}\sin\omega t$[V]일 때 실횻값은 약 몇 [V]인가? [2017년 3회 산업기사]

① 10.4

② 11.6

③ 12.5

④ 16.2

해설 $E = \sqrt{3^2 + 10^2} \fallingdotseq 10.4[\mathrm{V}]$

14 전류 $I = 30\sin\omega t + 40\sin(3\omega t + 45°)$[A]의 실횻값은 약 몇 [A]인가?

[2017년 1회 산업기사 / 2019년 2회 기사]

① 25

② 35.4

③ 50

④ 70.7

해설 $I = \sqrt{\left(\dfrac{I_{m1}}{\sqrt{2}}\right)^2 + \left(\dfrac{I_{m3}}{\sqrt{2}}\right)^2} = \sqrt{\left(\dfrac{30}{\sqrt{2}}\right)^2 + \left(\dfrac{40}{\sqrt{2}}\right)^2} \fallingdotseq 35.35[\mathrm{A}]$

15 전압 $v(t) = 14.14\sin\omega t + 7.07\sin\left(3\omega t + \dfrac{\pi}{6}\right)$[V]의 실횻값은 약 몇 [V]인가?

[2021년 2회 기사]

① 3.87

② 11.2

③ 15.8

④ 21.2

해설
$$V = \sqrt{\left(\frac{14.14}{\sqrt{2}}\right)^2 + \left(\frac{7.07}{\sqrt{2}}\right)^2} \fallingdotseq 11.18 \fallingdotseq 11.2$$

16 어떤 회로에 흐르는 전류가 $i = 7 + 14.1\sin\omega t$[A]인 경우 실횻값은 약 몇 [A]인가?

[2014년 2회 산업기사 / 2020년 1, 2회 산업기사]

① 11.2

② 12.2

③ 13.2

④ 14.2

해설
비정현파의 실횻값 $I = \sqrt{I_0^2 + I_1^2} = \sqrt{7^2 + \left(\dfrac{14.1}{\sqrt{2}}\right)^2} \fallingdotseq 12.2$[A]

17 $i(t) = 100 + 50\sqrt{2}\sin\omega t + 20\sqrt{2}\sin\left(3\omega t + \dfrac{\pi}{6}\right)$[A]로 표현되는 비정현파 전류의 실횻값은 약 몇 [A]인가?

[2020년 3회 산업기사]

① 20

② 50

③ 114

④ 150

해설
$$I = \sqrt{I_0^2 + I_1^2 + I_3^2} = \sqrt{100^2 + 50^2 + 20^2} \fallingdotseq 114[A]$$

정답 15 ② 16 ② 17 ③

18 $v = 3 + 5\sqrt{2}\sin\omega t + 10\sqrt{2}\sin\left(3\omega t - \dfrac{\pi}{3}\right)$ [V]의 실횻값[V]은?

[2015년 3회 기사 / 2016년 2회 기사 / 2020년 1, 2회 기사]

① 9.6   ② 10.6

③ 11.6   ④ 12.6

해설 **비정현파의 실횻값**

$$V = \sqrt{{V_0}^2 + {V_1}^2 + {V_3}^2} = \sqrt{3^2 + (5)^2 + (10)^2} \fallingdotseq 11.6[\text{V}]$$

여기서, V_0, V_1, V_3 : 각 파의 실횻값

---

19 그림과 같이 주기가 3[s]인 전압 파형의 실횻값은 약 몇 [V]인가?   [2018년 1회 산업기사]

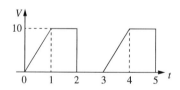

① 5.67   ② 6.67

③ 7.57   ④ 8.57

해설

$$V = \sqrt{\frac{1}{3}\left(\int_0^1 (10t)^2 + \int_1^2 (10)^2\right)}$$

$$= \sqrt{\frac{1}{3}\left\{ \left| \frac{100}{3}t^3 \right|_0^1 + \left| 100t \right|_1^2 \right\}}$$

$$= \sqrt{\frac{1}{3}\left(\frac{100}{3} + 100\right)}$$

$$= \sqrt{\frac{400}{9}} \fallingdotseq 6.67$$

20 $R-L$ 직렬회로에서 $e = 10 + 100\sqrt{2}\sin\omega t + 50\sqrt{2}\sin(3\omega t + 60°) + 60\sqrt{2}\sin(5\omega t + 30°)$[V]인 전압을 가할 때 제3고조파 전류의 실횻값은 몇 [A]인가?(단, $R = 8[\Omega]$, $\omega L = 2$ [Ω]이다)

[2017년 3회 산업기사]

① 1

② 3

③ 5

④ 7

해설 제3고조파 전류의 실횻값

$$I_3 = \frac{V_3}{Z_3} = \frac{V_3}{\sqrt{R^2 + (3\omega L)^2}} = \frac{50}{\sqrt{8^2 + 6^2}} = 5[A]$$

21 전압 $v(t)$를 RL 직렬회로에 인가했을 때 제3고조파 전류의 실횻값[A]의 크기는?

(단, $R = 8[\Omega]$, $\omega L = 2[\Omega]$, $v(t) = 100\sqrt{2}\sin\omega t + 200\sqrt{2}\sin3\omega t + 50\sqrt{2}\sin5\omega t$[V]이다)

[2021년 3회 기사]

① 10

② 14

③ 20

④ 28

해설 $I_3 = \frac{E_3}{Z_3} = \frac{200}{\sqrt{8^2 + (2\times3)^2}} = 20[A]$

22 $e = 200\sqrt{2}\sin\omega t + 150\sqrt{2}\sin3\omega t + 100\sqrt{2}\sin5\omega t$[V]인 전압을 $R-L$ 직렬회로에 가할 때에 제3고조파 전류의 실횻값은 몇 [A]인가?(단, $R = 8[\Omega]$, $\omega L = 2[\Omega]$이다)

[2019년 1회 산업기사]

① 5

② 8

③ 10

④ 15

해설 제3고조파 전류의 실횻값

$$I_3 = \frac{V_3}{Z_3} = \frac{V_3}{\sqrt{R^2 + (3\omega L)^2}} = \frac{150}{\sqrt{8^2 + (2\times3)^2}} = \frac{150}{10} = 15[A]$$

23 다음과 같은 비정현파 전압을 RL 직렬회로에 인가할 때에 제3고조파 전류의 실횻값[A]은?
(단, $R = 4[\Omega]$, $\omega L = 1[\Omega]$이다) [2016년 1회 산업기사 / 2019년 1회 기사]

$$e = 100\sqrt{2}\sin\omega t + 75\sqrt{2}\sin3\omega t + 20\sqrt{2}\sin5\omega t[\text{V}]$$

① 4

② 15

③ 20

④ 75

해설 $Z_3 = \sqrt{4^2 + (1\times3)^2} = 5$

$I_3 = \dfrac{e_3}{Z_3} = \dfrac{75}{5} = 15[\text{A}]$

24 $e(t) = 100\sqrt{2}\sin\omega t + 150\sqrt{2}\sin3\omega t + 260\sqrt{2}\sin5\omega t[\text{V}]$인 전압을 $R-L$ 직렬회로에 가할 때에 제5고조파 전류의 실횻값은 약 몇 [A]인가?(단, $R = 12[\Omega]$, $\omega L = 1[\Omega]$이다)
[2017년 2회 기사]

① 10

② 15

③ 20

④ 25

해설 $I_5 = \dfrac{V_5}{Z_5} = \dfrac{260}{\sqrt{12^2 + (1\times5)^2}} = 20$

25 RL 직렬회로에 순시치 전압 $v(t) = 20 + 100\sin\omega t + 40\sin(3\omega t + 60°) + 40\sin5\omega t[\text{V}]$
를 가할 때 제5고조파 전류의 실횻값 크기는 약 몇 [A]인가?(단, $R = 4[\Omega]$, $\omega L = 1[\Omega]$이다)
[2020년 4회 기사]

① 4.4

② 5.66

③ 6.25

④ 8.0

해설 $I_5 = \dfrac{E_5}{Z_5} = \dfrac{\dfrac{40}{\sqrt{2}}}{\sqrt{41}} \fallingdotseq 4.42 \fallingdotseq 4.4$

여기서, $E_5 = \dfrac{40}{\sqrt{2}}$

$Z_5 = \sqrt{4^2 + (1\times5)^2} = \sqrt{41}$

26 비정현파의 일그러짐의 정도를 표시하는 양으로서 왜형률이란? [2015년 3회 산업기사]

① $\dfrac{평균값}{실횻값}$

② $\dfrac{실횻값}{최댓값}$

③ $\dfrac{고조파만의 \ 실횻값}{기본파의 \ 실횻값}$

④ $\dfrac{기본파의 \ 실횻값}{고조파만의 \ 실횻값}$

해설

왜형률 $= \dfrac{고조파만의 \ 실횻값}{기본파의 \ 실횻값} \times 100$

27 비정현파 전압 $v = 100\sqrt{2}\sin\omega t + 50\sqrt{2}\sin 2\omega t + 30\sqrt{2}\sin 3\omega t [\text{V}]$의 왜형률은 약 얼마인가? [2018년 2회 산업기사]

① 0.36

② 0.58

③ 0.87

④ 1.41

해설

왜형률 $= \sqrt{\left(\dfrac{50}{100}\right)^2 + \left(\dfrac{30}{100}\right)^2} \fallingdotseq 0.58$

28 비정현파 전류가 $i(t) = 56\sin\omega t + 20\sin 2\omega t + 30\sin(3\omega t + 30°) + 40\sin(4\omega t + 60°)$로 표현될 때, 왜형률은 약 얼마인가? [2019년 3회 기사]

① 1.0

② 0.96

③ 0.55

④ 0.11

해설

왜형률 $= \dfrac{전고조파의 \ 실횻값}{기본파의 \ 실횻값} = \dfrac{\sqrt{\left(\dfrac{20}{\sqrt{2}}\right)^2 + \left(\dfrac{30}{\sqrt{2}}\right)^2 + \left(\dfrac{40}{\sqrt{2}}\right)^2}}{\dfrac{56}{\sqrt{2}}}$ 에서

분모 · 분자의 $\sqrt{2}$ 가 약분되므로(최댓값을 적용시켜도 됨)

왜형률 $= \dfrac{\sqrt{20^2 + 30^2 + 40^2}}{56} \fallingdotseq 0.96$

정답 26 ③ 27 ② 28 ②

29 기본파의 30[%]인 제3고조파와 기본파의 20[%]인 제5고조파를 포함하는 전압파의 왜형률은 약 얼마인가?

[2012년 3회 산업기사 / 2016년 3회 산업기사 / 2020년 3회 산업기사]

① 0.21　　　　　　　　　　　② 0.33
③ 0.36　　　　　　　　　　　④ 0.42

해설

왜형률 $= \dfrac{\text{전고조파의 실횻값}}{\text{기본파의 실횻값}} \times 100$

$= \dfrac{\sqrt{V_3^2 + V_5^2}}{V_1} = \sqrt{0.3^2 + 0.2^2} \fallingdotseq 0.36$

여기서, 실횻값이나 최댓값을 통일하면 결과는 같다.

30 기본파의 60[%]인 제3고조파와 80[%]인 제5고조파를 포함하는 전압의 왜형률은?

[2019년 2회 산업기사]

① 0.3　　　　　　　　　　　② 1
③ 5　　　　　　　　　　　　④ 10

해설

왜형률 $= \dfrac{\text{전 고조파의 실횻값}}{\text{기본파의 실횻값}} \times 100 = \dfrac{\sqrt{V_3^2 + V_5^2}}{V_1} = \sqrt{0.6^2 + 0.8^2} = 1$

31 $R = 4[\Omega]$, $\omega L = 3[\Omega]$의 직렬회로에 $e = 100\sqrt{2}\sin\omega t + 50\sqrt{2}\sin 3\omega t$[V]를 가할 때 이 회로의 소비전력은 약 몇 [W]인가?

[2014년 3회 산업기사 / 2020년 3회 기사]

① 1,414　　　　　　　　　　② 1,514
③ 1,703　　　　　　　　　　④ 1,903

해설　**고조파의 소비전력**

$P = RI_1^2 + RI_2^2 = 4 \times 20^2 + 4 \times 5.08^2 \fallingdotseq 1,703.22 \fallingdotseq 1,703[\text{W}]$

여기서, $I_1 = \dfrac{E_1}{\sqrt{R^2 + \omega^2 L^2}} = \dfrac{100}{\sqrt{4^2 + 3^2}} = 20[\text{A}]$

$I_2 = \dfrac{E_2}{\sqrt{R^2 + (3\omega L)^2}} = \dfrac{50}{\sqrt{4^2 + 9^2}} \fallingdotseq 5.08[\text{A}]$

32 어떤 회로의 단자전압과 전류가 다음과 같을 때, 회로에 공급되는 평균전력은 약 몇 [W]인가?

[2017년 1회 산업기사]

$$v(t) = 100\sin\omega t + 70\sin 2\omega t + 50\sin(3\omega t - 30°)[\text{V}]$$
$$i(t) = 20\sin(\omega t - 60°) + 10\sin(3\omega t + 45°)[\text{A}]$$

① 565　　　　　　　　　　② 525

③ 495　　　　　　　　　　④ 465

해설　$P = \dfrac{V_{m1}}{\sqrt{2}} \times \dfrac{I_{m1}}{\sqrt{2}} \cos\theta_1 + \dfrac{V_{m3}}{\sqrt{2}} \times \dfrac{I_{m3}}{\sqrt{2}} \cos\theta_3$ (θ는 전압과 전류의 위상차)

$P = \dfrac{100}{\sqrt{2}} \times \dfrac{20}{\sqrt{2}} \cos 60° + \dfrac{50}{\sqrt{2}} \times \dfrac{10}{\sqrt{2}} \cos 75° = 564.7 ≒ 565$

33 다음과 같은 비정현파 기전력 및 전류에 의한 평균전력을 구하면 몇 [W]인가?

[2019년 1회 기사]

$$e = 100\sin\omega t - 50\sin(3\omega t + 30°) + 20\sin(5\omega t + 45°)[\text{V}]$$
$$I = 20\sin\omega t + 10\sin(3\omega t - 30°) + 5\sin(5\omega t - 45°)[\text{A}]$$

① 825　　　　　　　　　　② 875

③ 925　　　　　　　　　　④ 1,175

해설　전력　$P = \dfrac{100}{\sqrt{2}} \times \dfrac{20}{\sqrt{2}} \cos 0° + \dfrac{-50}{\sqrt{2}} \times \dfrac{10}{\sqrt{2}} \cos 60° + \dfrac{20}{\sqrt{2}} \times \dfrac{5}{\sqrt{2}} \cos 90° = 875[\text{W}]$

34 전압 $e = 100\sin 10t + 20\sin 20t\,[\text{V}]$이고, 전류 $i = 20\sin(10t - 60) + 10\sin 20t\,[\text{A}]$일 때 소비전력은 몇 [W]인가?

[2018년 1회 산업기사]

① 500   ② 550

③ 600   ④ 650

해설 $P = \dfrac{100}{\sqrt{2}} \times \dfrac{20}{\sqrt{2}} \times \cos 60° + \dfrac{20}{\sqrt{2}} \times \dfrac{10}{\sqrt{2}} \times \cos 0° = 600\,[\text{W}]$

35 전압이 $v = 10\sin 10t + 20\sin 20t\,[\text{V}]$이고 전류가 $i = 20\sin 10t + 10\sin 20t\,[\text{A}]$이면, 소비(유효)전력[W]은?

[2019년 3회 산업기사]

① 400   ② 283

③ 200   ④ 141

해설 $P = \dfrac{10}{\sqrt{2}} \times \dfrac{20}{\sqrt{2}} \cos 0° + \dfrac{20}{\sqrt{2}} \times \dfrac{10}{\sqrt{2}} \cos 0° = 200\,[\text{W}]$

36 어떤 회로의 단자전압이 $V = 100\sin \omega t + 40\sin 2\omega t + 30\sin(3\omega t + 60°)\,[\text{V}]$이고 전압강하의 방향으로 흐르는 전류가 $I = 10\sin(\omega t - 60°) + 2\sin(3\omega t + 105°)\,[\text{A}]$일 때 회로에 공급되는 평균전력[W]은?

[2018년 2회 산업기사]

① 271.2   ② 371.2

③ 530.2   ④ 630.2

해설 $P = \dfrac{100}{\sqrt{2}} \times \dfrac{10}{\sqrt{2}} \cos 60° + \dfrac{30}{\sqrt{2}} \times \dfrac{2}{\sqrt{2}} \cos 45° ≒ 271.2\,[\text{W}]$

37 다음과 같은 비정현파 교류 전압 $v(t)$와 전류 $i(t)$에 의한 평균전력은 약 몇 [W]인가?

[2022년 2회 기사]

$$v(t) = 200\sin 100\pi t + 80\sin\left(300\pi t - \frac{\pi}{2}\right)[\text{V}]$$

$$i(t) = \frac{1}{5}\sin\left(100\pi t - \frac{\pi}{3}\right) + \frac{1}{10}\sin\left(300\pi t - \frac{\pi}{4}\right)[\text{A}]$$

① 6.414

② 8.586

③ 12.828

④ 24.212

해설 $P = \frac{200}{\sqrt{2}} \times \frac{1}{5\sqrt{2}}\cos 60° + \frac{80}{\sqrt{2}} \times \frac{1}{10\sqrt{2}}\cos 45° = 12.828[\text{W}]$

38 어느 저항에 $v_1 = 220\sqrt{2}\sin(2\pi \cdot 60t - 30°)[\text{V}]$와 $v_2 = 100\sqrt{2}\sin(3 \cdot 2\pi \cdot 60t - 30°)$
의 전압이 각각 걸릴 때 올바른 것은? [2012년 2회 산업기사 / 2018년 3회 산업기사]

① v_1이 v_2보다 위상이 15° 앞선다.

② v_1이 v_2보다 위상이 15° 뒤진다.

③ v_1이 v_2보다 위상이 75° 앞선다.

④ v_1이 v_2의 위상관계는 의미가 없다.

해설 v_1은 기본파이고 v_2는 제3고조파이므로 위상 관계는 의미가 없다. 반드시 주파수가 같은 파에서만 위상 관계가 존재한다.

39 RC 회로에 비정현파 전압을 가하여 흐른 전류가 다음과 같을 때 이 회로의 역률은 약 몇 [%]인가?

[2017년 2회 산업기사]

$$v = 20 + 220\sqrt{2}\sin 120\pi t + 40\sqrt{2}\sin 360\pi t \,[\text{V}]$$
$$i = 2.2\sqrt{2}\sin(120\pi t + 36.87°) + 0.49\sqrt{2}\sin(360\pi t + 14.04°)\,[\text{A}]$$

① 75.8   ② 80.4
③ 86.3   ④ 89.7

해설
$$\cos\theta = \frac{P}{P_a}\times 100 = \frac{220\times 2.2\cos 36.87° + 40\times 0.49\cos 14.04°}{\sqrt{20^2+220^2+40^2}\,\sqrt{2.2^2+0.49^2}}\times 100 \fallingdotseq 80.4[\%]$$

40 전압 및 전류가 다음과 같을 때 유효전력[W] 및 역률[%]은 각각 약 얼마인가?

[2021년 1회 기사]

$$v(t) = 100\sin\omega t - 50\sin(3\omega t + 30°) + 20\sin(5\omega t + 45°)\,[\text{V}]$$
$$i(t) = 20\sin(\omega t + 30°) + 10\sin(3\omega t - 30°) + 5\cos 5\omega t\,[\text{A}]$$

① 825[W], 48.6[%]
② 776.4[W], 59.7[%]
③ 1,120[W], 77.4[%]
④ 1,850[W], 89.6[%]

해설
$$P = \frac{100}{\sqrt{2}}\times\frac{20}{\sqrt{2}}\cos 30° - \frac{50}{\sqrt{2}}\times\frac{10}{\sqrt{2}}\cos 60° + \frac{20}{\sqrt{2}}\times\frac{5}{\sqrt{2}}\cos 45° \fallingdotseq 776.4[\text{W}]$$
$$P_a = \sqrt{\left(\frac{100}{\sqrt{2}}\right)^2+\left(\frac{50}{\sqrt{2}}\right)^2+\left(\frac{20}{\sqrt{2}}\right)^2}\times\sqrt{\left(\frac{20}{\sqrt{2}}\right)^2+\left(\frac{10}{\sqrt{2}}\right)^2+\left(\frac{5}{\sqrt{2}}\right)^2} \fallingdotseq 1,301.2$$
$$\cos\theta = \frac{P}{P_a}\times 100 = \frac{776.4}{1,301.2}\times 100 \fallingdotseq 59.67 \fallingdotseq 59.7[\%]$$

41 대칭 3상 전압이 있다. 1상의 Y결선 전압의 순시값이 다음과 같을 때 선간전압에 대한 상전압의 비율은?

[2015년 3회 산업기사 / 2018년 3회 산업기사]

$$e = 1{,}000\sqrt{2}\sin\omega t + 500\sqrt{2}\sin(3\omega t + 20°) + 100\sqrt{2}\sin(5\omega t + 30°)[\text{V}]$$

① 약 55[%]   ② 약 65[%]

③ 약 70[%]   ④ 약 75[%]

해설 Y결선 시 선간전압에는 3고조파 성분을 포함하지 않는다.

$$\frac{V_p}{V_{ab}} = \frac{\sqrt{V_1^2 + V_3^2 + V_5^2}}{\sqrt{3}\left(\sqrt{V_1^2 + V_5^2}\right)} = \frac{\sqrt{1{,}000^2 + 500^2 + 100^2}}{\sqrt{3}\left(\sqrt{1{,}000^2 + 100^2}\right)} \fallingdotseq 0.645 \fallingdotseq 64.5 \fallingdotseq 65[\%]$$

42 RLC 직렬회로에서 제n고조파의 공진주파수 $f[\text{Hz}]$는?

[2016년 1회 산업기사]

① $\dfrac{1}{2\pi\sqrt{LC}}$ ② $\dfrac{1}{2\pi\sqrt{nLC}}$

③ $\dfrac{1}{2\pi n\sqrt{LC}}$ ④ $\dfrac{1}{2\pi n^2\sqrt{LC}}$

해설 $Z_n = R + j\left(n\omega L - \dfrac{1}{n\omega C}\right)$에서 $n\omega L = \dfrac{1}{n\omega C}$

$$f_n = \frac{1}{2\pi n\sqrt{LC}}$$

10. 2단자망

(1) 구동점 임피던스

① 2단자망 : 임의의 수동 선형 회로망에서 외부로 나온 단자가 2개인 회로망

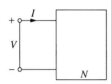

② 구동점 임피던스

㉠ 정의 : 1쌍의 단자에서 본 합성임피던스를 말한다.

㉡ 표시법 : $Z(j\omega)$를 $Z(s)$로 표시하고, L과 C의 임피던스를 sL, $\dfrac{1}{sC}$로 표시한다.

• $R-L-C$ 직렬 $Z(s) = R + sL + \dfrac{1}{sC}$

• $R-L-C$ 병렬 $Z(s) = \dfrac{1}{\dfrac{1}{R} + \dfrac{1}{sL} + sC}$

㉢ 영점 : $Z(s) = 0$가 되는 s의 값(분자의 값이 0)을 영점(Zero)이라 하며 회로의 단락상태를 나타내고 기호 ○으로 표시한다.

㉣ 극점 : $Z(s) = \infty$가 되는 s의 값(분모의 값이 0)을 극점(Pole)이라 하며 회로가 개방상태임을 나타내고 기호 ×로 표시한다.

(2) 역회로

① 역회로

구동점 임피던스가 각각 Z_1, Z_2인 2개의 2단자 회로망에 있어서, 서로 쌍대의 관계에 있고 임피던스의 곱이 주파수와 무관한 점의 정수로 될 때 이 두 회로의 Z_1, Z_2는 $K > 0$에 관해서 역회로라 한다.

$Z_1 = j\omega L_1$, $Z_2 = \dfrac{1}{j\omega C_2}$이라고 하면 $Z_1 Z_2 = \dfrac{j\omega L_1}{j\omega C_2} = \dfrac{L_1}{C_2}$이므로 $\dfrac{L_1}{C_2} = K^2$의 관계가 있을 때 인덕턴스 L과 커패시턴스 C는 역회로가 된다. 이때에는 반드시 쌍대의 관계가 있다.

② 쌍대의 관계
- ㉠ $R \leftrightarrow G$
- ㉡ $L \leftrightarrow C$
- ㉢ $Z \leftrightarrow Y$
- ㉣ 직렬연결 $\leftrightarrow$ 병렬연결
- ㉤ 테브낭 $\leftrightarrow$ 노턴

(3) 정저항회로

① 정저항회로의 정의 : 2단자 구동점 임피던스가 주파수와 관계없이 항상 일정한 순저항으로 될 때의 회로를 정저항회로라 한다.

② 정저항회로의 특징
- ㉠ 주파수와 무관하다.
- ㉡ 실수부만 존재한다.
- ㉢ 과도현상이 없다.

③ 정저항 조건

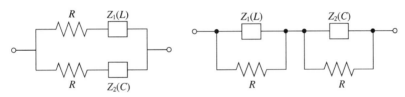

$Z_1 Z_2 = R^2$(정저항회로 조건)

$$\therefore \ R = \sqrt{\frac{L}{C}} \, [\Omega]$$

핵 / 심 / 예 / 제

01 구동점 임피던스(Driving Point Impedance)함수에 있어서 극점(Pole)은?

[2014년 3회 기사 / 2016년 3회 기사]

① 단락회로 상태를 의미한다.
② 개방회로 상태를 의미한다.
③ 아무런 상태도 아니다.
④ 전류가 많이 흐르는 상태를 의미한다.

해설

구 분	$Z(s)$	상 태	표 시	최 소
영점(Zero)	0	단 락	실수축 0	전 압
극점(Pole)	∞	개 방	허수축 X	전 류

02 2단자 임피던스 함수 $Z(s) = \dfrac{(s+2)(s+3)}{(s+4)(s+5)}$ 일 때 극점(Pole)은?

[2013년 2회 산업기사 / 2018년 2회 산업기사]

① $-2, -3$ ② $-3, -4$
③ $-2, -4$ ④ $-4, -5$

해설
• 극점(Pole) : 2단자 임피던스의 분모＝0인 경우 $Z = \infty$(회로 개방)
• 2단자 임피던스 $Z(s) = \dfrac{영점}{극점} = \dfrac{(s+2)(s+3)}{(s+4)(s+5)}$
∴ 극점 : $s = -4, -5$

01 ②   02 ④   **정답**

03 그림 (a)와 같은 회로에 대한 구동점 임피던스의 극점과 영점이 각각 그림 (b)에 나타낸 것과 같고 $Z(0) = 1$일 때, 이 회로에서 $R[\Omega]$, $L[H]$, $C[F]$의 값은? [2021년 2회 기사]

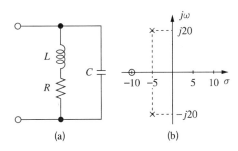

(a)   (b)

① $R = 1.0[\Omega]$, $L = 0.1[H]$, $C = 0.0235[F]$

② $R = 1.0[\Omega]$, $L = 0.2[H]$, $C = 1.0[F]$

③ $R = 2.0[\Omega]$, $L = 0.1[H]$, $C = 0.0235[F]$

④ $R = 2.0[\Omega]$, $L = 0.2[H]$, $C = 1.0[F]$

해설   x 극점 분모 $= 0$, $-5 + j20$, $-5 - j20$

0 영점 분자 $= 0$, -10

$$Z(s) = \frac{s + 10}{(s + 5 - j20)(s + 5 + j20)}$$

$$= \frac{s + 10}{(s + 5)^2 + 20^2}$$

$$= \frac{s + 10}{s^2 + 10s + 425}$$

$$Z = \frac{1}{Y} = \frac{1}{\dfrac{1}{R + SL} + SC}$$

$$= \frac{SL + R}{1 + SRC + S^2 LC}$$

$$= \frac{\dfrac{1}{C}S + \dfrac{R}{LC}}{S^2 + \dfrac{R}{L}S + \dfrac{1}{LC}}$$

$Z(0) = 1$이므로, $S = 0$을 대입하면

$$Z(0) = \frac{\dfrac{R}{LC}}{\dfrac{1}{LC}} = 1 에서 \ R = 1[\Omega]$$

$$10S = \frac{R}{L}S$$

$$10 = \frac{1}{L}, \ L = \frac{1}{10} = 0.1[H]$$

$$425 = \frac{1}{LC}, \ C = \frac{1}{L \times 425} = \frac{1}{0.1 \times 425} = 0.0235[F]$$

04 전달함수가 $G(s)=\dfrac{10}{s^2+3s+2}$ 으로 표현되는 제어시스템에서 직류이득은 얼마인가?

[2020년 4회 기사]

① 1
② 2
③ 3
④ 5

해설 직류는 $jw=s=0$이므로 $\dfrac{10}{2}=5$

05 임피던스 함수 $Z(s)=\dfrac{s+50}{s^2+3s+2}[\Omega]$으로 주어지는 2단자 회로망에 100[V]의 직류 전압을 가했다면 회로의 전류는 몇 [A]인가?

[2017년 1회 산업기사]

① 4
② 6
③ 8
④ 10

해설 $Z(s)=\dfrac{50}{2}=25$

$I=\dfrac{V}{Z}=\dfrac{100}{25}=4[\mathrm{A}]$(직류는 $jw=s=0$으로 놓고 계산 : 무효분이 존재하지 않음)

06 그림과 같은 회로의 구동점 임피던스[Ω]는? [2016년 1회 산업기사]

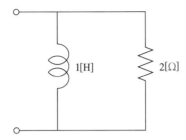

① $2 + j\omega$

② $\dfrac{2\omega^2 + j4\omega}{3}$

③ $\dfrac{\omega^2 + j8\omega}{4 + \omega^2}$

④ $\dfrac{2\omega^2 + j4\omega}{4 + \omega^2}$

> **해설**
> $$Z = \frac{1}{\dfrac{1}{j\omega L} + \dfrac{1}{R}} = \frac{1}{\dfrac{1}{j\omega} + \dfrac{1}{2}} = \frac{2j\omega}{2 + j\omega} = \frac{2j\omega(2 - j\omega)}{(2 + j\omega)(2 - j\omega)} = \frac{2\omega^2 + j4\omega}{4 + \omega^2}$$

07 그림과 같은 회로의 구동점 임피던스 Z_{ab}는? [2017년 1회 기사 / 2020년 4회 기사]

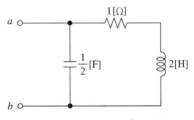

① $\dfrac{2(2s + 1)}{2s^2 + s + 2}$

② $\dfrac{2s + 1}{2s^2 + s + 2}$

③ $\dfrac{2(2s - 1)}{2s^2 + s + 2}$

④ $\dfrac{2s^2 + s + 2}{2(2s + 1)}$

> **해설**
> $$Z_{ab} = \frac{(1 + 2s)\left(\dfrac{1}{\frac{1}{2}s}\right)}{1 + 2s + \dfrac{1}{\frac{1}{2}s}} = \frac{(1 + 2s)2}{s}}{1 + 2s + \dfrac{2}{s}} = \frac{\dfrac{4s + 2}{s}}{\dfrac{2s^2 + s + 2}{s}} = \frac{2(2s + 1)}{2s^2 + s + 2}$$

08 리액턴스 함수가 $Z(s) = \dfrac{3s}{s^2 + 15}$ 로 표시되는 리액턴스 2단자망은?

[2012년 1회 산업기사 / 2015년 3회 산업기사]

①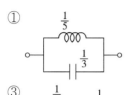

②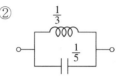

③

④

해설 2단자 임피던스 $Z(s) = \dfrac{3s}{s^2 + 15}$ 에서 분자를 1로 만든다.

$$Z(s) = \dfrac{1}{\dfrac{s}{3} + \dfrac{1}{\dfrac{1}{5}s}} \ (L-C\ \text{병렬회로})$$

$$\therefore\ L = \dfrac{1}{5},\ \ C = \dfrac{1}{3}$$

09 $Z(s) = \dfrac{2s + 3}{s}$ 로 표시되는 2단자 회로망은?

[2019년 2회 산업기사]

① 2[Ω] $\dfrac{1}{3}$[F]

② 2[H] 3[Ω]

③ 2[Ω] 3[H]

④ 3[F] 2[Ω]

해설 2단자 임피던스 $Z(s) = \dfrac{2s + 3}{s} = 2 + \dfrac{3}{s}$

$$\therefore\ Z(s) = 2 + \dfrac{1}{\dfrac{1}{3}s}\ (R-C\ \text{직렬회로})$$

08 ① 09 ① **정답**

10 다음과 같은 회로가 정저항회로가 되기 위한 $R[\Omega]$의 값은?

[2014년 3회 산업기사 / 2016년 2회 산업기사]

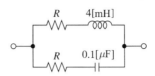

① 200
② 2
③ 2×10^{-2}
④ 2×10^{-4}

해설 정저항회로의 조건 $R^2 = \dfrac{L}{C}$에서

저항 $R = \sqrt{\dfrac{L}{C}} = \sqrt{\dfrac{4\times10^{-3}}{0.1\times10^{-6}}} = 200[\Omega]$

11 그림의 회로가 정저항 회로가 되기 위한 L[mH]은?(단, $R=10[\Omega]$, $C=1,000[\mu\mathrm{F}]$이다)

[2022년 1회 기사]

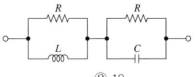

① 1
② 10
③ 100
④ 1,000

해설 $R^2 = \dfrac{L}{C}$

$L = R^2 C = 10^2 \times 1,000 \times 10^{-6} \times 10^3 = 100[\mathrm{mH}]$

12 다음 회로에서 정저항회로가 되기 위해서는 $\dfrac{1}{\omega C}$의 값은 몇 [Ω]이면 되는가?

[2013년 3회 산업기사]

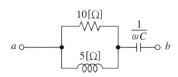

① 2   ② 4

③ 6   ④ 8

해설 정저항회로의 조건 $R^2 = Z_1 Z_2$ 에서

$$Z = -j\frac{1}{\omega C} + \frac{10 \times j5}{10 + j5} = -j\frac{1}{\omega C} + \frac{j50(10-j5)}{(10+j5)(10-j5)} = -j\frac{1}{\omega C} + \frac{250+j500}{125} = -j\frac{1}{\omega C} + 2 + j4$$

정저항회로는 허수부가 0이 되어야 성립된다.

$$\therefore \ -j\frac{1}{\omega C} + j4 = 0 \text{에서} \ \frac{1}{\omega C} = 4$$

13 그림 (a)와 그림 (b)가 역회로 관계에 있으려면 L의 값은 몇 [mH]인가?   [2018년 2회 기사]

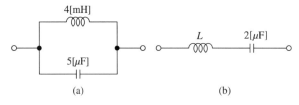

(a)   (b)

① 1   ② 2

③ 5   ④ 10

해설 $\dfrac{L_1}{C_1} = \dfrac{L_2}{C_2}$

$$L_2 = \frac{L_1}{C_1} \times C_2 = \frac{4}{2} \times 5 = 10 [\text{mH}]$$

11. 4단자망

(1) 4단자 정수

① 4단자망 : 한 쌍의 입력단자와 한 쌍의 출력단자로 이루어진 회로망

② 4단자 정수

㉠ 4단자 정수의 기본식 : 입력 측 전압과 전류를 출력 측 전압과 전류의 합으로 나타낸 기본식

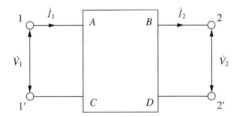

$$V_1 = A V_2 + B I_2 \qquad \begin{bmatrix} V_1 \\ I_1 \end{bmatrix} = \begin{bmatrix} A & B \\ C & D \end{bmatrix} \begin{bmatrix} V_2 \\ I_2 \end{bmatrix}$$
$$I_1 = C V_2 + D I_2$$

㉡ 전송파라미터(4단자 정수) : 한쪽 단자 쌍에서의 전압, 전류와 다른 쪽 단자 쌍에서의 전압, 전류와의 관계를 나타내는 매개변수

A : 전압이득 = 입·출력 전압비

$$\dot{A} = \left. \frac{\dot{V}_1}{\dot{V}_2} \right|_{\dot{I}_2 = 0}$$

B : 전달 임피던스 = 임피던스 차원

$$\dot{B} = \left. \frac{\dot{V}_1}{\dot{I}_2} \right|_{\dot{V}_2 = 0}$$

C : 전달 어드미턴스 = 어드미턴스 차원

$$\dot{C} = \left. \frac{\dot{I}_1}{\dot{V}_2} \right|_{\dot{I}_2 = 0}$$

D : 전류이득 = 입·출력 전류비

$$\dot{D}= \left.\frac{\dot{I_1}}{\dot{I_2}}\right|_{\dot{V_2}= 0}$$

※ $\begin{vmatrix} A & B \\ C & D \end{vmatrix} = AD - BC = 1$, 대칭 4단자망의 경우는 $A = D$

ⓒ 일반회로의 4단자 정수

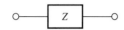

A : 1	B : Z
C : 0	D : 1

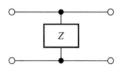

A : 1 B : 0

C : $\dfrac{1}{Z}$ D : 1

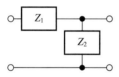

A : $1 + \dfrac{Z_1}{Z_2}$ B : Z_1

C : $\dfrac{1}{Z_2}$ D : 1

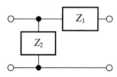

A : 1 B : Z_1

C : $\dfrac{1}{Z_2}$ D : $1 + \dfrac{Z_1}{Z_2}$

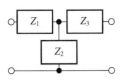

$$A \; : \; 1 + \frac{Z_1}{Z_2}$$

$$B \; : \; Z_1 + Z_3 + \frac{Z_1 Z_3}{Z_2}$$

$$C \; : \; \frac{1}{Z_2}$$

$$D \; : \; 1 + \frac{Z_3}{Z_2}$$

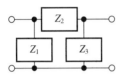

$$A \; : \; 1 + \frac{Z_2}{Z_3}$$

$$B \; : \; Z_2$$

$$C \; : \; \frac{1}{Z_1} + \frac{1}{Z_3} + \frac{Z_2}{Z_1 Z_3}$$

$$D \; : \; 1 + \frac{Z_2}{Z_1}$$

㉣ 변압기의 4단자 정수

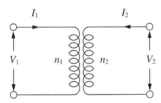

$$\frac{V_1}{V_2} = \frac{I_2}{I_1} = \frac{n_1}{n_2} = a \text{에서} \begin{bmatrix} A & B \\ C & D \end{bmatrix} = \begin{bmatrix} a & 0 \\ 0 & \dfrac{1}{a} \end{bmatrix}$$

ⓜ 유도결합회로의 4단자 정수

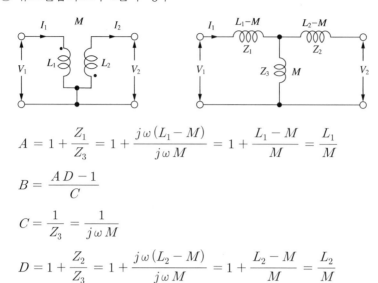

$$A = 1 + \frac{Z_1}{Z_3} = 1 + \frac{j\omega(L_1 - M)}{j\omega M} = 1 + \frac{L_1 - M}{M} = \frac{L_1}{M}$$

$$B = \frac{AD - 1}{C}$$

$$C = \frac{1}{Z_3} = \frac{1}{j\omega M}$$

$$D = 1 + \frac{Z_2}{Z_3} = 1 + \frac{j\omega(L_2 - M)}{j\omega M} = 1 + \frac{L_2 - M}{M} = \frac{L_2}{M}$$

ⓗ 발전기의 4단자 정수

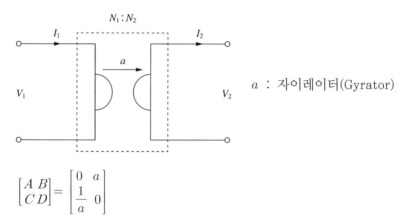

a : 자이레이터(Gyrator)

$$\begin{bmatrix} A & B \\ C & D \end{bmatrix} = \begin{bmatrix} 0 & a \\ \dfrac{1}{a} & 0 \end{bmatrix}$$

(2) 파라미터

① 임피던스 파라미터(Z Parameter)

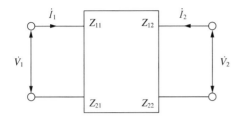

$$V_1 = Z_{11}I_1 + Z_{12}I_2 \quad \begin{bmatrix} V_1 \\ V_2 \end{bmatrix} = \begin{bmatrix} Z_{11} & Z_{12} \\ Z_{21} & Z_{22} \end{bmatrix} \begin{bmatrix} I_1 \\ I_2 \end{bmatrix}$$
$$V_2 = Z_{21}I_1 + Z_{22}I_2$$

Z_{11}, Z_{12}, Z_{21}, Z_{22}는 비례정수로서 임피던스의 차원을 가지므로 임피던스 파라미터라 한다.

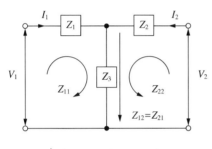

$$\dot{Z}_{11} = \left.\frac{\dot{V}_1}{\dot{I}_1}\right|_{\dot{I}_2=0} = \frac{(Z_1+Z_3)I_1}{I_1} = Z_1 + Z_3$$

$$\dot{Z}_{12} = \left.\frac{\dot{V}_1}{\dot{I}_2}\right|_{\dot{I}_1=0} = \frac{Z_3 I_2}{I_2} = Z_3$$

$$\dot{Z}_{21} = \left.\frac{\dot{V}_2}{\dot{I}_1}\right|_{\dot{I}_2=0} = \frac{Z_3 I_1}{I_1} = Z_3$$

$$\dot{Z}_{22} = \left.\frac{\dot{V}_2}{\dot{I}_2}\right|_{\dot{I}_1=0} = \frac{(Z_2+Z_3)I_2}{I_2} = Z_2 + Z_3$$

$$Z_{11} = \frac{A}{C}, \ \ Z_{12} = Z_{21} = \frac{1}{C}, \ \ Z_{22} = \frac{D}{C}$$

② 어드미턴스 파라미터(Y Parameter)

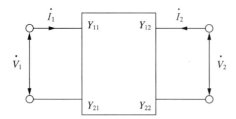

$$I_1 = Y_{11} V_1 + Y_{12} V_2 \qquad \begin{bmatrix} I_1 \\ I_2 \end{bmatrix} = \begin{bmatrix} Y_{11} & Y_{12} \\ Y_{21} & Y_{22} \end{bmatrix} \begin{bmatrix} V_1 \\ V_2 \end{bmatrix}$$
$$I_2 = Y_{21} V_1 + Y_{22} V_2$$

Y_{11}, Y_{12}, Y_{21}, Y_{22}는 비례정수로서 어드미턴스의 차원을 가지므로 어드미턴스 파라미터라 한다.

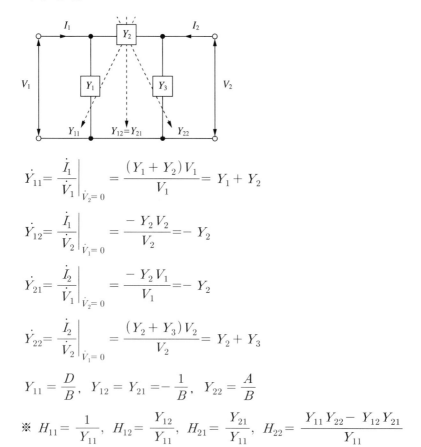

$$\dot{Y}_{11} = \left. \frac{\dot{I}_1}{\dot{V}_1} \right|_{\dot{V}_2 = 0} = \frac{(Y_1 + Y_2) V_1}{V_1} = Y_1 + Y_2$$

$$\dot{Y}_{12} = \left. \frac{\dot{I}_1}{\dot{V}_2} \right|_{\dot{V}_1 = 0} = \frac{- Y_2 V_2}{V_2} = - Y_2$$

$$\dot{Y}_{21} = \left. \frac{\dot{I}_2}{\dot{V}_1} \right|_{\dot{V}_2 = 0} = \frac{- Y_2 V_1}{V_1} = - Y_2$$

$$\dot{Y}_{22} = \left. \frac{\dot{I}_2}{\dot{V}_2} \right|_{\dot{V}_1 = 0} = \frac{(Y_2 + Y_3) V_2}{V_2} = Y_2 + Y_3$$

$$Y_{11} = \frac{D}{B}, \quad Y_{12} = Y_{21} = - \frac{1}{B}, \quad Y_{22} = \frac{A}{B}$$

※ $H_{11} = \dfrac{1}{Y_{11}}$, $H_{12} = \dfrac{Y_{12}}{Y_{11}}$, $H_{21} = \dfrac{Y_{21}}{Y_{11}}$, $H_{22} = \dfrac{Y_{11} Y_{22} - Y_{12} Y_{21}}{Y_{11}}$

(3) 영상 파라미터

① 영상임피던스(Image Impedance) : 각 단자는 거울의 영상과 같은 임피던스를 갖게 되므로 이 두 임피던스를 4단자망의 영상임피던스라 한다.

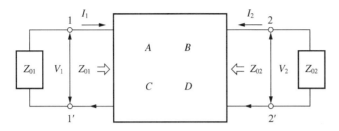

㉠ 영상임피던스 값

$$Z_{01} = \sqrt{\frac{A\,B}{C\,D}}\,,\ Z_{02} = \sqrt{\frac{D\,B}{C\,A}}\,,\ Z_{01} \cdot Z_{02} = \frac{B}{C}\,,\ \frac{Z_{01}}{Z_{02}} = \frac{A}{D}$$

㉡ 대칭회로망의 경우

$$Z_{01} = Z_{02} = Z_0 = \sqrt{\frac{B}{C}}\ (A = D)$$

② 영상전달정수(θ) : 입력 측 전력과 출력 측 전력비의 제곱근에 대한 자연로그 함수

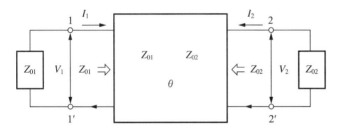

Z_{01}, Z_{02}, θ를 영상파라미터(Image Parameter)라 한다.

㉠ 영상전달정수값

$$\theta = \ln\left(\sqrt{A\,D} + \sqrt{B\,C}\,\right)$$
$$= \cosh^{-1}\sqrt{A\,D}$$
$$= \sinh^{-1}\sqrt{B\,C}$$
$$= \tanh^{-1}\sqrt{\frac{B\,C}{A\,D}}$$

ⓛ 4단자 정수와의 관계식

$$A = \sqrt{\frac{Z_{01}}{Z_{02}}}\cosh\theta$$

$$B = \sqrt{Z_{01}Z_{02}}\sinh\theta$$

$$C = \frac{1}{\sqrt{Z_{01}Z_{02}}}\sinh\theta$$

$$D = \sqrt{\frac{Z_{02}}{Z_{01}}}\cosh\theta$$

핵 / 심 / 예 / 제

01 4단자 정수 A, B, C, D 중에서 어드미턴스 차원을 가진 정수는? [2016년 2회 기사]

① A ② B

③ C ④ D

해설 A : 전압비, B : 임피던스 차원, C : 어드미턴스 차원, D : 전류비

02 4단자 정수 A, B, C, D 중에서 전압이득의 차원을 가진 정수는? [2020년 4회 기사]

① A ② B

③ C ④ D

해설 A : 전압이득, B : Z차원, C : Y차원, D : 전류이득

03 그림과 같은 4단자 회로망에서 출력 측을 개방하니 $V_1 = 12$[V], $I_1 = 2$[A], $V_2 = 4$[V]이고, 출력 측을 단락하니 $V_1 = 16$[V], $I_1 = 4$[A], $I_2 = 2$[A]이었다. 4단자 정수 A, B, C, D는 얼마인가? [2013년 1회 산업기사 / 2020년 1, 2회 산업기사]

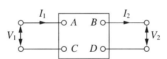

① $A=2$, $B=3$, $C=8$, $D=0.5$

② $A=0.5$, $B=2$, $C=3$, $D=8$

③ $A=8$, $B=0.5$, $C=2$, $D=3$

④ $A=3$, $B=8$, $C=0.5$, $D=2$

해설   **4단자 정수**

$$\dot{A} = \left.\frac{\dot{V_1}}{\dot{V_2}}\right|_{\dot{I_2}=0} = \frac{12}{4} = 3, \quad \dot{B} = \left.\frac{\dot{V_1}}{\dot{I_2}}\right|_{\dot{V_2}=0} = \frac{16}{2} = 8$$

$$\dot{C} = \left.\frac{\dot{I_1}}{\dot{V_2}}\right|_{\dot{I_2}=0} = \frac{2}{4} = 0.5, \quad \dot{D} = \left.\frac{\dot{I_1}}{\dot{I_2}}\right|_{\dot{V_2}=0} = \frac{4}{2} = 2$$

04 4단자 회로망이 가역적이기 위한 조건으로 틀린 것은?

[2017년 3회 산업기사]

① $Z_{12} = Z_{21}$

② $Y_{12} = Y_{21}$

③ $H_{12} = -H_{21}$

④ $AB - CD = 1$

> **해설** 4단자 회로망이 가역성을 가질 때 각 파라미터의 조건은
> $Z_{12} = Z_{21}$, $Y_{12} = Y_{21}$, $H_{12} = -H_{21}$, $AD - BC = 1$이고
> 좌우 대칭인 경우는
> $Z_{11} = Z_{22}$, $Y_{11} = Y_{22}$, $H_{11}H_{22} - H_{12}H_{21} = 1$, $A = D$이다.

05 어떤 회로망의 4단자 정수가 $A = 8$, $B = j2$, $D = 3 + j2$이면 이 회로망의 C는?

[2017년 2회 산업기사]

① $2 + j3$ ② $3 + j3$

③ $24 + j14$ ④ $8 - j11.5$

> **해설** $AD - BC = 1$
> $8(3 + j2) - j2C = 1$
> $-j2C = 1 - 8(3 + j2)$
> $C = \dfrac{1 - 8(3 + j2)}{-j2} = \dfrac{1 - 24 - j16}{-j2} = \dfrac{-23}{-j2} + 8 = 8 - 11.5j$

06 어떤 선형 회로망의 4단자 정수가 $A = 8$, $B = j2$, $D = 1.625 + j$일 때, 이 회로망의 4단자 정수 C는?

[2021년 3회 기사]

① $24 - j14$ ② $8 - j11.5$

③ $4 - j6$ ④ $3 - j4$

> **해설** $AD - BC = 1$
> $AD - 1 = BC$
> $C = \dfrac{AD - 1}{B} = \dfrac{8(1.625 + j) - 1}{j2} = 4 - j6$

07 그림과 같은 단일 임피던스 회로의 4단자 정수는?   [2017년 3회 산업기사]

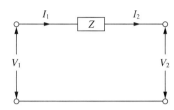

① $A = Z$, $B = 0$, $C = 1$, $D = 0$

② $A = 0$, $B = 1$, $C = Z$, $D = 1$

③ $A = 1$, $B = Z$, $C = 0$, $D = 1$

④ $A = 1$, $B = 0$, $C = 1$, $D = Z$

해설
$$\begin{bmatrix} A & B \\ C & D \end{bmatrix} = \begin{bmatrix} 1 & Z \\ 0 & 1 \end{bmatrix}$$
$$\therefore A = 1, \ B = Z, \ C = 0, \ D = 1$$

08 어드미턴스 $Y[\mho]$로 표현된 4단자 회로망에서 4단자 정수 행렬 T는?

(단, $\begin{bmatrix} V_1 \\ I_1 \end{bmatrix} = T \begin{bmatrix} V_2 \\ I_2 \end{bmatrix}$, $T = \begin{bmatrix} A & B \\ C & D \end{bmatrix}$)   [2020년 3회 산업기사]

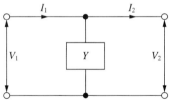

① $\begin{bmatrix} 1 & 0 \\ Y & 1 \end{bmatrix}$

② $\begin{bmatrix} 1 & Y \\ 0 & 1 \end{bmatrix}$

③ $\begin{bmatrix} 1 & 0 \\ \dfrac{1}{Y} & 1 \end{bmatrix}$

④ $\begin{bmatrix} Y & 1 \\ 1 & 0 \end{bmatrix}$

해설
$$Y = \begin{bmatrix} A & B \\ C & D \end{bmatrix} = \begin{bmatrix} 1 & 0 \\ Y & 1 \end{bmatrix}$$
$$Z = \begin{bmatrix} A & B \\ C & D \end{bmatrix} = \begin{bmatrix} 1 & Z \\ 0 & 1 \end{bmatrix}$$

09 그림과 같은 L형 회로의 4단자 A, B, C, D 정수 중 A는? [2016년 2회 산업기사]

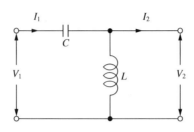

① $1 + \dfrac{1}{\omega LC}$

② $1 - \dfrac{1}{\omega^2 LC}$

③ $1 + \dfrac{1}{j\omega L}$

④ $\dfrac{1}{2\sqrt{LC}}$

해설

$$A = 1 + \frac{\frac{1}{j\omega C}}{j\omega L} = 1 - \frac{1}{\omega^2 LC}$$

10 다음 회로의 4단자 정수는? [2016년 2회 기사]

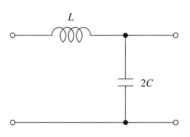

① $A = 1 + 2\omega^2 LC,\ B = j2\omega C,\ C = j\omega L,\ D = 0$

② $A = 1 - 2\omega^2 LC,\ B = j\omega L,\ C = j2\omega C,\ D = 1$

③ $A = 2\omega^2 LC,\ B = j\omega L,\ C = j2\omega C,\ D = 1$

④ $A = 2\omega^2 LC,\ B = j2\omega L,\ C = j\omega L,\ D = 0$

해설

$$A = 1 + \frac{j\omega L}{\frac{1}{j2\omega C}} = 1 - 2\omega^2 LC,\ B = j\omega L,\ C = j2\omega C,\ D = 1$$

11 다음 회로에서 4단자 정수 A, B, C, D 중 C의 값은? [2016년 3회 산업기사]

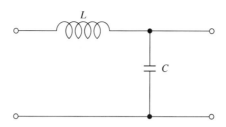

① 1

② $j\omega L$

③ $j\omega C$

④ $1 + j\omega(L+C)$

해설

$$C = \frac{1}{\dfrac{1}{j\omega C}} = j\omega C$$

12 다음의 T형 4단자망 회로에서 A, B, C, D 파라미터 사이의 성질 중 성립되는 대칭조건은? [2016년 1회 기사]

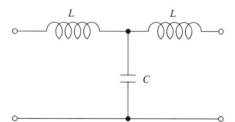

① $A = D$

② $A = C$

③ $B = C$

④ $B = A$

해설

대칭조건은 $A = D = 1 + \dfrac{j\omega L}{\dfrac{1}{j\omega C}} = 1 - \omega^2 LC$

13 그림과 같이 T형 4단자 회로망의 A, B, C, D 파라미터 중 B값은? [2016년 2회 산업기사]

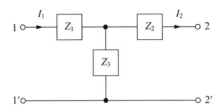

① $\dfrac{1}{Z_3}$

② $1 + \dfrac{Z_1}{Z_3}$

③ $\dfrac{Z_3 + Z_2}{Z_3}$

④ $\dfrac{Z_1 Z_2 + Z_2 Z_3 + Z_3 Z_1}{Z_3}$

해설   4단자(T형 회로 A, B, C, D)

A	B	C	D
$1 + \dfrac{Z_1}{Z_3}$	$\dfrac{Z_1 Z_2 + Z_2 Z_3 + Z_3 Z_1}{Z_3}$	$\dfrac{1}{Z_3}$	$1 + \dfrac{Z_2}{Z_3}$

14 다음 두 회로의 4단자 정수 A, B, C, D가 동일할 조건은? [2019년 3회 산업기사]

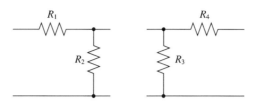

① $R_1 = R_2$, $R_3 = R_4$

② $R_1 = R_3$, $R_2 = R_4$

③ $R_1 = R_4$, $R_2 = R_3 = 0$

④ $R_2 = R_3$, $R_1 = R_4 = 0$

해설

$A = 1 + \dfrac{R_1}{R_2}$ $\qquad A = 1$

$B = R_1$ $\qquad\qquad B = R_4$

$C = \dfrac{1}{R_2}$ $\qquad\qquad C = \dfrac{1}{R_3}$

$D = 1$ $\qquad\qquad D = 1 + \dfrac{R_4}{R_3}$

※ $R_2 = R_3$이면 C가 동일,

　$R_1 = R_4 = 0$이면 A, B, D가 동일

15 회로의 4단자 정수로 틀린 것은? [2020년 1, 2회 산업기사]

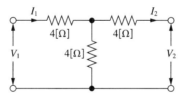

① $A = 2$ 　　　② $B = 12$

③ $C = \dfrac{1}{4}$ 　　　④ $D = 6$

해설

$A = 1 + \dfrac{4}{4} = 2$

$B = 4 + 4 + \dfrac{4 \times 4}{4} = 12$

$C = \dfrac{1}{4}$

$D = 1 + \dfrac{4}{4} = 2$

16 그림과 같은 T형 4단자 회로망에서 4단자 정수 A와 C는? $\left(\text{단},\ Z_1 = \dfrac{1}{Y_1},\ Z_2 = \dfrac{1}{Y_2},\right.$

$\left. Z_3 = \dfrac{1}{Y_3} \right)$

[2020년 3회 기사]

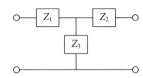

① $A = 1 + \dfrac{Y_3}{Y_1}, \quad C = Y_2$

② $A = 1 + \dfrac{Y_3}{Y_1}, \quad C = \dfrac{1}{Y_3}$

③ $A = 1 + \dfrac{Y_3}{Y_1}, \quad C = Y_3$

④ $A = 1 + \dfrac{Y_1}{Y_3}, \quad C = \left(1 + \dfrac{Y_1}{Y_3}\right)\dfrac{1}{Y_3} + \dfrac{1}{Y_2}$

해설

$$A = 1 + \frac{Z_1}{Z_3} = 1 + \frac{\dfrac{1}{Y_1}}{\dfrac{1}{Y_3}} = 1 + \frac{Y_3}{Y_1}$$

$$C = \frac{1}{Z_3} = \frac{1}{\dfrac{1}{Y_3}} = Y_3$$

17 회로에서 4단자 정수 A, B, C, D의 값은? [2019년 2회 기사]

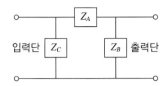

입력단 Z_C Z_B 출력단

① $A = 1 + \dfrac{Z_A}{Z_B}$, $B = Z_A$, $C = \dfrac{1}{Z_A}$, $D = 1 + \dfrac{Z_B}{Z_A}$

② $A = 1 + \dfrac{Z_A}{Z_B}$, $B = Z_A$, $C = \dfrac{1}{Z_B}$, $D = 1 + \dfrac{Z_A}{Z_B}$

③ $A = 1 + \dfrac{Z_A}{Z_B}$, $B = Z_A$, $C = \dfrac{Z_A + Z_B + Z_C}{Z_B Z_C}$, $D = \dfrac{1}{Z_B Z_C}$

④ $A = 1 + \dfrac{Z_A}{Z_B}$, $B = Z_A$, $C = \dfrac{Z_A + Z_B + Z_C}{Z_B Z_C}$, $D = 1 + \dfrac{Z_A}{Z_C}$

> **해설**
>
> $A = 1 + \dfrac{Z_A}{Z_B}$ $B = Z_A$
>
> $C = \dfrac{Z_A + Z_B + Z_C}{Z_B Z_C}$ $D = 1 + \dfrac{Z_A}{Z_C}$

18 그림에서 4단자 회로 정수 A, B, C, D 중 출력 단자가 3, 4가 개방되었을 때의 $\dfrac{V_1}{V_2}$ 인 A의 값은? [2019년 1회 산업기사]

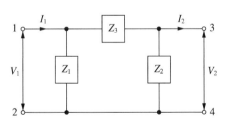

① $1 + \dfrac{Z_2}{Z_1}$ ② $1 + \dfrac{Z_3}{Z_2}$

③ $1 + \dfrac{Z_2}{Z_3}$ ④ $\dfrac{Z_1 + Z_2 + Z_3}{Z_1 Z_3}$

> **해설**   4단자(π형 회로 A, B, C, D 정수)
>
> | A | B | C | D |
> |---|---|---|---|
> | $1 + \dfrac{Z_3}{Z_2}$ | Z_3 | $\dfrac{Z_1 + Z_2 + Z_3}{Z_1 Z_2}$ | $1 + \dfrac{Z_3}{Z_1}$ |

19 그림과 같이 π형 회로에서 Z_3를 4단자 정수로 표시한 것은?

[2017년 1회 산업기사]

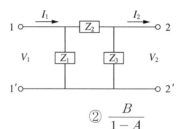

① $\dfrac{A}{1-B}$ ② $\dfrac{B}{1-A}$

③ $\dfrac{A}{B-1}$ ④ $\dfrac{B}{A-1}$

해설

$A = 1 + \dfrac{Z_2}{Z_3}, \quad B = Z_2$

$A = 1 + \dfrac{B}{Z_3} \implies A - 1 = \dfrac{B}{Z_3}$

$\therefore Z_3 = \dfrac{B}{A-1}$

20 그림과 같이 10[Ω]의 저항에 권수비가 10 : 1의 결합회로를 연결했을 때 4단자 정수 A, B, C, D는?

[2018년 3회 기사]

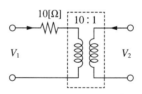

① $A = 1, B = 10, C = 0, D = 10$

② $A = 10, B = 1, C = 0, D = 10$

③ $A = 10, B = 0, C = 1, D = \dfrac{1}{10}$

④ $A = 10, B = 1, C = 0, D = \dfrac{1}{10}$

해설

$\begin{bmatrix} A & B \\ C & D \end{bmatrix} = \begin{bmatrix} 1 & 10 \\ 0 & 1 \end{bmatrix} \begin{bmatrix} 10 & 0 \\ 0 & \dfrac{1}{10} \end{bmatrix}$

$\therefore \begin{bmatrix} 10 & 1 \\ 0 & \dfrac{1}{10} \end{bmatrix}$

21 그림과 같은 회로에서 임피던스 파라미터 Z_{11}은? [2014년 2회 산업기사]

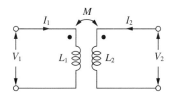

① sL_1 ② sM

③ sL_1L_2 ④ sL_2

해설 4단자(변압기의 임피던스)

$V_1 = sL_1I_1 + sMI_2$

$V_2 = sMI_1 + sL_2I_2$

$Z\,파라미터\begin{bmatrix} Z_{11} & Z_{12} \\ Z_{21} & Z_{22} \end{bmatrix} = \begin{bmatrix} sL_1 & sM \\ sM & sL_2 \end{bmatrix}$

22 다음과 같은 T형 회로의 임피던스 파라미터 Z_{22}의 값은?

[2012년 1회 기사 / 2016년 1회 산업기사 / 2022년 2회 기사]

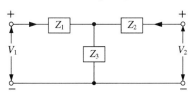

① Z_1 ② Z_3

③ $Z_1 + Z_3$ ④ $Z_2 + Z_3$

해설 4단자(T형 회로 : 임피던스 정수)

$Z_{11} = Z_1 + Z_3, \ Z_{12} = Z_{21} = Z_3, \ Z_{22} = Z_2 + Z_3$

23 회로에서 단자 1-1′에서 본 구동점 임피던스 Z_{11}은 몇 [Ω]인가? [2018년 1회 산업기사]

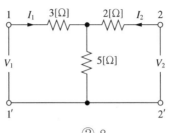

① 5

② 8

③ 10

④ 15

해설 $Z_{11} = 3 + 5 = 8$

$Z_{12} = Z_{21} = 5$

$Z_{22} = 2 + 5 = 7$

24 다음의 4단자 회로에서 단자 $a-b$에서 본 구동점 임피던스 $Z_{11}[\Omega]$은? [2017년 1회 산업기사]

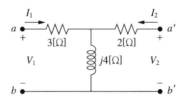

① $2 + j4$

② $2 - j4$

③ $3 + j4$

④ $3 - j4$

해설 $Z_{11} = 3 + j4$, $Z_{12} = Z_{21} = j4$, $Z_{22} = 2 + j4$

25 4단자 정수 A, B, C, D로 출력 측을 개방시켰을 때 입력 측에서 본 구동점 임피던스 $Z_{11} = \dfrac{V_1}{I_1}\bigg|_{I_2=0}$ 를 표시한 것 중 옳은 것은?

[2014년 2회 기사]

① $Z_{11} = \dfrac{A}{C}$ ② $Z_{11} = \dfrac{B}{D}$

③ $Z_{11} = \dfrac{A}{B}$ ④ $Z_{11} = \dfrac{B}{C}$

해설 4단자

출력을 개방하면 $Z_{11} = \dfrac{V_1}{I_1}\bigg|_{I_2=0}$

구동점 임피던스 $Z_{11} = \dfrac{AV_2 + BI_2}{CV_2 + DI_2} = \dfrac{A}{C}$

26 그림과 같은 π형 4단자 회로의 어드미턴스 상수 중 Y_{22}는 몇 $[\mho]$인가? [2018년 3회 산업기사]

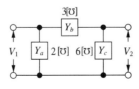

① 5   ② 6
③ 9   ④ 11

해설 $\dot{Y}_{11} = Y_a + Y_b$ $\dot{Y}_{12} = -Y_b$

$\dot{Y}_{21} = -Y_b$ $\dot{Y}_{22} = Y_b + Y_c$

$\therefore \dot{Y}_{22} = Y_b + Y_c = 3 + 6 = 9\,[\mho]$

27 어떤 2단자쌍 회로망의 Y파라미터가 그림과 같다. $a - a'$단자 간에 $V_1 = 36[V]$, $b - b'$단자 간에 $V_2 = 24[V]$의 정전압원을 연결하였을 때 I_1, I_2 값은?(단, Y파라미터의 단위는 $[℧]$이다)

[2015년 1회 기사]

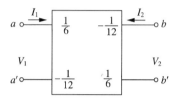

① $I_1 = 4[A]$, $I_2 = 5[A]$ ② $I_1 = 5[A]$, $I_2 = 4[A]$

③ $I_1 = 1[A]$, $I_2 = 4[A]$ ④ $I_1 = 4[A]$, $I_2 = 1[A]$

> **해설** 4단자망(어드미턴스)
>
> $$\begin{bmatrix} I_1 \\ I_2 \end{bmatrix} = \begin{bmatrix} Y_{11} & Y_{12} \\ Y_{21} & Y_{22} \end{bmatrix} \begin{bmatrix} V_1 \\ V_2 \end{bmatrix} = \begin{bmatrix} \dfrac{1}{6} & -\dfrac{1}{12} \\ -\dfrac{1}{12} & \dfrac{1}{6} \end{bmatrix} \begin{bmatrix} 36 \\ 24 \end{bmatrix}$$
>
> $$= \begin{bmatrix} \dfrac{1}{6} \times 36 - \dfrac{1}{12} \times 24 \\ -\dfrac{1}{12} \times 36 + \dfrac{1}{6} \times 24 \end{bmatrix} = \begin{bmatrix} 4 \\ 1 \end{bmatrix}$$

28 그림과 같은 4단자 회로의 어드미턴스 파라미터 중 $Y_{11}[℧]$은?

[2014년 3회 산업기사]

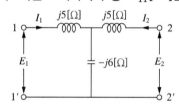

① $-j\dfrac{1}{35}$ ② $j\dfrac{2}{35}$

③ $-j\dfrac{1}{33}$ ④ $j\dfrac{2}{33}$

> **해설** 4단자(T형 회로 : 어드미턴스 정수)
>
> ∴ 어드미턴스
>
> $$Y_{11} = \frac{Z_2 + Z_3}{Z_1 Z_2 + Z_2 Z_3 + Z_3 Z_1}$$
>
> $$= \frac{-j6 + j5}{j5 \times (-j6) + (-j6) \times j5 + j5 \times j5}$$
>
> $$= -j\frac{1}{35}[℧]$$

29 그림과 같은 4단자 회로망에서 하이브리드파라미터 H_{11}은?

[2018년 1회 기사]

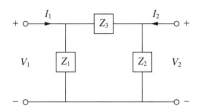

① $\dfrac{Z_1}{Z_1 + Z_3}$　　　　② $\dfrac{Z_1}{Z_1 + Z_2}$

③ $\dfrac{Z_1 Z_3}{Z_1 + Z_3}$　　　　④ $\dfrac{Z_1 Z_2}{Z_1 + Z_2}$

해설 　$H_{11} = \dfrac{1}{Y_{11}}$　$H_{12} = \dfrac{Y_{12}}{Y_{11}}$　$H_{21} = \dfrac{Y_{21}}{Y_{11}}$　$H_{22} = \dfrac{Y_{11} Y_{22} - Y_{12} Y_{21}}{Y_{11}}$ 에서

$Y_{11} = \dfrac{1}{Z_1} + \dfrac{1}{Z_3}$

$Y_{11} = \dfrac{Z_1 + Z_3}{Z_1 Z_3}$

$H_{11} = \dfrac{Z_1 Z_3}{Z_1 + Z_3}$

30

4단자 회로망에서 4단자 정수가 A, B, C, D일 때, 영상 임피던스 $\dfrac{Z_{01}}{Z_{02}}$은?

[2019년 3회 기사]

① $\dfrac{D}{A}$　　　　② $\dfrac{B}{C}$

③ $\dfrac{C}{B}$　　　　④ $\dfrac{A}{D}$

해설 　$Z_{01} \cdot Z_{02} = \dfrac{B}{C}$

$\dfrac{Z_{01}}{Z_{02}} = \dfrac{A}{D}$

31 4단자 회로에서 4단자 정수가 $A = \dfrac{15}{4}$, $D = 1$이고, 영상임피던스 $Z_{02} = \dfrac{12}{5}$ [Ω]일 때 영상임피던스 Z_{01}[Ω]은?

[2011년 1회 산업기사 / 2012년 3회 기사 / 2014년 3회 산업기사]

① 9　　　　　　　　　　　　② 6

③ 4　　　　　　　　　　　　④ 2

해설

$$Z_{01} \cdot Z_{02} = \frac{B}{C}, \quad \frac{Z_{01}}{Z_{02}} = \frac{A}{D} \text{에서}$$

영상임피던스 $Z_{01} = \dfrac{A}{D} Z_{02} = \dfrac{\frac{15}{4}}{1} \times \dfrac{12}{5} = \dfrac{180}{20} = 9 \,[\Omega]$

32 L형 4단자 회로망에서 4단자 정수가 $B = \dfrac{5}{3}$, $C = 1$이고, 영상임피던스 $Z_{01} = \dfrac{20}{3}$[Ω]일 때 영상임피던스 Z_{02}[Ω]의 값은?

[2019년 1회 산업기사]

① 4　　　　　　　　　　　　② $\dfrac{1}{4}$

③ $\dfrac{100}{9}$　　　　　　　　　④ $\dfrac{9}{100}$

해설

$$Z_{01} \cdot Z_{02} = \frac{B}{C}$$

$$Z_{02} = \frac{B}{C} \times \frac{1}{Z_{01}} = \frac{5}{3} \times \frac{3}{20} = \frac{1}{4}$$

33 다음과 같은 4단자 회로에서 영상임피던스[Ω]는? [2016년 3회 산업기사 / 2019년 3회 산업기사]

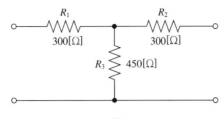

① 200

② 300

③ 450

④ 600

해설

$Z_{01} = \sqrt{\dfrac{AB}{CD}}$ $Z_{02} = \sqrt{\dfrac{DB}{CA}}$ 에서 대칭일 때 $A = D$

$$Z_{01} = Z_{02} = \sqrt{\dfrac{B}{C}} = \sqrt{\dfrac{\dfrac{300 \times 300 + 300 \times 450 + 450 \times 300}{450}}{\dfrac{1}{450}}} = 600[\Omega]$$

34 4단자 회로망에서의 영상임피던스[Ω]는? [2020년 3회 산업기사]

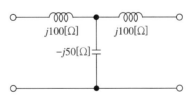

① $j\dfrac{1}{50}$

② -1

③ 1

④ 0

해설

대칭일 때 $Z_{01} = Z_{02} = \sqrt{\dfrac{B}{C}}$

$$B = j100 + j100 + \dfrac{j100 \times j100}{-j50} = 0$$

B가 0이므로 영상임피던스는 0이다.

35 그림과 같은 회로의 영상임피던스 Z_{01}, $Z_{02}[\Omega]$는 각각 얼마인가? [2019년 2회 산업기사]

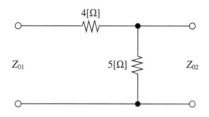

① 9, 5

② 6, $\dfrac{10}{3}$

③ 4, 5

④ 4, $\dfrac{20}{9}$

해설

$A = 1 + \dfrac{4}{5} = \dfrac{9}{5}$

$B = 4$

$C = \dfrac{1}{5}$

$D = 1$

$Z_{01} = \sqrt{\dfrac{AB}{CD}} = \sqrt{\dfrac{\dfrac{9}{5} \times 4}{\dfrac{1}{5} \times 1}} = \sqrt{\dfrac{\dfrac{36}{5}}{\dfrac{1}{5}}} = 6[\Omega]$

$Z_{02} = \sqrt{\dfrac{DB}{CA}} = \sqrt{\dfrac{1 \times 4}{\dfrac{1}{5} \times \dfrac{9}{5}}} = \sqrt{\dfrac{\dfrac{4}{1}}{\dfrac{9}{25}}} = \sqrt{\dfrac{100}{9}} = \dfrac{10}{3}[\Omega]$

35 ② **정답**

36

그림의 회로에서 영상임피던스 Z_{01}이 6[Ω]일 때, 저항 R의 값은 몇 [Ω]인가?

[2020년 1, 2회 기사]

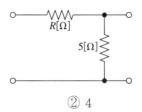

① 2

② 4

③ 6

④ 9

해설

$A = 1 + \dfrac{R}{5}$, $B = R$, $C = \dfrac{1}{5}$, $D = 1$

$Z_{01} = \sqrt{\dfrac{AB}{CD}} = 6[\Omega]$

$= \sqrt{\dfrac{\dfrac{5+R}{5} \times R}{\dfrac{1}{5}}} = 6$

$= \sqrt{R^2 + 5R} = 6$

$R^2 + 5R - 36 = 0$

$(R \qquad -4)$

$(R \qquad +9)$

$R = 4, -9$

37

4단자 회로에서 4단자 정수를 A, B, C, D라 할 때 전달정수 θ는 어떻게 되는가?

[2015년 2회 산업기사]

① $\ln(\sqrt{AB} + \sqrt{BC})$

② $\ln(\sqrt{AB} - \sqrt{CD})$

③ $\ln(\sqrt{AD} + \sqrt{BC})$

④ $\ln(\sqrt{AD} - \sqrt{BC})$

해설 **4단자(영상전달함수)**

• $\theta = \log_e(\sqrt{AD} + \sqrt{BC})$

• $\theta = \cos h^{-1}\sqrt{AD} = \sin h^{-1}\sqrt{BC}$

• $\theta = \alpha + j\beta$

여기서, α : 전달정수(감쇠정수), β : 영상전파정수(위상정수)

38 그림과 같은 4단자망의 영상전달정수 θ는?

[2015년 1회 산업기사]

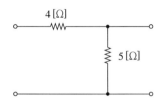

① $\sqrt{5}$

② $\log_e \sqrt{5}$

③ $\log_e \dfrac{1}{\sqrt{5}}$

④ $5\log_e \sqrt{5}$

해설 **4단자(영상전달함수)**

$$\begin{bmatrix} A & B \\ C & D \end{bmatrix} = \begin{bmatrix} 1+\dfrac{4}{5}=\dfrac{9}{5} & 4 \\ \dfrac{1}{5} & 1 \end{bmatrix}$$

$$\theta = \log_e (\sqrt{AD} + \sqrt{BC})$$

$$= \log_e \left(\sqrt{\dfrac{9}{5}} + \sqrt{\dfrac{4}{5}} \right) = \log_e \left(\dfrac{3}{\sqrt{5}} + \dfrac{2}{\sqrt{5}} \right) = \log_e \dfrac{5}{\sqrt{5}}$$

$\therefore$ 영상전달함수 $\theta = \log_e \sqrt{5}$

39 그림과 같은 T형 회로의 영상전달정수 θ는?

[2014년 1회 산업기사 / 2017년 2회 기사 / 2018년 2회 산업기사]

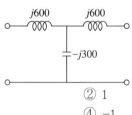

① 0

② 1

③ -3

④ -1

해설 $\theta = \log_e (\sqrt{AD} + \sqrt{BC})$

$$= \log_e \left(\sqrt{(-1) \times (-1)} + \sqrt{(-j300 \times 0)} \right) = 0$$

$$A = D = 1 + \dfrac{j600}{-j300} = -1$$

$$B = j600 + j600 + \dfrac{j600 \times j600}{-j300} = 0$$

$$C = -\dfrac{1}{j300}$$

12. 분포정수회로

(1) 분포정수회로 : 장거리 송전선로에서 나타나는 선로정수 R, L, C, G가 선로에 따라서 공간적으로 분포되어 있는 회로

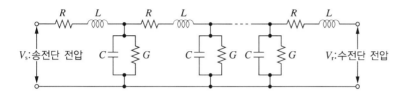

직렬임피던스 : $\dot{Z} = R + j\omega L[\Omega]$

병렬어드미턴스 : $\dot{Y} = G + j\omega C[\mho]$

① **특성임피던스 (파동임피던스)** : 선로의 길이에 관계없이 임의의 점 어디에서나 항상 일정한 값을 유지하는 전압·전류의 비

$$Z_0 = \sqrt{\frac{Z}{Y}} \, [\Omega]$$

② **전파정수(Propagation Constant)** : 송전선로에서 전압의 크기 및 위상관계를 나타내는 정수

$$\gamma = \sqrt{ZY} = \sqrt{(R + j\omega L)(G + j\omega C)} = \alpha + j\beta$$

α 감쇠정수(Attenuation Constant) : 단위길이당 전압의 크기가 감쇠하는 비율

β 위상정수(Phase Constant) : 단위길이당 전압의 위상이 감쇠하는 비율

③ **분포정수회로의 4단자 정수**

$A = \cosh\gamma l$

$B = Z_0 \sinh\gamma l$

$C = \dfrac{1}{Z_0} \sinh\gamma l$

$D = \cosh\gamma l$

(2) 무손실, 무왜형 선로의 전파특성

① 무손실 선로

손실이 없는 선로로 송전전압 및 전류의 크기가 항상 일정한 선로로 $R = G = 0$인 선로를 무손실 선로라 한다.

㉠ 특성임피던스

$$Z_0 = \sqrt{\frac{Z}{Y}} = \sqrt{\frac{R + j\omega L}{G + j\omega C}} = \sqrt{\frac{L}{C}} \, [\Omega]$$

㉡ 전파정수

$$\gamma = \sqrt{ZY} = \sqrt{(R + j\omega L)(G + j\omega C)} = j\omega\sqrt{LC}$$

$$\therefore \ \alpha = 0, \ \beta = \omega\sqrt{LC}$$

② 무왜형 선로

송전단에서 보낸 정현파 입력이 수전단에 전혀 일그러짐 없이 전달되는 회로로 $RC = GL$이며 감쇠량이 최소인 선로를 무왜형 선로라 한다.

㉠ 특성임피던스

$$Z_0 = \sqrt{\frac{Z}{Y}} = \sqrt{\frac{R + j\omega L}{G + j\omega C}} = \sqrt{\frac{L}{C}} \, [\Omega]$$

㉡ 전파정수

$$\gamma = \sqrt{ZY} = \sqrt{(R + j\omega L) \times (G + j\omega C)} = \sqrt{RG} + j\omega\sqrt{LC}$$

$$\therefore \ \alpha = \sqrt{RG}, \ \beta = \omega\sqrt{LC}$$

③ 전파속도

$$v = \frac{파장}{주기} = \frac{\lambda}{T} = \lambda \times f = 2\pi \times \frac{1}{2\pi\sqrt{LC}} = \frac{1}{\sqrt{LC}} = \frac{\omega}{\omega\sqrt{LC}} = \frac{\omega}{\beta}$$

핵 / 심 / 예 / 제

01 분포정수회로에서 직렬임피던스를 Z, 병렬어드미턴스를 Y라 할 때, 선로의 특성임피던스 Z_0는?

[2017년 2회 기사 / 2020년 4회 기사]

① ZY

② $\sqrt{ZY}$

③ $\sqrt{\dfrac{Y}{Z}}$

④ $\sqrt{\dfrac{Z}{Y}}$

해설 $Z_0 = \sqrt{\dfrac{Z}{Y}} = \sqrt{\dfrac{r+j\omega L}{g+j\omega C}} = \sqrt{\dfrac{L}{C}} \neq l$(일정)

02 분포정수회로에서 선로정수가 R, L, C, G이고 무왜형 조건이 $RC = GL$과 같은 관계가 성립될 때 선로의 특성 임피던스 Z_0는?(단, 선로의 단위길이당 저항을 R, 인덕턴스를 L, 정전용량을 C, 누설컨덕턴스를 G라 한다)

[2018년 1회 기사 / 2021년 3회 기사]

① $Z_0 = \dfrac{1}{\sqrt{CL}}$

② $Z_0 = \sqrt{\dfrac{L}{C}}$

③ $Z_0 = \sqrt{CL}$

④ $Z_0 = \sqrt{RG}$

해설
- 무왜형 조건 : $RC = LG$
- 특성임피던스 $Z_0 = \sqrt{\dfrac{Z}{Y}} = \sqrt{\dfrac{L}{C}}$
- 전파정수 $\gamma = \sqrt{ZY} = \alpha + j\beta$, α : 감쇠량, β : 위상정수
- 전파속도 $v = \dfrac{\omega}{\beta} = \dfrac{\omega}{\omega\sqrt{LC}} = \dfrac{1}{\sqrt{LC}}$[m/s]

정답 01 ④ 02 ②

03 분포정수회로에 직류를 흘릴 때 특성임피던스는?(단, 단위길이당 직렬임피던스 $Z = R + j\omega L\,[\Omega]$, 병렬어드미턴스 $Y = G + j\omega C\,[\mho]$ 이다) [2014년 2회 기사 / 2015년 3회 기사]

① $\sqrt{\dfrac{L}{C}}$ ② $\sqrt{\dfrac{L}{R}}$

③ $\sqrt{\dfrac{G}{C}}$ ④ $\sqrt{\dfrac{R}{G}}$

해설 특성임피던스

$$Z_0 = \sqrt{\frac{Z}{Y}} = \sqrt{\frac{R + j\omega L}{G + j\omega C}} = \sqrt{\frac{R}{G}}\,[\Omega]$$

여기서, 직류 : 주파수 $f = 0\,[\text{Hz}]\,(\omega = 0)$

04 무손실 선로의 정상상태에 대한 설명으로 틀린 것은? [2018년 3회 기사]

① 전파정수 γ은 $j\omega\sqrt{LC}$ 이다.

② 특성임피던스 $Z_0 = \sqrt{\dfrac{C}{L}}$ 이다.

③ 진행파의 전파속도 $v = \dfrac{1}{\sqrt{LC}}$ 이다.

④ 감쇠정수 $a = 0$, 위상정수 $\beta = \omega\sqrt{LC}$ 이다.

해설 특성임피던스

$$Z_0 = \sqrt{\frac{Z}{Y}} = \sqrt{\frac{R + j\omega L}{G + j\omega C}} = \sqrt{\frac{L}{C}}$$

05 송전선로가 무손실 선로일 때 $L = 96\,[\text{mH}]$이고, $C = 0.6\,[\mu\text{F}]$이면 특성임피던스$[\Omega]$는? [2012년 1회 기사 / 2019년 3회 기사]

① 100   ② 200

③ 400   ④ 500

해설 특성임피던스 $Z_0 = \sqrt{\dfrac{Z}{Y}} = \sqrt{\dfrac{R + j\omega L}{G + j\omega C}}$

$$= \sqrt{\frac{L}{C}} = \sqrt{\frac{96 \times 10^{-3}}{0.6 \times 10^{-6}}} = 400\,[\Omega]$$

여기서, 무손실 선로 조건 : $R = G = 0$

03 ④ 04 ② 05 ③ **정답**

06 무한장 무손실 전송선로의 임의의 위치에서 전압이 100[V]이었다. 이 선로의 인덕턴스가 7.5 [μH/m]이고, 커패시턴스가 0.012[μF/m]일 때 이 위치에서 전류[A]는? [2021년 2회 기사]

① 2   ② 4

③ 6   ④ 8

해설

$$I = \frac{V}{Z_0}$$

$$= \frac{V}{\sqrt{\dfrac{L}{C}}}$$

$$= \frac{100}{\sqrt{\dfrac{7.5 \times 10^{-6}}{0.012 \times 10^{-6}}}}$$

$$= 4[A]$$

07 선로의 단위길이당 분포인덕턴스, 저항, 정전용량, 누설컨덕턴스를 각각 L, R, C, G라 하면 전파정수는? [2013년 2회 기사 / 2020년 1, 2회 기사]

① $\dfrac{\sqrt{(R+j\omega L)}}{(G+j\omega C)}$ ② $\sqrt{(R+j\omega L)(G+j\omega C)}$

③ $\sqrt{\dfrac{(R+j\omega L)}{(G+j\omega C)}}$ ④ $\sqrt{\dfrac{(G+j\omega C)}{(R+j\omega L)}}$

해설 전파정수

$$\gamma = \sqrt{ZY} = \alpha + j\beta = \sqrt{(R+j\omega L)(G+j\omega C)}$$

08 분포정수회로에서 선로의 특성임피던스를 Z_0, 전파정수를 γ라 할 때 무한장 선로에 있어서 송전단에서 본 직렬임피던스는? [2016년 1회 기사]

① $\dfrac{Z_0}{\gamma}$ ② $\sqrt{\gamma Z_0}$

③ γZ_0 ④ $\dfrac{\gamma}{Z_0}$

해설

$$Z_0 = \sqrt{\frac{Z}{Y}}, \ \gamma = \sqrt{ZY}$$

$$Z_0 \cdot \gamma = \sqrt{\frac{Z}{Y} \cdot ZY}$$

$$Z_0 \gamma = Z$$

09 무손실 선로에 있어서 감쇠정수 α, 위상정수를 β라 하면 α와 β의 값은?(단, R, G, L, C는 선로 단위길이당의 저항, 컨덕턴스, 인덕턴스, 커패시턴스이다) [2018년 2회 기사]

① $\alpha = \sqrt{RG}$, $\beta = 0$

② $\alpha = 0$, $\beta = \dfrac{1}{\sqrt{LC}}$

③ $\alpha = 0$, $\beta = \omega\sqrt{LC}$

④ $\alpha = \sqrt{RG}$, $\beta = \omega\sqrt{LC}$

해설 전파정수 $\gamma = \sqrt{ZY} = \alpha + j\beta = \sqrt{ZY}$
$$= \sqrt{(R+j\omega L)(G+j\omega C)} = j\omega\sqrt{LC}$$
조건 : $R = G = 0$일 때 무손실 선로
∴ 감쇠정수 $\alpha = 0$, 위상정수 $\beta = \omega\sqrt{LC}$가 된다.

10 분포정수회로에서 선로의 단위길이당 저항을 100[Ω], 200[mH], 누설컨덕턴스를 0.5[$\mho$]라 할 때 일그러짐이 없는 조건을 만족하기 위한 정전용량은 몇 [μF]인가?

[2016년 2회 기사 / 2022년 1회 기사]

① 0.001

② 0.1

③ 10

④ 1,000

해설 $LG = RC$에서 $C = \dfrac{LG}{R} = \dfrac{200 \times 10^{-3} \times 0.5}{100} \times 10^6 = 1,000[\mu\text{F}]$

11 분포정수로 표현된 선로의 단위 길이당 저항이 0.5[Ω/km], 인덕턴스가 1[μH/km], 커패시턴스가 6[μF/km]일 때 일그러짐이 없는 조건(무왜형 조건)을 만족하기 위한 단위 길이당 컨덕턴스[$\mho$/m]는?

[2022년 2회 기사]

① 1

② 2

③ 3

④ 4

해설 $LG = RC$
$$G = \dfrac{RC}{L} = \dfrac{0.5 \times 6 \times 10^{-6}}{1 \times 10^{-6}} = 3[\mho/\text{km}]$$
(단위가 [$\mho$/m]로 주어졌으므로 전항 정답)

12 분포정수 전송회로에 대한 설명이 아닌 것은? [2017년 1회 기사]

① $\dfrac{R}{L} = \dfrac{G}{C}$ 인 회로를 무왜형 회로라 한다.

② $R = G = 0$ 인 회로를 무손실 회로라 한다.

③ 무손실 회로와 무왜형 회로의 감쇠정수는 $\sqrt{RG}$ 이다.

④ 무손실 회로와 무왜형 회로에서의 위상속도는 $\dfrac{1}{\sqrt{LC}}$ 이다.

해설
- 무왜형 조건 : $RC = LG$
- 무손실 조건 : $R = G = 0$
- 특성임피던스 $Z_0 = \sqrt{\dfrac{Z}{Y}} = \sqrt{\dfrac{L}{C}}$
- 전파정수 $\gamma = \sqrt{ZY} = \alpha + j\beta(\alpha$: 감쇠량, β : 위상정수)
- 전파속도 $v = \dfrac{\omega}{\beta} = \dfrac{\omega}{\omega\sqrt{LC}} = \dfrac{1}{\sqrt{LC}}[\text{m/s}]$
- 무손실 : 감쇠정수 0, 위상정수 $j\omega\sqrt{LC}$
- 무왜형 : 감쇠정수 $\sqrt{RG}$, 위상정수 $j\omega\sqrt{LC}$

13 분포정수 선로에서 무왜형 조건이 성립하면 어떻게 되는가? [2019년 1회 기사]

① 감쇠량이 최소로 된다.
② 전파속도가 최대로 된다.
③ 감쇠량은 주파수에 비례한다.
④ 위상정수가 주파수에 관계없이 일정하다.

해설 12번 해설 참조

14 분포정수 선로에서 위상정수를 $\beta[\text{rad/m}]$라 할 때 파장은? [2014년 1회 기사 / 2017년 3회 기사]

① $2\pi\beta$ ② $\dfrac{2\pi}{\beta}$

③ $4\pi\beta$ ④ $\dfrac{4\pi}{\beta}$

해설
전파속도 $v = \dfrac{\omega}{\beta} = \lambda f[\text{m/s}]$

$\therefore$ 파장 $\lambda = \dfrac{\omega}{f\beta} = \dfrac{2\pi f}{f\beta} = \dfrac{2\pi}{\beta}[\text{m}]$

여기서, v : 속도, ω : 각속도, β : 위상정수

15 단위길이당 인덕턴스가 L[H/m]이고, 단위길이당 정전용량이 C[F/m]인 무손실선로에서의
진행파속도[m/s]는? [2020년 3회 기사]

① $\sqrt{LC}$ ② $\dfrac{1}{\sqrt{LC}}$

③ $\sqrt{\dfrac{C}{L}}$ ④ $\sqrt{\dfrac{L}{C}}$

해설 $v = \dfrac{\omega}{\beta} = \dfrac{1}{\sqrt{LC}} = \lambda f \ \left(\lambda = \dfrac{2\pi}{\beta}\right)$

16 1[km]당 인덕턴스 25[mH], 정전용량 0.005[μF]의 선로가 있다. 무손실 선로라고 가정한 경
우 진행파의 위상(전파)속도는 약 몇 [km/s]인가? [2019년 2회 기사]

① 8.95×10^4 ② 9.95×10^4

③ 89.5×10^4 ④ 99.5×10^4

해설 $v = \dfrac{1}{\sqrt{LC}} = \dfrac{1}{\sqrt{25 \times 10^{-3} \times 0.005 \times 10^{-6}}} \fallingdotseq 8.95 \times 10^4$

17 특성임피던스가 400[Ω]인 회로 말단에 1,200[Ω]의 부하가 연결되어 있다. 전원 측에
20[kV]의 전압을 인가할 때 반사파의 크기[kV]는?(단, 선로에서의 전압 감쇠는 없는 것으로
간주한다) [2021년 1회 기사]

① 3.3 ② 5

③ 10 ④ 33

해설 $e_2 = \dfrac{z_2 - z_1}{z_2 + z_1} e_1 = \dfrac{1,200 - 400}{1,200 + 400} \times 20 = 10$[kV]

13. 과도현상

(1) $R-L$ 직렬회로

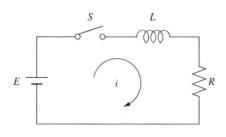 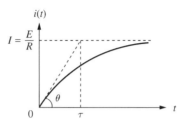

① 전 류

$$i_{on} = \frac{E}{R}\left(1 - e^{-\frac{R}{L}t}\right)$$

$$i_{off} = \frac{E}{R}\,e^{-\frac{R}{L}t}$$

※ 특성근(s) : $-\dfrac{R}{L}$

② 초기전류와 정상전류

　㉠ 초기전류

　　$i_{on}(0) = 0$

　㉡ 정상전류

　　$i_{on}(\infty) = \dfrac{E}{R}$

③ 시정수(＝특성근의 절댓값의 역) : 시정수는 정상전류의 63.2[%]에 도달할 때까지의 시간을 의미

　㉠ 시정수

　　$\tau = \dfrac{L}{R} = \dfrac{N\phi}{RI}$

　㉡ 시정수에서의 전류

　　$i_{on}\left(\dfrac{L}{R}\right) = 0.632\,\dfrac{E}{R}$

　　$i_{off}\left(\dfrac{L}{R}\right) = 0.368\,\dfrac{E}{R}$

④ L단자에 걸리는 전압

　$V_L = E\,e^{-\frac{R}{L}t}$

(2) $R - C$ 직렬회로

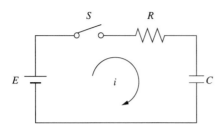
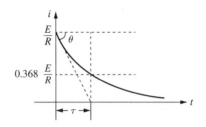

① 전 류

$$i(t) = \frac{E}{R} e^{-\frac{1}{RC} t} = \frac{Q}{RC} e^{-\frac{1}{RC} t}$$

※ 초기전류 : $i(0) = \frac{E}{R}$

② 전 하

$$q_{on}(t) = CE\left(1 - e^{-\frac{1}{RC} t}\right)$$

$$q_{off}(t) = CE \ e^{-\frac{1}{RC} t}$$

③ 시정수

$$\tau = RC$$

④ C단자에 걸리는 전압

$$V_c = E\left(1 - e^{-\frac{1}{RC} t}\right)$$

(3) $L-C$ 직렬회로

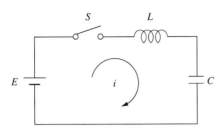

① 전 류

$$i(t) = \frac{E}{\sqrt{\dfrac{L}{C}}} \sin \frac{1}{\sqrt{LC}} t \to \text{불변하는 진동전류}$$

② V_L과 V_C

㉠ V_L

$$V_L = L\frac{di(t)}{dt} = E\cos \frac{1}{\sqrt{LC}}t\,[\text{V}]$$

$\omega_0 t \to 0° : V_L = E(\text{최댓값})$

$\omega_0 t \to 90° : V_L = 0$

$\omega_0 t \to 180° : V_L = -E(\text{최솟값})$

※ $-E \leq V_L \leq +E$

㉡ V_C

$$V_c = \frac{1}{C}\int i(t)dt = E\left(1 - \cos \frac{1}{\sqrt{LC}}t\right)[\text{V}]$$

$\omega_0 t \to 0° : V_C = 0(\text{최솟값})$

$\omega_0 t \to 90° : V_C = E$

$\omega_0 t \to 180° : V_C = 2E(\text{최댓값})$

※ $0 \leq V_C \leq 2E$

(4) $R-L-C$ 직렬회로

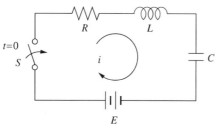

$S = -\dfrac{R}{2L} \pm \sqrt{\left(\dfrac{R}{2L}\right)^2 - \dfrac{1}{LC}}$ 에서

① 과제동(비진동적)

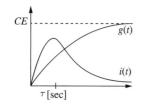

$$\begin{cases} \left(\dfrac{R}{2L}\right)^2 - \dfrac{1}{LC} > 0 \\[2mm] R > 2\sqrt{\dfrac{L}{C}} \end{cases}$$

② 임계제동

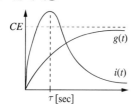

$$\begin{cases} \left(\dfrac{R}{2L}\right)^2 - \dfrac{1}{LC} = 0 \\[2mm] R = 2\sqrt{\dfrac{L}{C}} \end{cases}$$

③ 부족제동(진동적)

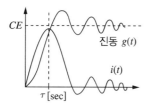

$$\begin{cases} \left(\dfrac{R}{2L}\right)^2 - \dfrac{1}{LC} < 0 \\[2mm] R < 2\sqrt{\dfrac{L}{C}} \end{cases}$$

핵 / 심 / 예 / 제

01 그림과 같은 회로에서 스위치 S를 $t=0$에서 닫았을 때 $(V_L)_{t=0}=100[\text{V}]$, $\left(\dfrac{di}{dt}\right)_{t=0}=400$ [A/sec]이다. L의 값은 몇 [H]인가?　　　　[2013년 3회 산업기사 / 2017년 1회 산업기사]

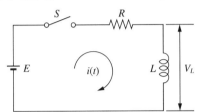

① 0.1　　　　② 0.5　　　　③ 0.25　　　　④ 7.5

> **해설**　$V_L=L\dfrac{di(t)}{dt}$ 에서 $100=400\times L$
>
> ∴ 인덕턴스 $L=0.25[\text{H}]$

02 다음 회로에 대한 설명으로 옳은 것은?　　　　[2015년 1회 산업기사]

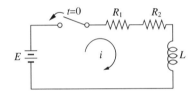

① 이 회로의 시정수는 $\dfrac{L}{R_1+R_2}$ 이다.

② 이 회로의 특성근은 $\dfrac{R_1+R_2}{L}$ 이다.

③ 정상전류값은 $\dfrac{E}{R_2}$ 이다.

④ 이 회로의 전류값은 $i(t)=\dfrac{E}{R_1+R_2}\left(1-e^{-\frac{L}{R_1+R_2}t}\right)$ 이다.

> **해설**　$R-L$ 직렬회로의 해석
>
> ・전류　$i(t)=\dfrac{E}{R_1+R_2}\left(1-e^{-\frac{R_1+R_2}{L}t}\right)[\text{A}]$
>
> ・시정수　$T=\dfrac{L}{R}=\dfrac{L}{R_1+R_2}[\text{s}]$
>
> ・특성근　$P=-\dfrac{R_1+R_2}{L}$
>
> ・정상전류　$I_s=\dfrac{E}{R_1+R_2}$

03 $t = 0$에서 스위치 S를 닫을 때의 전류 $i(t)$는?

[2016년 3회 산업기사]

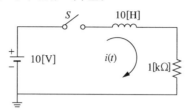

① $0.01(1 - e^{-t})$

② $0.01(1 + e^{-t})$

③ $0.01(1 - e^{-100t})$

④ $0.01(1 + e^{-100t})$

해설

$$i(t) = \frac{E}{R}\left(1 - e^{-\frac{R}{L}t}\right) = \frac{10}{1{,}000}\left(1 - e^{-\frac{1{,}000}{10} \times t}\right)$$

$$= 0.01(1 - e^{-100t})$$

04 $R - L$ 직렬회로에서 스위치 S가 1번 위치에 오랫동안 있다가 $t = 0^{+}$에서 위치 2번으로 옮겨진 후, $\dfrac{L}{R}(s)$ 후에 L에 흐르는 전류[A]는?

[2018년 1회 기사]

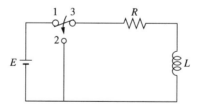

① $\dfrac{E}{R}$

② $0.5\dfrac{E}{R}$

③ $0.368\dfrac{E}{R}$

④ $0.632\dfrac{E}{R}$

해설

$$i(t) = \frac{E}{R}e^{-\frac{R}{L}t} = \frac{E}{R}e^{-\frac{R}{L} \times \frac{L}{R}} = \frac{E}{R}e^{-1} = 0.368\frac{E}{R}$$

05 $R = 4,000[\Omega]$, $L = 5[H]$의 직렬회로에 직류전압 200[V]를 가할 때 급히 단자 사이의 스위치를 단락시킬 경우 이로부터 1/800초 후 회로의 전류는 몇 [mA]인가? [2017년 3회 산업기사]

① 18.4

② 1.84

③ 28.4

④ 2.84

해설
$$i(t) = \frac{E}{R} e^{-\frac{R}{L}t} = \frac{200}{4,000} e^{-\frac{4,000}{5} \times \frac{1}{800}} \times 10^3 \fallingdotseq 18.4[mA]$$

06 $t = 0$에서 스위치 S를 닫았을 때 정상 전류값[A]은? [2019년 1회 산업기사]

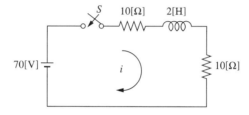

① 1

② 2.5

③ 3.5

④ 7

해설
$$I = \frac{V}{R} = \frac{70}{20} = 3.5[A]$$

07 다음과 같은 회로에서 $t = 0$인 순간에 스위치 S를 닫았다. 이 순간에 인덕턴스 L에 걸리는 전압은?(단, L의 초기 전류는 0이다) [2013년 2회 산업기사 / 2018년 1회 산업기사]

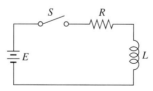

① 0

② $\frac{LE}{R}$

③ E

④ $\frac{E}{R}$

해설 $R-L$ 직렬회로, 직류 인가하여 스위치를 닫는 순간 인덕턴스에 걸리는 전압

$$E_L = Ee^{-\frac{R}{L}t} = Ee^{-\frac{R}{L} \times 0} = E$$

08 $R-L-C$ 직렬회로에서 시정수의 값이 작을수록 과도현상이 소멸되는 시간은 어떻게 되는가?

[2018년 2회 산업기사]

① 짧아진다.
② 관계없다.
③ 길어진다.
④ 일정하다.

해설
- 시정수 : 최종값(정상값)의 63.2[%] 도달하는 데 걸리는 시간
- 시정수가 클수록 과도현상은 오래 지속된다.
- 시정수는 소자(R, L, C)의 값으로 결정된다.
- 특성근 역의 절댓값이다.

09 RL 직렬회로에서 시정수의 값이 클수록 과도현상이 소멸되는 시간에 대한 설명으로 옳은 것은?

[2012년 2회 산업기사 / 2013년 2회 산업기사 / 2019년 2회 산업기사]

① 짧아진다.
② 과도기가 없어진다.
③ 길어진다.
④ 변화가 없다.

해설 8번 해설 참조

08 ① 09 ③ 정답

10 시정수의 의미를 설명한 것 중 틀린 것은? [2018년 2회 기사]

① 시정수가 작으면 과도현상이 짧다.

② 시정수가 크면 정상상태에 늦게 도달한다.

③ 시정수는 τ로 표기하며 단위는 초[sec]이다.

④ 시정수는 과도 기간 중 변화해야 할 양의 0.632[%]가 변화하는 데 소요된 시간이다.

해설 　시정수는 과도 기간 중 변화해야 할 양의 0.368이 변화하는 데 소요된 시간이다.

11 회로에서 스위치 S를 닫을 때, 이 회로의 시정수는? [2014년 3회 기사 / 2019년 1회 산업기사]

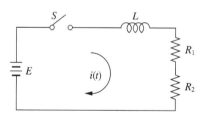

① $\dfrac{L}{R_1 + R_2}$ 　　　　　　② $\dfrac{-L}{R_1 + R_2}$

③ $\dfrac{R_1 + R_2}{L}$ 　　　　　　④ $-\dfrac{R_1 + R_2}{L}$

해설 　$R-L$ 직렬회로에서 $R = R_1 + R_2$이므로

시정수 $T = \dfrac{L}{R} = \dfrac{L}{R_1 + R_2}$

12 $R-L$ 직렬회로에서 $R=20[\Omega]$, $L=40[\mathrm{mH}]$이다. 이 회로의 시정수[sec]는?

[2015년 3회 기사 / 2019년 3회 기사]

① 2

② 2×10^{-3}

③ $\dfrac{1}{2}$

④ $\dfrac{1}{2} \times 10^{-3}$

해설 시정수(T)

최종값(정상값)의 63.2[%] 도달하는 데 걸리는 시간

$R-C$ 직렬회로	$R-L$ 직렬회로
$T=RC[\mathrm{s}]$	$T=\dfrac{L}{R}[\mathrm{s}]$

∴ RL 직렬회로 시정수 $T=\dfrac{L}{R}=\dfrac{40 \times 10^{-3}}{20}=2 \times 10^{-3}[\mathrm{sec}]$

13 회로에서 $L=50[\mathrm{mH}]$, $R=20[\mathrm{k}\Omega]$인 경우 회로의 시정수는 몇 $[\mu\mathrm{s}]$인가? [2017년 2회 산업기사]

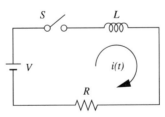

① 4.0

② 3.5

③ 3.0

④ 2.5

해설 $T=\dfrac{L}{R}=\dfrac{50 \times 10^{-3}}{20 \times 10^{3}} \times 10^{6}=2.5[\mu\mathrm{sec}]$

14 그림과 같은 회로에서 스위치 S를 닫았을 때 시정수[sec]의 값은?(단, $L=10$[mH], $R=20$ [Ω]이다)

[2014년 3회 산업기사 / 2018년 1회 산업기사]

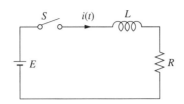

① 5×10^{-3}

② 5×10^{-4}

③ 200

④ 2,000

해설 **시정수(T)**

최종값(정상값)의 63.2[%] 도달하는 데 걸리는 시간

$R-C$ 직렬회로	$R-L$ 직렬회로
$T=RC$[s]	$T=\dfrac{L}{R}$[s]

$\therefore$ $R-L$ 회로의 시정수 $T=\dfrac{L}{R}=\dfrac{10\times10^{-3}}{20}=5\times10^{-4}$[s]

15 $R_1=R_2=100$[Ω]이며 $L_1=5$[H]인 회로에서 시정수는 몇 [sec]인가? [2017년 1회 기사]

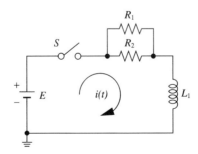

① 0.001

② 0.01

③ 0.1

④ 1

해설 $T=\dfrac{L}{R}=\dfrac{5}{50}=0.1$

16

코일의 권수 $N = 1,000$회, 저항 $R = 10[\Omega]$이다. 전류 $I = 10[A]$를 흘릴 때 자속 $\phi = 3 \times 10^{-2}[Wb]$이라면 이 회로의 시정수[s]는?

[2016년 3회 산업기사 / 2019년 3회 산업기사]

① 0.3

② 0.4

③ 3.0

④ 4.0

해설
$$T = \frac{L}{R} = \frac{3}{10} = 0.3[s]$$
여기서, $LI = N\phi$
$$L = \frac{N\phi}{I} = \frac{1,000 \times 3 \times 10^{-2}}{10} = 3$$

17

$R - L$ 직렬회로에서 시정수가 0.03[sec], 저항이 14.7[Ω]일 때 코일의 인덕턴스[mH]는?

[2015년 2회 기사 / 2022년 2회 기사]

① 441

② 362

③ 17.6

④ 2.53

해설
$$T = \frac{L}{R} \text{에서} \quad L = RT = 14.7 \times 0.03 \times 10^3 = 441[mH]$$

18

그림의 회로에서 $t = 0[s]$에 스위치(S)를 닫은 후 $t = 1[s]$일 때 이 회로에 흐르는 전류는 약 몇 [A]인가?

[2022년 1회 기사]

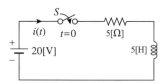

① 2.52

② 3.16

③ 4.21

④ 6.32

해설
$$i(t) = \frac{E}{R}(1 - e^{-\frac{R}{L}t})$$
$$= \frac{20}{5}(1 - e^{-\frac{5}{5} \times 1})$$
$$= 2.528[A]$$

16 ① 17 ① 18 ① **정답**

19 인덕턴스 0.5[H], 저항 2[Ω]의 직렬회로에 30[V]의 직류전압을 급히 가했을 때 스위치를 닫은 후 0.1초 후의 전류의 순시값 i[A]와 회로의 시정수 τ[s]는? [2016년 2회 기사]

① $i = 4.95$, $\tau = 0.25$ ② $i = 12.75$, $\tau = 0.35$

③ $i = 5.95$, $\tau = 0.45$ ④ $i = 13.95$, $\tau = 0.25$

해설
$$T = \frac{L}{R} = \frac{0.5}{2} = 0.25[\sec]$$
$$i = \frac{E}{R}\left(1 - e^{-\frac{R}{L}t}\right) = \frac{30}{2}\left(1 - e^{-\frac{2}{0.5} \times 0.1}\right) \fallingdotseq 4.945 \fallingdotseq 4.95[A]$$

20 회로에서 10[mH]의 인덕턴스에 흐르는 전류는 일반적으로 $i(t) = A + Be^{-at}$ 로 표시된다. a 의 값은? [2017년 3회 기사]

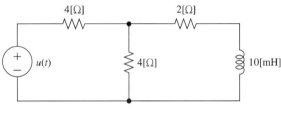

① 100   ② 200

③ 400   ④ 500

해설 개방전압과 등가저항

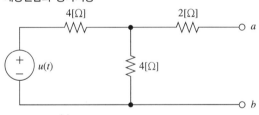

• $V_{ab} = 0.5u(t)$

• 테브낭 정리 $R_{th} = 2 + \dfrac{4 \times 4}{4 + 4} = 4[\Omega]$

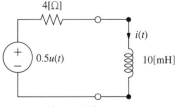

• $i(t) = \dfrac{E}{R}\left(1 - e^{-\frac{R}{L}t}\right)$ 에서 $a = \dfrac{R}{L} = \dfrac{4}{10 \times 10^{-3}} = 400$

21 그림의 회로에서 스위치 S를 닫을 때의 충전전류 $i(t)$[A]는 얼마인가?(단, 콘덴서에 초기 충전전하는 없다)

[2012년 3회 기사 / 2017년 3회 산업기사]

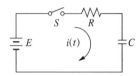

① $\dfrac{E}{R}e^{-\frac{1}{CR}t}$

② $\dfrac{E}{R}e^{\frac{R}{C}t}$

③ $\dfrac{E}{R}e^{-\frac{C}{R}t}$

④ $\dfrac{E}{R}e^{\frac{1}{CR}t}$

> **해설** $R-C$ 직렬회로, 직류인가
>
> 회로방정식 $RI(s)+\dfrac{1}{Cs}I(s)=\dfrac{E}{s}$
>
> 전류 $i(t)=\dfrac{E}{R}e^{-\frac{1}{RC}t}$ [V]
>
> 전압 $v_c(t)=E\left(1-e^{-\frac{1}{RC}t}\right)$
>
> 시정수 $T=RC$

22 그림과 같은 회로에서 $t=0$에서 스위치를 닫으면 전류 $i(t)$[A]는?(단, 콘덴서의 초기 전압은 0[V]이다)

[2017년 1회 산업기사]

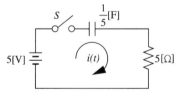

① $5(1-e^{-t})$

② $1-e^{-t}$

③ $5e^{-t}$

④ e^{-t}

> **해설**
>
> $i(t)=\dfrac{E}{R}e^{-\frac{1}{RC}t}=\dfrac{5}{5}e^{-\frac{1}{5\times\frac{1}{5}}t}=e^{-t}$

23 그림에서 $t=0$에서 스위치 S를 닫았다. 콘덴서에 충전된 초기 전압 $V_C(0)$가 1[V]이었다면 전류 $i(t)$를 변환한 값 $I(s)$는?

[2016년 1회 기사]

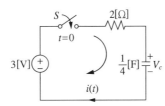

① $\dfrac{3}{2s+4}$

② $\dfrac{3}{s(2s+4)}$

③ $\dfrac{2}{s(s+2)}$

④ $\dfrac{1}{s+2}$

해설

$$i(t) = \frac{E}{R}e^{-\frac{1}{RC}t} = \frac{2}{2}e^{-\frac{1}{2\times\frac{1}{4}}t} = e^{-\frac{1}{\frac{1}{2}}t} = e^{-2t}$$

$$I(s) = \frac{1}{s+2}$$

24 그림과 같은 RC 회로에서 스위치를 넣은 순간 전류는?(단, 초기조건은 0이다)

[2018년 3회 기사]

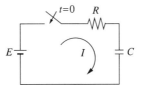

① 불변전류이다.

② 진동전류이다.

③ 증가함수로 나타난다.

④ 감쇠함수로 나타난다.

해설 $R-C$ 직렬회로일 때 지수적 감쇠함수로 나타난다.

25 $R = 1\,[\text{k}\Omega]$, $C = 1\,[\mu\text{F}]$ 가 직렬접속된 회로에 스텝(구형파)전압 10[V]를 인가하는 순간에 커패시터 C에 걸리는 최대전압[V]은?

[2019년 1회 산업기사]

① 0   ② 3.72

③ 6.32   ④ 10

해설

$$V_C = E\left(1 - e^{-\frac{1}{RC}t}\right)$$

$t = 0$을 대입하면 $V_C = E\left(1 - e^{-\frac{1}{RC}t}\right) = 0[\text{V}]$

26 저항 $R = 5{,}000\,[\Omega]$, 정전용량 $C = 20\,[\mu\text{F}]$가 직렬로 접속된 회로에 일정전압 $E = 100[\text{V}]$를 가하고 $t = 0$에서 스위치를 넣을 때 콘덴서 단자전압 $V[\text{V}]$을 구하면?(단, $t = 0$에서의 콘덴서 전압은 0[V]이다)

[2016년 2회 산업기사]

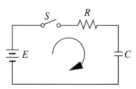

① $100\left(1 - e^{10t}\right)$ ② $100 e^{10t}$

③ $100\left(1 - e^{-10t}\right)$ ④ $100 e^{-10t}$

해설

$i(t) = \dfrac{E}{R} e^{-\frac{1}{RC}t}$ 에서 콘덴서 양단의 전압 $v_c(t)$는 적분구간을 $0 \sim t$로 잡으면

$$v_c(t) = \frac{1}{C}\int_0^t i(t)dt = \frac{1}{C}\int_0^t \frac{E}{R} e^{-\frac{1}{RC}t}dt = E\left(1 - e^{-\frac{1}{RC}t}\right)$$

$$v_c(t) = 100\left(1 - e^{-\frac{1}{5{,}000 \times 20 \times 10^{-6}}t}\right) = 100\left(1 - e^{-10t}\right)$$

27 $t = 0$에서 스위치(S)를 닫았을 때 $t = 0^+$에서의 $i(t)$는 몇 [A]인가?(단, 커패시터에 초기 전하는 없다)

[2020년 3회 기사]

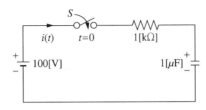

① 0.1

② 0.2

③ 0.4

④ 1.0

해설 $i = \dfrac{E}{R} = \dfrac{100}{1,000} = 0.1[\text{A}]$

28 그림과 같은 RC 직렬회로에 $t = 0$에서 스위치 S를 닫아 직류전압 100[V]를 회로의 양단에 인가하면 시간 t에서의 충전전하는?(단, $R = 10[\Omega]$, $C = 0.1[\text{F}]$이다)

[2019년 3회 산업기사]

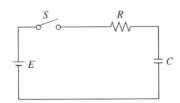

① $10(1 - e^{-t})$

② $-10(1 - e^{t})$

③ $10e^{-t}$

④ $-10e^{t}$

해설 $Q = CE_C$

S/W를 닫는 순간 초기전압은 전부 R에 걸리므로

$E_C = E\left(1 - e^{-\frac{1}{RC}t}\right)$

$Q = CE_C = CE\left(1 - e^{-\frac{1}{RC}t}\right) = 0.1 \times 100\left(1 - e^{-\frac{1}{10 \times 0.1}t}\right) = 10(1 - e^{-t})$

29 회로에서 $t = 0$초일 때 닫혀 있는 스위치 S를 열었다. 이때 $\dfrac{dv(0^+)}{dt}$ 의 값은?(단, C 의 초기

전압은 0[V]이다)

[2021년 1회 기사]

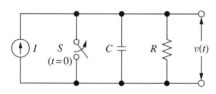

① $\dfrac{1}{RI}$

② $\dfrac{C}{I}$

③ RI

④ $\dfrac{I}{C}$

> **해설**
>
> $i(t) = C \dfrac{dv(t)}{dt}$
>
> $i(0) = C \dfrac{dv(0)}{dt} = I$
>
> $\dfrac{dv(0)}{dt} = \dfrac{I}{C}$

30 $i(t) = I_0 e^{st}$[A]로 주어지는 전류가 콘덴서 C[F]에 흐르는 경우의 임피던스[Ω]는?

[2014년 3회 산업기사 / 2018년 2회 산업기사]

① $\dfrac{C}{s}$

② $\dfrac{1}{sC}$

③ C

④ sC

> **해설**
>
> C 회로에서의 전압 $v(t) = \dfrac{1}{C} \displaystyle\int i(t)dt = \dfrac{1}{C} \int I_0 e^{st} dt = \dfrac{I_0 e^{st}}{sC}$
>
> ∴ 임피던스 $Z = \dfrac{v(t)}{i(t)} = \dfrac{\frac{I_0 e^{st}}{sC}}{I_0 e^{st}} = \dfrac{1}{sC}$

31 RC 직렬회로의 과도현상에 대하여 옳게 설명한 것은?

[2015년 3회 산업기사 / 2020년 1, 2회 산업기사 / 2020년 3회 산업기사]

① $\dfrac{1}{RC}$ 의 값이 클수록 과도전류값은 천천히 사라진다.

② RC 값이 클수록 과도전류값은 빨리 사라진다.

③ 과도전류는 RC 값에 관계가 없다.

④ RC 값이 클수록 과도전류값은 천천히 사라진다.

> **해설**
> - 시정수 : 최종값(정상값)의 63.2[%] 도달하는 데 걸리는 시간
> - 시정수가 클수록 과도현상은 오래 지속된다.
> - 시정수는 소자(R, L, C)의 값으로 결정된다.
> - 특성근 역의 절댓값이다.

32 RC 회로의 입력단자에 계단전압을 인가하면 출력전압은?

[2011년 2회 산업기사 / 2014년 1회 산업기사]

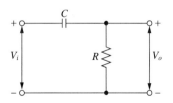

① 0부터 지수적으로 증가한다.

② 처음에는 입력과 같이 변했다가 지수적으로 감쇠한다.

③ 같은 모양의 계단전압이 나타난다.

④ 아무것도 나타나지 않는다.

> **해설**   **$R-C$ 직렬회로의 해석**
>
> $v_0 = Ve^{-\frac{1}{RC}t}$ [V] 에서 $t = 0$에서 계단전압이 되고, $t = \infty$에서 0이 되므로 지수적으로 감소된다.

33 그림과 같은 RC 회로에 단위 계단전압을 가하면 출력전압은? [2014년 1회 기사]

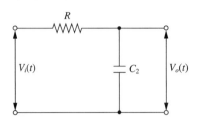

① 아무 전압도 나타나지 않는다.　② 처음부터 계단전압이 나타난다.
③ 계단전압에서 지수적으로 감쇠한다.　④ 0부터 상승하여 계단전압에 이른다.

> **해설**　$R-L(R-C)$ 직렬회로의 해석

구 분	과도($t=0$)	정상($t=\infty$)
$X_L = \omega L = 2\pi f L$	개 방	단 락
$X_C = \dfrac{1}{\omega C} = \dfrac{1}{2\pi f C}$	단 락	개 방

∴ 0부터 상승하여 계단전압에 이른다.

34 다음 회로에서 $t=0$일 때 스위치 K를 닫았다. $i_1(0^+)$, $i_2(0^+)$의 값은?(단, $t<0$에서 C 전압과 L전압은 각각 0[V]이다) [2014년 1회 기사 / 2015년 2회 산업기사]

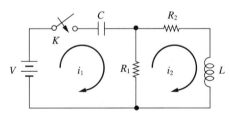

① $\dfrac{V}{R_1}$, 0　　② 0, $\dfrac{V}{R_2}$　　③ 0, 0　　④ $-\dfrac{V}{R_1}$, 0

> **해설**　$R-L(R-C)$ 직렬회로의 해석

구 분	과도($t=0$)	정상($t=\infty$)
$X_L = \omega L = 2\pi f L$	개 방	단 락
$X_C = \dfrac{1}{\omega C} = \dfrac{1}{2\pi f C}$	단 락	개 방

초기 저항에 흐르는 전류 $i_1(0^+) = \dfrac{V}{R_1}$

초기 인덕턴스에 흐르는 전류 $i_2(0^+) = 0$

　　　　　33 ④　34 ①　**정답**

35 그림과 같은 회로에서 정전용량 C[F]를 충전한 후 스위치 S를 닫아서 이것을 방전할 때 과도 전류는?(단, 회로에는 저항이 없다)　　　　　　　　　　[2013년 3회 기사 / 2014년 2회 산업기사]

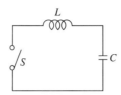

　① 주파수가 다른 전류
　② 크기가 일정하지 않은 전류
　③ 증가 후 감쇠하는 전류
　④ 불변의 진동전류

> **해설**　저항이 없고 코일과 콘덴서가 직렬로 연결된 회로에서 충전 후 방전하면 전력 소모가 없고 크기와 주파수의 변화가 없는 무감쇠 진동전류가 흐른다.

36 $R = 100$[Ω], $X_c = 100$[Ω]이고 L만을 가변할 수 있는 RLC 직렬회로가 있다. 이때, $f = 500$[Hz], $E = 100$[V]를 인가하여 L을 변환시킬 때 L의 단자전압 E_L의 최댓값은 몇 [V]인가?(단, 공진회로이다)　　　　　　　　　　　　　　[2018년 2회 기사]

　① 50　　　　　　　　　　　　　② 100
　③ 150　　　　　　　　　　　　　④ 200

> **해설**　$-E \leq e_L \leq E$
> $0 \leq e_c \leq 2E$

37 그림과 같은 회로에서 스위치 S를 닫았을 때, 과도분을 포함하지 않기 위한 $R[\Omega]$은?

[2017년 2회 기사]

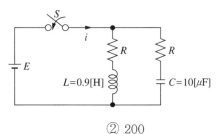

① 100   ② 200

③ 300   ④ 400

해설

$$i_1 = \frac{E}{R} - \frac{E}{R}e^{-\frac{R}{L}t}$$

$$i_2 = \frac{E}{R}e^{-\frac{1}{RC}t}$$

$$i = i_1 + i_2 = \frac{E}{R} - \frac{E}{R}e^{-\frac{R}{L}t} + \frac{E}{R}e^{-\frac{1}{RC}t}$$

i가 시간에 관계없이 일정

$$\frac{E}{R}e^{-\frac{R}{L}t} = \frac{E}{R}e^{-\frac{1}{RC}t}$$

$$\frac{R}{L} = \frac{1}{RC}, \ \ R^2C = L$$

그러므로 $R = \sqrt{\dfrac{L}{C}} = \sqrt{\dfrac{0.9}{10 \times 10^{-6}}} = 300[\Omega]$

38 그림과 같은 회로를 $t=0$에서 스위치 S를 닫았을 때 $R[\Omega]$에 흐르는 전류 $i_R(t)$[A]는?

[2016년 1회 산업기사 / 2020년 3회 산업기사]

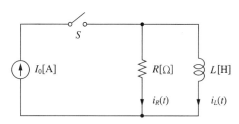

① $I_0\left(1-e^{-\frac{R}{L}t}\right)$

② $I_0\left(1+e^{-\frac{R}{L}t}\right)$

③ I_0

④ $I_0 e^{-\frac{R}{L}t}$

해설 $i_L(t) = I_0\left(1-e^{-\frac{R}{L}t}\right)$

키르히호프 법칙(전류법칙)

$I_0 = i_R(t) + i_L(t)$

$i_R(t) = I_0 - i_L(t) = I_0 - I_0\left(1-e^{-\frac{R}{L}t}\right) = I_0 e^{-\frac{R}{L}t}$

39 정상상태에서 $t=0$초인 순간에 스위치 S를 열었다. 이때 흐르는 전류 $i(t)$는?

[2021년 2회 기사]

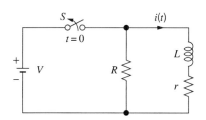

① $\dfrac{V}{R}e^{-\frac{R+r}{L}t}$

② $\dfrac{V}{r}e^{-\frac{R+r}{L}t}$

③ $\dfrac{V}{R}e^{-\frac{L}{R+r}t}$

④ $\dfrac{V}{r}e^{-\frac{L}{R+r}t}$

해설 $t=0$인 순간 과도전류만 흐르므로

$i(t) = I e^{-\frac{R}{L}t}$

$= \dfrac{V}{r}e^{-\frac{R+r}{L}t}$

40 RLC 직렬회로에서 $t=0$에서 교류전압 $e=E_m\sin(\omega t+\theta)$를 가할 때, $R^2-4\dfrac{L}{C}>0$이면 이 회로는?

[2013년 1회 산업기사 / 2013년 3회 산업기사]

① 진동적이다.   ② 비진동적이다.

③ 임계진동적이다.   ④ 비감쇠진동이다.

해설 $R-L-C$ 직렬회로에서 자유진동 주파수

$$f=\frac{1}{2\pi}\sqrt{\frac{1}{LC}-\left(\frac{R}{2L}\right)^2}$$

비진동(과제동)	임계진동	진동(부족제동)
$R^2>4\dfrac{L}{C}$	$R^2=4\dfrac{L}{C}$	$R^2<4\dfrac{L}{C}$

41 RLC 직렬회로의 파라미터가 $R^2=\dfrac{4L}{C}$ 의 관계를 가진다면, 이 회로에 직류전압을 인가하는 경우 과도응답특성은?

[2020년 1, 2회 기사]

① 무제동   ② 과제동

③ 부족제동   ④ 임계제동

해설   40번 해설 참조

42 RLC 직렬회로에서 $R=100[\Omega]$, $L=5[\text{mH}]$, $C=2[\mu\text{F}]$일 때 이 회로는?

[2019년 2회 산업기사]

① 과제동이다.   ② 무제동이다.

③ 임계제동이다.   ④ 부족제동이다.

해설

$$R=2\sqrt{\frac{L}{C}}$$

$$100=2\sqrt{\frac{5\times10^{-3}}{2\times10^{-6}}}$$

14. 전달함수

(1) 정의 : 모든 초깃값을 0으로 한 상태에서 입력 라플라스에 대한 출력 라플라스와의 비를 전달함수라 한다.

$$R(S) \longrightarrow \boxed{G(S)} \longrightarrow C(S)$$

$$\therefore \ G(S) = \frac{\mathcal{L}\,[C(t)]}{\mathcal{L}\,[r(t)]} = \frac{C(S)}{R(S)}$$

(2) 직렬회로의 전달함수 : 입력임피던스에 대한 출력임피던스와의 비를 말한다.

① 소자에 따른 임피던스

$$R \Rightarrow R[\Omega], \ L \Rightarrow LS[\Omega], \ C \Rightarrow \frac{1}{CS}[\Omega]$$

(3) 병렬회로의 전달함수 : 합성어드미턴스의 역수값, 즉 합성임피던스를 구한다.

① 소자에 따른 어드미턴스

$$R \Rightarrow \frac{1}{R}[\mho], \ L \Rightarrow \frac{1}{LS}[\mho], \ C \Rightarrow CS[\mho]$$

(4) 제어요소의 전달함수

① 비례요소 $G(S) = \dfrac{Y(S)}{X(S)} = K$ (K : 이득정수)

② 미분요소 $G(S) = \dfrac{Y(S)}{X(S)} = KS$

③ 적분요소 $G(S) = \dfrac{Y(S)}{X(S)} = \dfrac{K}{S}$

④ 1차 지연요소 $G(S) = \dfrac{Y(S)}{X(S)} = \dfrac{K}{TS+1}$

⑤ 2차 지연요소 $G(S) = \dfrac{Y(S)}{X(S)} = \dfrac{K\omega_n^2}{S^2 + 2\delta\omega_n S + \omega_n^2}$

　　단, δ=감쇠계수 또는 제동비, ω_n은 고유주파수

⑥ 부동작 시간요소 $G(S) = \dfrac{Y(S)}{X(S)} = Ke^{-LS}$ (단, L : 부동작 시간)

(5) 운동계와 전기계의 상대적 관계

① 인덕턴스에 의한 전압

$$V_L(t) = L\frac{di(t)}{dt} = L\frac{d^2 q(t)}{dt^2} \, [\text{V}]$$

② 질량에 작용하는 힘

$$f(t) = M\frac{dv(t)}{dt} = M\frac{d^2 x(t)}{dt^2} \, [\text{N}]$$

③ 관성모멘트에 의한 토크(회전력)

$$T(t) = J\frac{d\omega(t)}{dt} = J\frac{d^2\theta(t)}{dt^2} \, [\text{N} \cdot \text{m}]$$

전기계	운동계	
	병진운동(직선운동)	회전운동
전압 $V(t)$	힘 $f(t)$	토크 $T(t)$
전류 $I(t)$	속도 $v(t)$	각속도 $\omega(t)$
전하량 $Q(t)$	변위 $x(t)$	각변위 $\theta(t)$
저항 R	점성마찰계수 $B = \mu$	회전마찰계수 $B = \mu$
인덕턴스 L	질량 M	관성모멘드 J
정전용량 C	스프링상수 K	비틀림상수 K

01 비례요소를 나타내는 전달함수는?

[2016년 3회 기사 / 2022년 2회 기사]

① $G(s) = K$

② $G(s) = Ks$

③ $G(s) = \dfrac{K}{s}$

④ $G(s) = \dfrac{K}{Ts+1}$

해설

비례요소	미분요소	적분요소	1차 지연요소	부동작 시간요소
K	Ks	$\dfrac{K}{s}$	$\dfrac{K}{Ts+1}$	Ke^{-Ls}

02 전달함수에 대한 설명으로 틀린 것은?

[2014년 3회 산업기사]

① 어떤 계의 전달함수는 그 계에 대한 임펄스 응답의 라플라스변환과 같다.

② 전달함수는 $\dfrac{출력라플라스변환}{입력라플라스변환}$ 으로 정의된다.

③ 전달함수 s가 될 때 적분요소라 한다.

④ 어떤 계의 전달함수의 분모를 0으로 놓으면 이것이 곧 특성방정식이 된다.

해설 1번 해설 참조

03 제어요소의 표준 형식인 적분요소에 대한 전달함수는?(단, K는 상수이다)

[2021년 3회 기사]

① Ks

② $\dfrac{K}{s}$

③ K

④ $\dfrac{K}{1+Ts}$

해설 1번 해설 참조

정답 01 ① 02 ③ 03 ②

04 부동작 시간(Dead Time) 요소의 전달함수는?

[2015년 3회 산업기사 / 2017년 2회 산업기사 / 2018년 2회 산업기사]

① Ks

② $\dfrac{K}{s}$

③ Ke^{-Ls}

④ $\dfrac{K}{Ts+1}$

해설

비례요소	미분요소	적분요소	1차 지연요소	부동작 시간요소
K	Ks	$\dfrac{K}{s}$	$\dfrac{K}{Ts+1}$	Ke^{-Ls}

05 모든 초깃값을 0으로 할 때, 출력과 입력의 비를 무엇이라 하는가?

[2014년 1회 기사 / 2015년 1회 산업기사]

① 전달함수

② 충격함수

③ 경사함수

④ 포물선함수

해설   모든 초깃값을 0으로 할 때, 출력라플라스변환과 입력라플라스변환의 비를 전달함수라 한다.

06 전달함수 출력(응답)식 $C(s) = G(s)R(s)$에서 입력함수 $R(s)$를 단위 임펄스 $\delta(t)$로 인가할 때 이 계의 출력은?

[2019년 3회 산업기사]

① $C(s) = G(s)\delta(s)$

② $C(s) = \dfrac{G(s)}{\delta(s)}$

③ $C(s) = \dfrac{G(s)}{s}$

④ $C(s) = G(s)$

해설 $C(s) = G(s)R(s)$

입력함수가 단위 임펄스일 때 $R(s) = 1$이므로 $C(s) = G(s)$

07 $V_1(s)$을 입력, $V_2(s)$를 출력이라 할 때, 다음 회로의 전달함수는?(단, $C_1 = 1[\text{F}]$, $L_1 = 1[\text{H}]$)

[2019년 3회 산업기사]

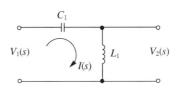

① $\dfrac{s}{s+1}$

② $\dfrac{s^2}{s^2+1}$

③ $\dfrac{1}{s+1}$

④ $1 + \dfrac{1}{s}$

해설

$$G(s) = \frac{sL_1}{\dfrac{1}{sC_1} + sL_1} = \frac{s}{\dfrac{1}{s} + s} = \frac{s}{\dfrac{1+s^2}{s}} = \frac{s^2}{1+s^2}$$

08 전기회로의 입력을 V_1, 출력을 V_2라고 할 때 전달함수는?(단, $s = j\omega$ 이다)

[2018년 2회 산업기사]

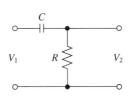

① $\dfrac{1}{R + \dfrac{1}{j\omega C}}$

② $\dfrac{1}{j\omega + \dfrac{1}{RC}}$

③ $\dfrac{j\omega}{j\omega + \dfrac{1}{RC}}$

④ $\dfrac{j\omega}{R + \dfrac{1}{j\omega C}}$

해설

$$\frac{V_2}{V_1} = \frac{(R) \times sC}{\left(R + \dfrac{1}{sC}\right) \times sC} = \frac{(RsC) \times \dfrac{1}{RC}}{(RsC+1) \times \dfrac{1}{RC}} = \frac{s}{s + \dfrac{1}{RC}} = \frac{j\omega}{j\omega + \dfrac{1}{RC}}$$

09 회로의 전압비 전달함수 $G(s) = \dfrac{V_2(s)}{V_1(s)}$ 는? [2018년 1회 산업기사 / 2019년 2회 산업기사]

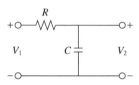

① RC　　　　　　　　　　　　　② $\dfrac{1}{RC}$

③ $RCs + 1$　　　　　　　　　　　④ $\dfrac{1}{RCs + 1}$

> **해설**
> $$G(s) = \frac{V_2(s)}{V_1(s)} = \frac{\dfrac{1}{Cs} I(s) \times sC}{\left(R + \dfrac{1}{Cs}\right) I(s) \times sC} = \frac{1}{RCs + 1}$$

10 그림과 같은 회로에서 $V_1(S)$를 입력, $V_2(S)$를 출력으로 한 전달함수는?

[2017년 2회 산업기사]

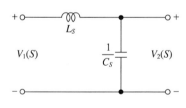

① $\dfrac{1}{\dfrac{1}{Ls} + Cs}$　　　　　　　　② $\dfrac{1}{1 + s^2 LC}$

③ $\dfrac{1}{LC + Cs}$　　　　　　　　④ $\dfrac{Cs}{s^2(s + LC)}$

> **해설**
> $$G(S) = \frac{\dfrac{1}{sC} \times sC}{\left(sL + \dfrac{1}{sC}\right) \times sC} = \frac{1}{s^2 LC + 1}$$

11 그림과 같은 RLC 회로에서 입력전압 $e_i(t)$, 출력전류가 $i(t)$인 경우 이 회로의 전달함수 $I(s)/E(s)$는?(단, 모든 초기 조건은 0이다) [2014년 2회 기사 / 2016년 1회 산업기사]

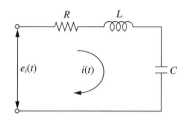

① $\dfrac{Cs}{RCs^2 + LCs + 1}$

② $\dfrac{1}{RCs^2 + LCs + 1}$

③ $\dfrac{Cs}{LCs^2 + RCs + 1}$

④ $\dfrac{1}{LCs^2 + RCs + 1}$

해설 $R-L-C$ 직렬회로

- 회로방정식 $E(s) = \left(R + Ls + \dfrac{1}{Cs}\right)I(s)$

- 어드미턴스 $\dfrac{I(s)}{E(s)} = \dfrac{I(s)}{\left(R + Ls + \dfrac{1}{Cs}\right)I(s)}$ 분모, 분자에 $\times Cs$

$\therefore \dfrac{I(s)}{E(s)} = \dfrac{Cs}{(CsR + CsLs + 1)} = \dfrac{Cs}{(LCs^2 + RCs + 1)}$

12 그림의 전기회로에서 전달함수 $\dfrac{E_2(s)}{E_1(s)}$ 는?

[2013년 1회 기사 / 2020년 3회 기사]

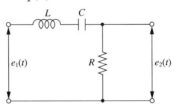

① $\dfrac{LRs}{LCs^2 + RCs + 1}$

② $\dfrac{Cs}{LCs^2 + RCs + 1}$

③ $\dfrac{RCs}{LCs^2 + RCs + 1}$

④ $\dfrac{LRCs}{LCs^2 + RCs + 1}$

해설

• 회로방정식

입력 $e_1(t) = L\dfrac{d}{dt}i(t) + \dfrac{1}{C}\displaystyle\int i(t)dt + Ri(t)$

출력 $e_2(t) = Ri(t)$

• 라플라스 변환

입력 $E_1(s) = LsI(s) + \dfrac{1}{C}\dfrac{1}{s}I(s) + RI(s)$

출력 $E_2(s) = RI(s)$

• 전달함수

$G(s) = \dfrac{E_1(s)}{E_2(s)} = \dfrac{RI(s) \times sC}{\left(Ls + \dfrac{1}{Cs} + R\right)I(s) \times sC} = \dfrac{RCs}{LCs^2 + RCs + 1}$

13 그림과 같은 회로의 전달함수는?(단, 초기 조건은 0이다)

[2016년 2회 산업기사 / 2020년 1, 2회 산업기사]

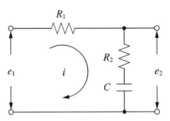

① $\dfrac{R_2 + Cs}{R_1 + R_2 + Cs}$

② $\dfrac{R_1 + R_2 + Cs}{R_1 + Cs}$

③ $\dfrac{R_2Cs + 1}{R_2Cs + R_1Cs + 1}$

④ $\dfrac{R_1Cs + R_2Cs + 1}{R_2Cs + 1}$

해설

$G(s) = \dfrac{e_2}{e_1} = \dfrac{\left(R_2 + \dfrac{1}{sC}\right)I(s) \times sC}{\left(R_1 + R_2 + \dfrac{1}{sC}\right)I(s) \times sC} = \dfrac{R_2sC + 1}{R_1sC + R_2sC + 1}$

12 ③ 13 ③ **정답**

14 그림과 같은 회로의 전압비 전달함수 $G(j\omega)$는?(단, 입력 $V(t)$는 정현파 교류전압이며, V_R 은 출력이다)

[2015년 3회 산업기사]

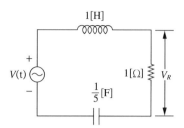

① $\dfrac{j\omega}{(5-\omega^2)+j\omega}$

② $\dfrac{j\omega}{(5+\omega^2)+j\omega}$

③ $\dfrac{j\omega}{(5-\omega)^2+j\omega}$

④ $\dfrac{j\omega}{(5+\omega)^2+j\omega}$

해설 $R-L-C$ 직렬회로

- 입력 : $E_i(s) = \left(R + Ls + \dfrac{1}{Cs}\right)I(s) = \left(1 + s + \dfrac{5}{s}\right)I(s)$

- 출력 : $V_R(s) = I(s)$

- 전달함수 $G(s) = \dfrac{I(s) \times s}{\left(1 + s + \dfrac{5}{s}\right)I(s) \times s} = \dfrac{s}{s^2 + s + 5}$

   $s = j\omega$를 대입 $H(s) = \dfrac{j\omega}{-\omega^2 + j\omega + 5} = \dfrac{j\omega}{(5-\omega^2) + j\omega}$

15 그림과 같은 회로의 전달함수는?(단, e_1은 입력, e_2는 출력이다) [2015년 1회 산업기사]

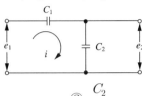

① $C_1 + C_2$

② $\dfrac{C_2}{C_1}$

③ $\dfrac{C_1}{C_1 + C_2}$

④ $\dfrac{C_2}{C_1 + C_2}$

해설 C회로의 전달함수

입력 $e_1 = \left(\dfrac{1}{sC_1} + \dfrac{1}{sC_2}\right)I(s)$

출력 $e_2 = \dfrac{1}{sC_2}I(s)$

전달함수 $G(s) = \dfrac{e_2}{e_1} = \dfrac{\dfrac{1}{sC_2}I(s) \times sC_1C_2}{\left(\dfrac{1}{sC_1} + \dfrac{1}{sC_2}\right)I(s) \times sC_1C_2} = \dfrac{C_1}{C_1 + C_2}$

16 다음과 같은 회로의 전달함수 $\dfrac{E_0(s)}{I(s)}$는? [2016년 2회 산업기사]

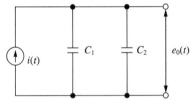

① $\dfrac{1}{s(C_1 + C_2)}$

② $\dfrac{C_1 C_2}{(C_1 + C_2)}$

③ $\dfrac{C_1}{s(C_1 + C_2)}$

④ $\dfrac{C_2}{s(C_1 + C_2)}$

해설 $i = i_1 + i_2$

$i(t) = \dfrac{e_0}{\dfrac{1}{sC_1}} + \dfrac{e_0}{\dfrac{1}{sC_2}}$ 에서 $i(t) = sC_1e_0 + sC_2e_0$

전달함수 $G(s) = \dfrac{E_0(s)}{I(s)} = \dfrac{1}{sC_1 + sC_2} = \dfrac{1}{s(C_1 + C_2)}$

15 ③ 16 ① 정답

17 다음 그림과 같은 전기회로의 입력을 e_i, 출력을 e_o라고 할 때 전달함수는?

[2013년 3회 산업기사 / 2017년 3회 산업기사]

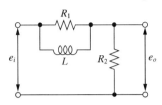

① $\dfrac{R_2(1+R_1Ls)}{R_1+R_2+R_1R_2Ls}$

② $\dfrac{1+R_2Ls}{1+(R_1+R_2)Ls}$

③ $\dfrac{R_2(R_1+Ls)}{R_1R_2+R_1Ls+R_2Ls}$

④ $\dfrac{R_2+\dfrac{1}{Ls}}{R_1+R_2+\dfrac{1}{Ls}}$

해설

입력 측 합성 임피던스 $Z_1 = \dfrac{R_1Ls}{R_1+Ls}$

입력 측 전압 $E_i = \left(\dfrac{R_1Ls}{R_1+Ls}\right)I(s) + R_2I(s)$

$\qquad\qquad = \left(\dfrac{R_1Ls+R_1R_2+LR_2s}{R_1+Ls}\right)I(s)$

출력 측 전압 $E_o = R_2I(s)$

전달함수 $\dfrac{E_o(s)}{E_i(s)} = \dfrac{R_2I(s)}{\left(\dfrac{R_1Ls+R_1R_2+LR_2s}{R_1+Ls}\right)I(s)}$

$\qquad\qquad\qquad = \dfrac{R_2(R_1+Ls)}{R_1R_2+R_1Ls+LR_2s}$

18 그림과 같은 회로의 전달함수는? $\left(\text{단, } T_1 = R_1 C, \ T_2 = \dfrac{R_2}{R_1 + R_2} \text{이다}\right)$　　[2015년 2회 기사]

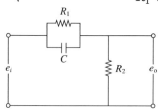

① $\dfrac{1}{1 + T_1 s}$

② $\dfrac{T_2(1 + T_1 s)}{1 + T_1 T_2 s}$

③ $\dfrac{1 + T_1 s}{1 + T_2 s}$

④ $\dfrac{T_2(1 + T_1 s)}{T_1(1 + T_2 s)}$

해설　**$R-C$ 직·병렬회로**

• 전달함수

$$G(s) = \frac{출력}{입력} = \frac{R_2}{\dfrac{R_1}{R_1 Cs + 1} + R_2} = \frac{R_2 + R_1 R_2 Cs}{R_1 + R_2 + R_1 R_2 Cs}$$

• 조건 : $T_1 = R_1 C, \ T_2 = \dfrac{R_2}{R_1 + R_2}$ 일 때

$$G(s) = \frac{\dfrac{R_2}{R_1 + R_2} + \dfrac{R_1 R_2 Cs}{R_1 + R_2}}{1 + \dfrac{R_1 R_2 Cs}{R_1 + R_2}} = \frac{T_2 + T_1 T_2 s}{1 + T_1 T_2 s} = \frac{T_2(1 + T_1 s)}{1 + T_1 T_2 s}$$

19 $\dfrac{dx(t)}{dt} + 3x(t) = 5$ 의 라플라스 변환 $X(s)$는?(단, $x(0^+) = 0$ 이다)

[2018년 3회 산업기사 / 2019년 3회 산업기사]

① $\dfrac{5}{s + 3}$

② $\dfrac{3s}{s + 5}$

③ $\dfrac{3}{s(s + 5)}$

④ $\dfrac{5}{s(s + 3)}$

해설　$sX(s) + 3X(s) = \dfrac{5}{s}$

$$(s + 3)X(s) = \frac{5}{s}$$

$$\therefore \ X(s) = \frac{5}{s(s + 3)}$$

20 다음 미분방정식으로 표시되는 계에 대한 전달함수를 구하면?(단, $x(t)$는 입력, $y(t)$는 출력을 나타낸다)

[2012년 2회 산업기사 / 2017년 2회 산업기사]

$$\frac{d^2 y(t)}{dt^2} + 3\frac{dy(t)}{dt} + 2y(t) = x(t) + \frac{dx(t)}{dt}$$

① $\dfrac{s+1}{s^2+3s+2}$　　　　　　　② $\dfrac{s-1}{s^2+3s+2}$

③ $\dfrac{s+1}{s^2-3s+2}$　　　　　　　④ $\dfrac{s-1}{s^2-3s+2}$

해설 ・ 미분방정식

$$\frac{d^2 y(t)}{dt^2} + 3\frac{dy(t)}{dt} + 2y(t) = x(t) + \frac{dx(t)}{dt}$$

・ 라플라스 변환

$$s^2 Y(s) + 3s Y(s) + 2Y(s) = X(s) + sX(s)$$

・ 전달함수

$$G(s) = \frac{Y(s)}{X(s)} = \frac{s+1}{s^2+3s+2}$$

21 입력신호 $x(t)$와 출력신호 $y(t)$의 관계가 다음과 같을 때 전달함수는?　　　[2017년 3회 기사]

$$\frac{d^2}{dt^2}y(t) + 5\frac{d}{dt}y(t) + 6y(t) = x(t)$$

① $\dfrac{1}{(s+2)(s+3)}$　　　　　　　② $\dfrac{s+1}{(s+2)(s+3)}$

③ $\dfrac{s+4}{(s+2)(s+3)}$　　　　　　　④ $\dfrac{s}{(s+2)(s+3)}$

해설
$$\frac{d^2}{dt^2}y(t) + 5\frac{d}{dt}y(t) + 6y(t) = x(t)$$
$$(s^2 + 5s + 6)Y(s) = X(s)$$
$$G(s) = \frac{Y(s)}{X(s)} = \frac{1}{s^2 + 5s + 6} = \frac{1}{(s+2)(s+3)}$$

22 $\dfrac{E_0(s)}{E_i(s)} = \dfrac{1}{s^2 + 3s + 1}$ 의 전달함수를 미분방정식으로 표시하면?

(단, $\mathcal{L}^{-1}[E_0(s)] = e_0(t)$, $\mathcal{L}^{-1}[E_i(s)] = e_i(t)$ 이다) [2016년 1회 산업기사 / 2019년 1회 산업기사]

① $\dfrac{d^2}{dt^2} e_0(t) + 3\dfrac{d}{dt} e_0(t) + e_0(t) = e_i(t)$

② $\dfrac{d^2}{dt^2} e_i(t) + 3\dfrac{d}{dt} e_i(t) + e_i(t) = e_0(t)$

③ $\dfrac{d^2}{dt^2} e_i(t) + 3\dfrac{d}{dt} e_i(t) + \displaystyle\int e_i(t)dt = e_0(t)$

④ $\dfrac{d^2}{dt^2} e_0(t) + 3\dfrac{d}{dt} e_0(t) + \displaystyle\int e_0(t)dt = e_i(t)$

해설 $S^2 E_0(S) + 3S E_0(S) + E_0(S) = E_i(S)$

$\dfrac{d^2}{dt^2} e_0(t) + 3\dfrac{d}{dt} e_0(t) + e_0(t) = e_i(t)$

23 다음 단위 궤환 제어계의 미분방정식은?   [2017년 1회 기사]

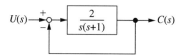

① $\dfrac{d^2 c(t)}{dt^2} + \dfrac{dc(t)}{dt} + c(t) = 2u(t)$

② $\dfrac{d^2 c(t)}{dt^2} + \dfrac{dc(t)}{dt} + 2c(t) = u(t)$

③ $\dfrac{d^2 c(t)}{dt^2} + \dfrac{dc(t)}{dt} + 2c(t) = 5u(t)$

④ $\dfrac{d^2 c(t)}{dt^2} + \dfrac{dc(t)}{dt} + 2c(t) = 2u(t)$

해설 $\dfrac{C(s)}{U(s)} = \dfrac{2}{s(s+1) + 2}$

$\{s(s+1) + 2\} C(s) = 2U(s)$

$\{s^2 + s + 2\} C(s) = 2U(s)$

$\dfrac{d^2}{dt^2} c(t) + \dfrac{d}{dt} c(t) + 2c(t) = 2u(t)$

※ 단위피드백은 분모에다 분자를 더하면 된다.

24 다음 방정식에서 $\dfrac{X_3(s)}{X_1(s)}$ 를 구하면? [2016년 2회 산업기사]

$$x_2(t) = \frac{d}{dt}x_1(t)$$

$$x_3(t) = x_2(t) + 3\int x_3(t)\,dt + 2\frac{d}{dt}x_2(t) - 2x_1(t)$$

① $\dfrac{s(2s^2+s-2)}{s-3}$ ② $\dfrac{s(2s^2-s-2)}{s-3}$

③ $\dfrac{2(s^2+s+2)}{s-3}$ ④ $\dfrac{(2s^2+s+2)}{s-3}$

해설 $X_2(S) = SX_1(S)$

$X_3(S) = SX_1(S) + \dfrac{3}{S}X_3(S) + 2S \cdot SX_1(S) - 2X_1(S)$

$X_3(S) - \dfrac{3}{S}X_3(S) = 2S^2X_1(S) + SX_1(S) - 2X_1(S)$

$\left(\dfrac{S-3}{S}\right)X_3(S) = (2S^2 + S - 2)X_1(S)$

$\dfrac{X_3(S)}{X_1(S)} = \dfrac{2S^2 + S - 2}{\dfrac{S-3}{S}}$

$\dfrac{X_3(S)}{X_1(S)} = \dfrac{S(2S^2 + S - 2)}{S - 3}$

25 시간지정이 있는 특수한 시스템이 미분방정식 $\dfrac{d}{dt}y(t) + y(t) = x(t-T)$로 표시될 때 이 시스템의 전달함수는? [2013년 2회 기사 / 2017년 3회 산업기사]

① $e^{-1} + e$ ② $e^{-sT} + \dfrac{1}{s}$

③ $\dfrac{e^{-sT}}{s(s+1)}$ ④ $\dfrac{e^{-sT}}{s+1}$

해설
- 미분방정식 : $\dfrac{d}{dt}y(t) + y(t) = x(t-T)$
- 라플라스 변환 : $sY(s) + Y(s) = e^{-sT}X(s)$
- 전달함수 : $G(s) = \dfrac{Y(s)}{X(s)} = \dfrac{e^{-sT}}{s+1}$

26 그림과 같은 요소는 제어계의 어떤 요소인가? [2017년 3회 기사]

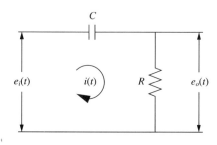

① 적분요소

② 미분요소

③ 1차 지연요소

④ 1차 지연 미분요소

해설	비례요소	미분요소	적분요소	1차 지연요소
	K	Ks	$\dfrac{K}{s}$	$\dfrac{K}{Ts+1}$

전달함수 $G(s) = \dfrac{RCs}{1+RCs} = \dfrac{Ts}{1+Ts}$, 1차 지연 미분요소

27 그림과 같은 회로의 출력전압 $e_o(t)$의 위상은 입력전압 $e_i(t)$의 위상보다 어떻게 되는가?

[2011년 1회 산업기사 / 2014년 1회 산업기사]

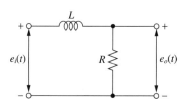

① 앞선다.

② 뒤진다.

③ 같다.

④ 앞설 수도 있고, 뒤질 수도 있다.

해설 **$R-L$ 직렬회로**

• 전류 $i = \dfrac{e_i}{R+j\omega L}$

• 전압 $e_o = iR = \dfrac{e_i}{R+j\omega L}R = \dfrac{R(R-j\omega L)e_i}{(R+j\omega L)(R-j\omega L)} = \dfrac{R}{R^2+(\omega L)^2}(R-j\omega L)e_i$

∴ e_o는 e_i보다 θ만큼 뒤진다.

28 그림과 같은 회로망은 어떤 보상기로 사용될 수 있는가?(단, $1 < R_1 C$인 경우로 한다)

[2013년 1회 기사]

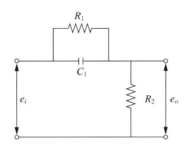

① 지연 보상기

② 지·진상 보상기

③ 지상 보상기

④ 진상 보상기

> **해설**
> • 적분회로(지상회로) : 콘덴서가 출력단에 위치한다.
> • 미분회로(진상회로) : 콘덴서가 입력단에 위치한다.

29 그림과 같은 스프링 시스템을 전기적 시스템으로 변환했을 때 이에 대응하는 회로는?

[2018년 2회 기사]

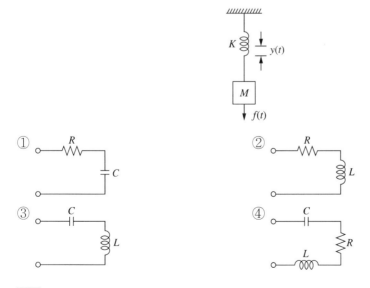

> **해설** 탄성은 정전용량, 질량은 인덕턴스, 마찰은 저항

15. 라플라스

(1) 정 의

$$\mathcal{L}[f(t)] = F(S) = \int_0^\infty f(t)e^{-st}dt$$

(2) 함수별 라플라스 변환

① 단위 계단함수(인디셜 함수)

단위 계단함수는 $u(t)$로 표시하며 크기가 1인 일정함수로 정의한다.

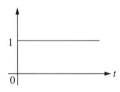

$f(t) = u(t) = 1$

$$\mathcal{L}[f(t)] = \mathcal{L}[u(t)] = \frac{1}{S}$$

② 단위 경사함수(단위 램프함수)$\left(t^n \xrightarrow{\mathcal{L}} \dfrac{n!}{s^{n+1}}\right)$

단위 경사함수는 t또는 $tu(t)$로 표시하며 기울기가 1인 1차 함수로 정의한다.

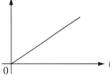

$f(t) = t$

$$\mathcal{L}[f(t)] = \mathcal{L}[u(t)] = \frac{1}{S^2}$$

$f(t)$	$F(S)$
t	$\dfrac{1}{S^2}$
t^2	$\dfrac{2}{S^3}$
t^3	$\dfrac{6}{S^4}$

③ 삼각함수

   ㉠ $\cos\omega t = \dfrac{S}{S^2 + \omega^2}$

   ㉡ $\sin\omega t = \dfrac{\omega}{S^2 + \omega^2}$

   ㉢ $\cosh\omega t = \dfrac{S}{S^2 - \omega^2}$

   ㉣ $\sinh\omega t = \dfrac{\omega}{S^2 - \omega^2}$

$f(t)$	$F(S)$
$\sin t$	$\dfrac{1}{S^2 + 1}$
$\sin t \cos t$	$\dfrac{1}{S^2 + 4}$
$\sin t + 2\cos t$	$\dfrac{2S + 1}{S^2 + 1}$
$t\sin\omega t$	$\dfrac{2\omega S}{(S^2 + \omega^2)^2}$
$\sin(\omega t + \theta)$	$\dfrac{\omega\cos\theta + S\sin\theta}{S^2 + \omega^2}$

④ 지수함수

   ㉠ $e^{at} = \dfrac{1}{S - a}$

   ㉡ $e^{-at} = \dfrac{1}{S + a}$

⑤ 단위 임펄스함수(하중함수 = 중량함수 = 단위 충격함수)

단위 임펄스함수는 $\delta(t)$로 표시하며 중량함수와 하중함수에 비례하여 충격에 의해 생기는 함수로 정의한다.

∴ $\mathcal{L}[f(t)] = \mathcal{L}[\delta(t)] = 1$

(3) 라플라스 정의

① 시간추이 정리

$$\mathcal{L}\left[f\left(t \pm T\right)\right] = F(S)\, e^{\pm\, TS}$$

$f(t)$	$F(S)$
te^{at}	$\dfrac{1}{(S-a)^2}$
te^{-at}	$\dfrac{1}{(S+a)^2}$
$t^2 e^{at}$	$\dfrac{2}{(S-a)^3}$
$t^2 e^{-at}$	$\dfrac{2}{(S+a)^3}$
$e^{at}\cos\omega t$	$\dfrac{S-a}{(S-a)^2+\omega^2}$
$e^{-at}\cos\omega t$	$\dfrac{S+a}{(S+a)^2+\omega^2}$
$e^{at}\sin\omega t$	$\dfrac{\omega}{(S-a)^2+\omega^2}$
$e^{-at}\sin\omega t$	$\dfrac{\omega}{(S+a)^2+\omega^2}$

② 초깃값 정리와 최종값 정리

㉠ 초깃값 정리

$$f(0_+) = \lim_{t \to 0} f(t) = \lim_{s \to \infty} s\,F(s)$$

㉡ 최종값 정리

$$\lim_{t \to \infty} f(t) = \lim_{s \to 0} s\,F(s)$$

③ 복소미분 정리

$$\mathcal{L}\left[t^n f(t)\right] = (-1)^n \frac{d^n}{ds^n} F(s)$$

핵 / 심 / 예 / 제

01 함수 $f(t)$의 라플라스 변환은 어떤 식으로 정의되는가? [2018년 1회 기사]

① $\displaystyle\int_0^\infty f(t)e^{st}dt$

② $\displaystyle\int_0^\infty f(t)e^{-st}dt$

③ $\displaystyle\int_0^\infty f(-t)e^{st}dt$

④ $\displaystyle\int_{-\infty}^\infty f(-t)e^{-st}dt$

해설 $\mathcal{L}[f(t)] = F(s) = \displaystyle\int_0^\infty f(t)e^{-st}dt$

02 그림과 같은 직류전압의 라플라스 변환을 구하면? [2016년 3회 기사]

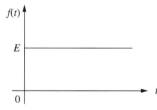

① $\dfrac{E}{s-1}$ 　　　　　　　　　② $\dfrac{E}{s+1}$

③ $\dfrac{E}{s}$ 　　　　　　　　　④ $\dfrac{E}{s^2}$

해설 $f(t) = Eu(t)$

$F(s) = \dfrac{E}{s}$

03 그림과 같은 구형파의 라플라스 변환은? [2017년 1회 기사]

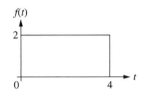

① $\dfrac{2}{s}(1-e^{4s})$

② $\dfrac{2}{s}(1-e^{-4s})$

③ $\dfrac{4}{s}(1-e^{4s})$

④ $\dfrac{4}{s}(1-e^{-4s})$

해설 $f(t)=2u(t)-2u(t-4)$

$F(s)=\dfrac{2}{s}-\dfrac{2}{s}e^{-4s}=\dfrac{2}{s}(1-e^{-4s})$

04 $\mathcal{L}\,[u(t-a)]$는 어느 것인가? [2018년 2회 산업기사]

① $\dfrac{e^{as}}{s^2}$

② $\dfrac{e^{-as}}{s^2}$

③ $\dfrac{e^{as}}{s}$

④ $\dfrac{e^{-as}}{s}$

해설 **라플라스 변환**

$\mathcal{L}\,[u(t-a)]=\dfrac{1}{s}e^{-as}$

03 ② 04 ④ **정답**

05 그림과 같이 높이가 1인 펄스의 라플라스 변환은? [2016년 2회 산업기사]

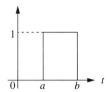

① $\dfrac{1}{s}\left(e^{-as}+e^{-bs}\right)$

② $\dfrac{1}{a-b}\left(\dfrac{e^{-as}+e^{-bs}}{1}\right)$

③ $\dfrac{1}{s}\left(e^{-as}-e^{-bs}\right)$

④ $\dfrac{1}{a-b}\left(\dfrac{e^{-as}-e^{-bs}}{s}\right)$

해설　$f(t)=u(t-a)-u(t-b)$

$F(s)=\dfrac{1}{s}e^{-as}-\dfrac{1}{s}e^{-bs}=\dfrac{1}{s}\left(e^{-as}-e^{-bs}\right)$

06 $f(t)=u(t-a)-u(t-b)$ 의 라플라스 변환은? [2015년 1회 산업기사 / 2016년 2회 기사]

① $\dfrac{1}{s}\left(e^{-as}-e^{-bs}\right)$

② $\dfrac{1}{s}\left(e^{as}+e^{bs}\right)$

③ $\dfrac{1}{s^2}\left(e^{-as}-e^{-bs}\right)$

④ $\dfrac{1}{s^2}\left(e^{as}+e^{bs}\right)$

해설　**라플라스 변환(구형파)**

$f(t)=u(t-a)-u(t-b)$에서 $F(s)=\dfrac{1}{s}\left(e^{-as}-e^{-bs}\right)$

07 그림과 같은 함수의 라플라스 변환은?　　　　　　　　　　[2021년 2회 기사]

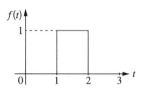

① $\dfrac{1}{s}(e^s - e^{2s})$

② $\dfrac{1}{s}(e^{-s} - e^{-2s})$

③ $\dfrac{1}{s}(e^{-2s} - e^{-s})$

④ $\dfrac{1}{s}(e^{-s} + e^{-2s})$

해설　$f(t) = u(t-1) - u(t-2)$

$\qquad = \dfrac{1}{s}e^{-s} - \dfrac{1}{s}e^{-2s}$

$\qquad = \dfrac{1}{s}(e^{-s} - e^{-2s})$

08 다음과 같은 파형 $v(t)$를 단위 계단함수로 표시하면 어떻게 되는가?　　　[2016년 2회 산업기사]

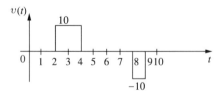

① $10u(t-2) + 10u(t-4) + 10u(t-8) + 10u(t-9)$

② $10u(t-2) - 10u(t-4) - 10u(t-8) - 10u(t-9)$

③ $10u(t-2) - 10u(t-4) + 10u(t-8) - 10u(t-9)$

④ $10u(t-2) - 10u(t-4) - 10u(t-8) + 10u(t-9)$

해설　$f(t) = 10u(t-2) - 10u(t-4) - 10u(t-8) + 10u(t-9)$

07 ②　08 ④　정답

09 단위 임펄스 $\delta(t)$의 라플라스 변환은?

① e^{-s}

② $\dfrac{1}{s}$

③ $\dfrac{1}{s^2}$

④ 1

해설

$\delta(t) \xrightarrow{\mathcal{L}} 1$, $u(t) \xrightarrow{\mathcal{L}} \dfrac{1}{s}$, $t \xrightarrow{\mathcal{L}} \dfrac{1}{s^2}$

10 $f(t) = \delta(t-T)$의 라플라스변환 $F(s)$는?

① e^{Ts}

② e^{-Ts}

③ $\dfrac{1}{s}e^{Ts}$

④ $\dfrac{1}{s}e^{-Ts}$

해설

$u(t-a) \xrightarrow{\mathcal{L}} \dfrac{1}{s}e^{-as}$

$\delta(t-T) \xrightarrow{\mathcal{L}} e^{-Ts}$

11 콘덴서 $C[\mathrm{F}]$에서 단위 임펄스의 전류원을 접속하여 동작시키면 콘덴서의 전압 $V_c(t)$는?(단, $u(t)$는 단위계단 함수이다)

① $V_c(t) = C$

② $V_c(t) = Cu(t)$

③ $V_c(t) = \dfrac{1}{C}$

④ $V_c(t) = \dfrac{1}{C}u(t)$

해설

$v = i \cdot Z = \delta(t) \cdot \dfrac{1}{c}u(t)$

$v(t) = \dfrac{1}{c}u(t)$

※ $u(t)$는 보조함수이다.

12 그림과 같은 커패시터 C 의 초기 전압이 $V(0)$ 일 때 라플라스 변환에 의하여 s 함수로 표시된
등가회로로 옳은 것은? [2016년 3회 산업기사]

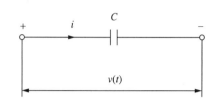

① $\dfrac{1}{Cs}$ $V(0)$

② $\dfrac{1}{Cs}$ $\dfrac{V(0)}{s}$

③ $V(0)$ $\dfrac{1}{Cs}$

④ $\dfrac{V(0)}{s}$ $\dfrac{1}{Cs}$

해설 $V(t) = \dfrac{1}{C} \int i(t)dt, \ V(s) = \dfrac{1}{Cs}I(s) + \dfrac{1}{Cs}i^{-1}(0)$

$i^{-1}(0)$ 은 초기 충전전하이므로 $Q_0 = CV(0)$

$\therefore V(s) = \dfrac{1}{Cs}I(s) + \dfrac{V(0)}{s}$

※ 편 법

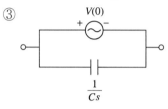

C → $\dfrac{1}{sC}$ L → sL R → R

$V(t)$는 상수 $\dfrac{V(0)}{s}$

13 $f(t) = t^n$ 의 라플라스 변환식은? [2020년 4회 기사]

① $\dfrac{n}{s^n}$

② $\dfrac{n+1}{s^{n+1}}$

③ $\dfrac{n!}{s^{n+1}}$

④ $\dfrac{n+1}{s^{n!}}$

해설 $t^n \rightarrow \dfrac{n!}{s^{n+1}}$

14 다음 파형의 라플라스 변환은? [2013년 1회 기사 / 2015년 2회 기사]

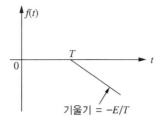

① $\dfrac{E}{Ts}e^{-Ts}$

② $-\dfrac{E}{Ts}e^{-Ts}$

③ $-\dfrac{E}{Ts^2}e^{-Ts}$

④ $\dfrac{E}{Ts^2}e^{-Ts}$

해설
라플라스 변환$\left(\text{기울기가 }-\dfrac{E}{T}\text{인 램프함수}\right)$

$f(t)=-\dfrac{E}{T}(t-T)u(t-T)$에서 $F(s)=-\dfrac{E}{T}\dfrac{1}{s^2}e^{-Ts}$

15 그림과 같은 파형의 Laplace 변환은? [2018년 3회 기사]

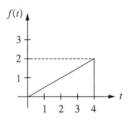

① $\dfrac{1}{2s^2}(1-e^{-4s}-se^{-4s})$

② $\dfrac{1}{2s^2}(1-e^{-4s}-4e^{-4s})$

③ $\dfrac{1}{2s^2}(1-se^{-4s}-4e^{-4s})$

④ $\dfrac{1}{2s^2}(1-e^{-4s}-4se^{-4s})$

해설
라플라스 변환(톱니파함수)

$f(t)=\dfrac{E}{T}tu(t)-Eu(t-T)-\dfrac{E}{T}(t-T)u(t-T)$에서

$F(s)=\dfrac{E}{T}\dfrac{1}{s^2}-E\dfrac{e^{-Ts}}{s}-\dfrac{E}{T}\dfrac{e^{-Ts}}{s^2}$

$=\dfrac{E}{Ts^2}(1-e^{-Ts}-Tse^{-Ts})=\dfrac{1}{2s^2}(1-e^{-4s}-4se^{-4s})$

16 그림과 같은 파형의 라플라스 변환은?   [2021년 3회 기사]

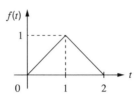

① $\dfrac{1}{s^2}(1-2e^s)$

② $\dfrac{1}{s^2}(1-2e^{-s})$

③ $\dfrac{1}{s^2}(1-2e^s+e^{2s})$

④ $\dfrac{1}{s^2}(1-2e^{-s}+e^{-2s})$

해설

$$F(s)=\int_0^1 te^{-st}dt+\int_1^2 (2-t)e^{-st}dt$$

$$=\left[t\cdot\frac{e^{-st}}{-s}\right]_0^1+\frac{1}{s}\int_0^1 e^{-st}dt+\left[(2-t)\cdot\frac{e^{-st}}{-s}\right]_1^2-\frac{1}{s}\int_1^2 e^{-st}dt$$

$$=-\frac{1}{s}e^{-s}-\frac{1}{s^2}e^{-s}+\frac{1}{s^2}+\frac{1}{s}e^{-s}+\frac{1}{s^2}e^{-2s}-\frac{1}{s^2}e^{-s}$$

$$=\frac{1}{s^2}(1-2e^{-s}+e^{-2s})$$

17 $f(t)=\sin t+2\cos t$ 를 라플라스 변환하면?   [2020년 1, 2회 산업기사]

① $\dfrac{2s}{s^2+1}$ ② $\dfrac{2s+1}{(s+1)^2}$

③ $\dfrac{2s+1}{s^2+1}$ ④ $\dfrac{2s}{(s+1)^2}$

해설

$$\frac{1}{s^2+1^2}+\frac{2s}{s^2+1^2}=\frac{2s+1}{s^2+1}$$

18 $f(t) = \sin t \cos t$ 를 라플라스 변환하면? [2012년 3회 산업기사 / 2014년 2회 기사 / 2015년 1회 기사]

① $\dfrac{1}{s^2+2}$

② $\dfrac{1}{s^2+4}$

③ $\dfrac{1}{(s+2)^2}$

④ $\dfrac{1}{(s+4)^2}$

해설 라플라스 변환(삼각함수)

$f(t) = \dfrac{1}{2}(\sin 2t)$ 에서 $F(s) = \dfrac{1}{2} \cdot \dfrac{2}{s^2+4} = \dfrac{1}{s^2+4}$

여기서, $\cos t \cdot \sin t = \dfrac{1}{2}(\sin 2t)$

19 $f(t) = \dfrac{d}{dt}\cos\omega t$ 를 라플라스 변환하면? [2016년 3회 산업기사]

① $\dfrac{\omega^2}{s^2+\omega^2}$

② $\dfrac{-s^2}{s^2+\omega^2}$

③ $\dfrac{s}{s^2+\omega^2}$

④ $\dfrac{-\omega^2}{s^2+\omega^2}$

해설 $\mathcal{L}[-\omega\sin\omega t] = \dfrac{-\omega \times \omega}{s^2+\omega^2} = \dfrac{-\omega^2}{s^2+\omega^2}$

20 $f(t) = e^{at}$ 의 라플라스 변환은? [2019년 2회 산업기사]

① $\dfrac{1}{s-a}$

② $\dfrac{1}{s+a}$

③ $\dfrac{1}{s^2-a^2}$

④ $\dfrac{1}{s^2+a^2}$

해설 $e^{at} \xrightarrow{\mathcal{L}} \dfrac{1}{s-a}$

정답 18 ② 19 ④ 20 ①

21 $e^{j\omega t}$의 라플라스 변환은? [2013년 2회 산업기사 / 2019년 2회 기사]

① $\dfrac{1}{s-j\omega}$

② $\dfrac{1}{s+j\omega}$

③ $\dfrac{1}{s^2+\omega^2}$

④ $\dfrac{\omega}{s^2+\omega^2}$

해설 **라플라스 변환(지수함수)**

$f(t)=e^{at}$에서 $F(s)=\dfrac{1}{s-j\omega}$, 기호에 주의한다.

22 $f(t)=3u(t)+2e^{-t}$인 시간함수를 라플라스 변환한 것은? [2018년 1회 산업기사]

① $\dfrac{3s}{s^2+1}$

② $\dfrac{s+3}{s(s+1)}$

③ $\dfrac{5s+3}{s(s+1)}$

④ $\dfrac{5s+1}{(s+1)s^2}$

해설 $f(t)=3u(t)+2e^{-t}$

$\xrightarrow{\mathcal{L}} \dfrac{3}{s}+\dfrac{2}{s+1}$

$=\dfrac{3s+3+2s}{s(s+1)}=\dfrac{5s+3}{s(s+1)}$

21 ① 22 ③ 정답

23 회로에서 $t = 0$초에 전압 $v_1(t) = e^{-4t}$[V]를 인가하였을 때 $v_2(t)$는 몇 [V]인가?(단, $R = 2$ [Ω], $L = 1$[H]이다)

[2021년 3회 기사]

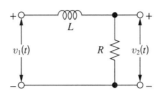

① $e^{-2t} - e^{-4t}$

② $2e^{-2t} - 2e^{-4t}$

③ $-2e^{-2t} + 2e^{-4t}$

④ $-2e^{-2t} - 2e^{-4t}$

해설

$$G(s) = \frac{V_2(s)}{V_1(s)} = \frac{R}{sL + R} = \frac{2}{s+2}$$

$$V_2(s) = \frac{2}{s+2} V_1(s) = \frac{2}{s+2} \times \frac{1}{s+4} = \frac{2}{(s+2)(s+4)}$$

$$\frac{k_1}{s+2} + \frac{k_2}{s+4}$$

$$k_1 = \frac{2}{s+4}\bigg|_{s=-2} = 1$$

$$k_2 = \frac{2}{s+2}\bigg|_{s=-4} = -1$$

$$\frac{1}{s+2} - \frac{1}{s+4}$$

$$\therefore \ e^{-2t} - e^{-4t}$$

24 어느 회로망의 응답 $h(t) = (e^{-t} + 2e^{-2t})u(t)$의 라플라스 변환은?

[2018년 1회 산업기사]

① $\dfrac{3s+4}{(s+1)(s+2)}$

② $\dfrac{3s}{(s-1)(s-2)}$

③ $\dfrac{3s+2}{(s+1)(s+2)}$

④ $\dfrac{-s-4}{(s-1)(s-2)}$

해설

$$h(t) = (e^{-t} + 2e^{-2t})u(t)$$

$$\xrightarrow{\mathcal{L}} \frac{1}{s+1} + \frac{2}{s+2}$$

$$= \frac{s+2+2s+2}{(s+1)(s+2)} = \frac{3s+4}{(s+1)(s+2)}$$

25 $f(t) = e^{-t} + 3t^2 + 3\cos 2t + 5$ 의 라플라스 변환식은? [2019년 2회 산업기사]

① $\dfrac{1}{s+1} + \dfrac{6}{s^2} + \dfrac{3s}{s^2+5} + \dfrac{5}{s}$

② $\dfrac{1}{s+1} + \dfrac{6}{s^3} + \dfrac{3s}{s^2+4} + \dfrac{5}{s}$

③ $\dfrac{1}{s+1} + \dfrac{5}{s^2} + \dfrac{3s}{s^2+5} + \dfrac{4}{s}$

④ $\dfrac{1}{s+1} + \dfrac{5}{s^3} + \dfrac{2s}{s^2+4} + \dfrac{4}{s}$

해설 $F(s) = \dfrac{1}{s+1} + \dfrac{6}{s^3} + \dfrac{3s}{s^2+4} + \dfrac{5}{s}$

26 $e^{-at}\cos \omega t$ 의 라플라스 변환은? [2013년 3회 산업기사]

① $\dfrac{s-a}{(s-a)^2 + \omega^2}$

② $\dfrac{s+a}{(s+a)^2 + \omega^2}$

③ $\dfrac{s+a}{(s^2 + \omega^2)^2}$

④ $\dfrac{s-a}{(s^2 - \omega^2)^2}$

해설 **라플라스 변환(복소추이 정리)**

$f(t) = e^{-at}\cos \omega t$ 에서

$F(s) = \mathcal{L}\left[\cos \omega t\right]_{s = s+a} = \left[\dfrac{s}{s^2 + \omega^2}\right]_{s = s+a}$

$\therefore F(s) = \dfrac{s+a}{(s+a)^2 + \omega^2}$

27 $f(t) = t^2 e^{-\alpha t}$ 를 라플라스 변환하면? [2020년 1, 2회 기사]

① $\dfrac{2}{(s+\alpha)^2}$

② $\dfrac{3}{(s+\alpha)^2}$

③ $\dfrac{2}{(s+\alpha)^3}$

④ $\dfrac{3}{(s+\alpha)^3}$

해설 $F(s) = \dfrac{2}{s^3}\bigg|_{s = s+\alpha}$

$= \dfrac{2}{(s+\alpha)^3}$

28 $f(t)$와 $\dfrac{df}{dt}$ 는 라플라스 변환이 가능하며 $\mathscr{L}\,[f(t)]$ 를 $F(s)$ 라고 할 때 최종값 정리는?

[2014년 3회 기사]

① $\lim\limits_{s \to 0} F(s)$

② $\lim\limits_{s \to \infty} s\,F(s)$

③ $\lim\limits_{s \to \infty} F(s)$

④ $\lim\limits_{s \to 0} s\,F(s)$

해설

구 분	초깃값 정리	최종값 정리
z변환	$x(0) = \lim\limits_{z \to \infty} X(z)$	$x(\infty) = \lim\limits_{z \to 1}\left(1 - \dfrac{1}{z}\right)X(z)$
라플라스 변환	$x(0) = \lim\limits_{s \to \infty} s X(s)$	$x(\infty) = \lim\limits_{s \to 0} s X(s)$

29 다음과 같은 전류의 초깃값 $i(0_+)$은?

[2013년 3회 기사]

$$I(s) = \frac{12}{2s(s+6)}$$

① 6

② 2

③ 1

④ 0

해설

구 분	초깃값 정리	최종값 정리
라플라스 변환	$x(0) = \lim\limits_{s \to \infty} s X(s)$	$x(\infty) = \lim\limits_{s \to 0} s X(s)$

$\therefore\ \lim\limits_{s \to \infty} s I(s) = \lim\limits_{s \to \infty} s \cdot \dfrac{12}{2s(s+6)} = \lim\limits_{s \to \infty} \dfrac{12}{2(s+6)} = 0$

30 다음과 같은 전류의 초깃값 $i(0^+)$를 구하면?　　　　　　　[2019년 1회 산업기사]

$$I(s) = \frac{12(s+8)}{4s(s+6)}$$

① 1　　　　　　　　　　　　　② 2
③ 3　　　　　　　　　　　　　④ 4

해설　$\lim_{s \to \infty} s \cdot \frac{12(s+8)}{4s(s+6)} = \lim_{s \to \infty} \frac{12s+96}{4s+24}$

$\lim_{s \to \infty} \frac{12 + \dfrac{96}{s}}{4 + \dfrac{24}{s}} = 3$

31　$\mathcal{L}[f(t)] = F(s) = \dfrac{5s+8}{5s^2+4s}$ 일 때, $f(t)$의 최종값 $f(\infty)$는?　　　[2019년 3회 산업기사]

① 1　　　　　　　　　　　　　② 2
③ 3　　　　　　　　　　　　　④ 4

해설　최종값 $\lim_{s \to 0} s \cdot \frac{5s+8}{5s^2+4s} = \lim_{s \to 0} \frac{5s+8}{5s+4} = \frac{8}{4} = 2$

32　$F(s) = \dfrac{2s+15}{s^3+s^2+3s}$ 일 때 $f(t)$의 최종값은?　　　[2015년 2회 기사 / 2019년 1회 기사]

① 15　　　　　　　　　　　　② 5
③ 3　　　　　　　　　　　　　④ 2

해설　$f(\infty) = \lim_{s \to 0} sF(s) = \lim_{s \to 0} s \frac{2s+15}{s^3+s^2+3s} = \lim_{s \to 0} \frac{2s+15}{s^2+s+3} = 5$

33 어떤 제어계의 출력이 $C(s) = \dfrac{5}{s(s^2 + s + 2)}$ 로 주어질 때 출력의 시간함수 $C(t)$의 정상값은?

[2014년 2회 산업기사 / 2018년 3회 산업기사]

① 5   ② 2

③ $\dfrac{2}{5}$ ④ $\dfrac{5}{2}$

해설

구 분	초깃값 정리	최종값 정리
라플라스 변환	$x(0) = \lim\limits_{s \to \infty} sX(s)$	$x(\infty) = \lim\limits_{s \to 0} sX(s)$

$$\therefore \lim_{s \to 0} sC(s) = \lim_{s \to 0} s \frac{5}{s(s^2 + s + 2)} = \lim_{s \to 0} \frac{5}{(s^2 + s + 2)} = \frac{5}{2}$$

34 $F(s) = \dfrac{5s + 3}{s(s + 1)}$ 일 때 $f(t)$의 정상값은?   [2016년 1회 기사 / 2017년 2회 산업기사]

① 5   ② 3

③ 1   ④ 0

해설

$$\lim_{s \to 0} sF(s) = \lim_{s \to 0} s \frac{5s + 3}{s(s + 1)} = 3$$

35 $e_i(t) = Ri(t) + L\dfrac{di}{dt}(t) + \dfrac{1}{C}\displaystyle\int i(t)dt$ 에서 모든 초깃값을 0으로 하고 라플라스 변환할 때 $I(s)$는?(단, $I(s)$, $E_i(s)$는 $i(t)$, $e_i(t)$의 라플라스 변환이다)

[2015년 2회 산업기사 / 2020년 3회 산업기사]

① $\dfrac{Cs}{LCs^2 + RCs + 1}E_i(s)$ ② $\dfrac{1}{R + Ls + \dfrac{s}{C}}E_i(s)$

③ $\dfrac{1}{R + Ls + Cs^2}E_i(s)$ ④ $\left(R + Ls + \dfrac{1}{Cs}\right)E_i(s)$

해설 $R - L - C$ 직렬회로

- 회로방정식 $E_i(s) = \left(R + Ls + \dfrac{1}{Cs}\right)I(s)$

- 전류 $I(s) = \dfrac{1 \times sC}{\left(R + Ls + \dfrac{1}{Cs}\right) \times sC}E_i(s) = \dfrac{Cs}{(CLs^2 + RCs + 1)}E_i(s)$

정답 33 ④   34 ②   35 ①

제1장 회로이론 / 273

36 RC직렬회로에 직류전압 V[V]가 인가되었을 때, 전류 $i(t)$에 대한 전압방정식(KVL)이 $V = Ri(t) + \dfrac{1}{C}\int i(t)dt$[V]이다. 전류 $i(t)$의 라플라스 변환인 $I(s)$는?(단, C에는 초기 전하가 없다)

[2020년 3회 기사]

① $I(s) = \dfrac{V}{R} \dfrac{1}{s - \dfrac{1}{RC}}$

② $I(s) = \dfrac{C}{R} \dfrac{1}{s + \dfrac{1}{RC}}$

③ $I(s) = \dfrac{V}{R} \dfrac{1}{s + \dfrac{1}{RC}}$

④ $I(s) = \dfrac{R}{C} \dfrac{1}{s - \dfrac{1}{RC}}$

해설
$$\frac{V}{s} = RI(s) + \frac{1}{sC}I(s)$$
$$\frac{V}{s} = \left(R + \frac{1}{sC}\right)I(s)$$
$$I(s) = \frac{V}{s\left(R + \dfrac{1}{sC}\right)} = \frac{V \times \dfrac{1}{R}}{\left(sR + \dfrac{1}{C}\right) \times \dfrac{1}{R}} = \frac{V}{R} \frac{1}{s + \dfrac{1}{RC}}$$

37 $\dfrac{1}{s+3}$을 역라플라스 변환하면?

[2016년 1회 산업기사]

① e^{3t}

② e^{-3t}

③ $e^{\frac{t}{3}}$

④ $e^{-\frac{t}{3}}$

해설
$$f(t) = \mathcal{L}^{-1}\left[\frac{1}{s+3}\right] = e^{-3t}$$

38 라플라스 함수 $F(s) = \dfrac{A}{\alpha + s}$ 이라 하면 이의 라플라스 역변환은?

[2013년 2회 산업기사 / 2020년 3회 산업기사]

① αe^{At}

② $A e^{\alpha t}$

③ αe^{-At}

④ $A e^{-\alpha t}$

> **해설** 역라플라스 변환(복소추이 정리)
>
> $$F(s) = \frac{A}{\alpha + s} = \frac{A}{s + \alpha}$$
>
> $$\xrightarrow{\mathcal{L}^{-1}} \quad f(t) = A e^{-\alpha t}$$

39 $F(s) = \dfrac{1}{s(s+a)}$ 의 라플라스 역변환은?

[2018년 2회 기사]

① e^{-at}

② $1 - e^{-at}$

③ $a(1 - e^{-at})$

④ $\dfrac{1}{a}(1 - e^{-at})$

> **해설**
>
> $$\frac{k_1}{s} + \frac{k_2}{s+a} = \frac{1}{a}\frac{1}{s} - \frac{1}{a}\frac{1}{s+a} = \frac{1}{a}(1 - e^{-at})$$
>
> 여기서, $k_1 = \lim_{s \to 0} \dfrac{1}{s+a} = \dfrac{1}{a}$
>
> $k_2 = \lim_{s \to -a} \dfrac{1}{s} = -\dfrac{1}{a}$

40 다음 함수 $F(s) = \dfrac{5s+3}{s(s+1)}$ 의 역라플라스 변환은?

[2017년 3회 산업기사]

① $2 + 3e^{-t}$

② $3 + 2e^{-t}$

③ $3 - 2e^{-t}$

④ $2 - 3e^{-t}$

> **해설**
>
> $$F(s) = \frac{5s+3}{s(s+1)} = \frac{k_1}{s} + \frac{k_2}{s+1}$$
>
> 여기서, $k_1 = \dfrac{5s+3}{s+1}\bigg|_{s=0} = 3$
>
> $k_2 = \dfrac{5s+3}{s}\bigg|_{s=-1} = 2$
>
> $\therefore F(s) = 3\dfrac{1}{s} + 2\dfrac{1}{s+1}$ 에서 $f(t) = 3 + 2e^{-t}$

정답 38 ④ 39 ④ 40 ②

41 $F(s) = \dfrac{2}{(s+1)(s+3)}$ 의 역라플라스 변환은? [2019년 2회 산업기사]

① $e^{-t} - e^{-3t}$

② $e^{-t} - e^{3t}$

③ $e^{t} - e^{3t}$

④ $e^{t} - e^{-3t}$

해설 $\dfrac{K_1}{s+1} + \dfrac{K_2}{s+3} = \dfrac{1}{s+1} - \dfrac{1}{s+3}$ 에서 $\mathcal{L}^{-1}\left[\dfrac{1}{s+1} - \dfrac{1}{s+3}\right] = e^{-t} - e^{-3t}$

여기서, $K_1 = \displaystyle\lim_{s \to -1} \dfrac{2}{s+3} = 1$

$K_2 = \displaystyle\lim_{s \to -3} \dfrac{2}{s+1} = -1$

42 $F(s) = \dfrac{s+1}{s^2+2s}$ 의 역라플라스 변환은? [2017년 1회 산업기사 / 2017년 2회 기사]

① $\dfrac{1}{2}(1 - e^{-t})$

② $\dfrac{1}{2}(1 - e^{-2t})$

③ $\dfrac{1}{2}(1 + e^{t})$

④ $\dfrac{1}{2}(1 + e^{-2t})$

해설 $\dfrac{s+1}{s^2+2s} = \dfrac{s+1}{s(s+2)} = \dfrac{k_1}{s} + \dfrac{k_2}{s+2} = \dfrac{1}{2}\dfrac{1}{s} + \dfrac{1}{2}\dfrac{1}{s+2} = \dfrac{1}{2} + \dfrac{1}{2}e^{-2t} = \dfrac{1}{2}(1 + e^{-2t})$

여기서, $k_1 = \dfrac{s+1}{s+2}\bigg|_{s=0} = \dfrac{1}{2}$, $k_2 = \dfrac{s+1}{s}\bigg|_{s=-2} = \dfrac{1}{2}$

43 $F(s) = \dfrac{2s^2 + s - 3}{s(s^2 + 4s + 3)}$ 의 라플라스 역변환은?

[2021년 1회 기사]

① $1 - e^{-t} + 2e^{-3t}$ ② $1 - e^{-t} - 2e^{-3t}$

③ $-1 - e^{-t} - 2e^{-3t}$ ④ $-1 + e^{-t} + 2e^{-3t}$

해설

$$F(s) = \frac{2s^2 + s - 3}{s(s+3)(s+1)} = \frac{k_1}{s} + \frac{k_2}{s+3} + \frac{k_3}{s+1}$$

여기서, $k_1 = \dfrac{2s^2 + s - 3}{(s+3)(s+1)}\bigg|_{s=0} = -1$

$$k_2 = \frac{2s^2 + s - 3}{s(s+1)}\bigg|_{s=-3} = 2$$

$$k_3 = \frac{2s^2 + s - 3}{s(s+3)}\bigg|_{s=-1} = 1$$

$\therefore F(s) = \dfrac{-1}{s} + \dfrac{2}{s+3} + \dfrac{1}{s+1}$ 에서

$$-1 + 2e^{-3t} + e^{-t}$$

44 $f(t) = \mathcal{L}^{-1}\left[\dfrac{s^2 + 3s + 2}{s^2 + 2s + 5}\right]$ 는?

[2022년 2회 기사]

① $\delta(t) + e^{-t}(\cos 2t - \sin 2t)$

② $\delta(t) + e^{-t}(\cos 2t + 2\sin 2t)$

③ $\delta(t) + e^{-t}(\cos 2t - 2\sin 2t)$

④ $\delta(t) + e^{-t}(\cos 2t + \sin 2t)$

해설

$$\frac{s^2 + 3s + 2}{s^2 + 2s + 5} = \frac{s^2 + 2s + 5}{s^2 + 2s + 5} + \frac{s - 3}{s^2 + 2s + 5}$$

$$= 1 + \frac{s+1}{(s+1)^2 + 2^2} - \frac{4}{(s+1)^2 + 2^2}$$

$$= 1 + \frac{s+1}{(s+1)^2 + 2^2} - 2 \times \frac{2}{(s+1)^2 + 2^2}$$

이므로

$$\mathcal{L}^{-1}\left[\frac{s^2 + 3s + 2}{s^2 + 2s + 5}\right] = \mathcal{L}^{-1}\left[1 + \frac{s+1}{(s+1)^2 + 2^2} - 2 \times \frac{2}{(s+1)^2 + 2^2}\right]$$

$\therefore \delta(t) + e^{-t}\cos 2t - e^{-t}2\sin 2t = \delta(t) + e^{-t}(\cos 2t - 2\sin 2t)$

45 $\mathcal{L}^{-1}\left[\dfrac{s}{(s+1)^2}\right]$ 는? [2016년 3회 기사]

① $e^t - te^{-t}$ ② $e^{-t} - te^{-t}$

③ $e^{-t} + te^{-t}$ ④ $e^{-t} + 2te^{-t}$

해설 $\dfrac{s+1}{(s+1)^2} - \dfrac{1}{(s+1)^2} \xrightarrow{\mathcal{L}^{-1}} e^{-t} - te^{-t}$

46 $\dfrac{1}{s^2 + 2s + 5}$ 의 라플라스 역변환값은? [2018년 2회 산업기사]

① $e^{-2t}\cos 2t$ ② $\dfrac{1}{2}e^{-t}\sin t$

③ $\dfrac{1}{2}e^{-t}\sin 2t$ ④ $\dfrac{1}{2}e^{-t}\cos 2t$

해설 $\dfrac{1}{(s+1)^2 + 2^2} = \dfrac{1}{2}\dfrac{2}{(s+1)^2 + 2^2} = \dfrac{1}{2}\sin 2t\, e^{-t}$

47 $F(s) = \dfrac{2(s+1)}{s^2 + 2s + 5}$ 의 시간함수 $f(t)$ 는 어느 것인가? [2018년 1회 산업기사]

① $2e^t\cos 2t$ ② $2e^t\sin 2t$

③ $2e^{-t}\cos 2t$ ④ $2e^{-t}\sin 2t$

해설 $F(s) = \dfrac{2(s+1)}{s^2 + 2s + 5}$

$= \dfrac{2(s+1)}{(s+1)^2 + 2^2} \xrightarrow{\mathcal{L}^{-1}} 2e^{-t}\cos 2t$

48 $\dfrac{s\,\sin\theta + \omega\,\cos\theta}{s^2 + \omega^2}$ 의 역라플라스 변환을 구하면 어떻게 되는가?

[2012년 1회 산업기사 / 2018년 3회 산업기사]

① $\sin(\omega t - \theta)$ ② $\sin(\omega t + \theta)$

③ $\cos(\omega t - \theta)$ ④ $\cos(\omega t + \theta)$

해설   역라플라스 변환(삼각함수)

$$F(s) = \frac{s\,\sin\theta + \omega\,\cos\theta}{s^2 + \omega^2} = \frac{s}{s^2 + \omega^2}\sin\theta + \frac{\omega}{s^2 + \omega^2}\cos\theta$$

$$\xrightarrow{\mathcal{L}^{-1}} f(t) = \cos\omega t \sin\theta + \sin\omega t \cos\theta = \sin(\omega t + \theta)$$

49 $\mathcal{L}^{-1}\left[\dfrac{\omega}{s(s^2 + \omega^2)}\right]$ 은?

[2017년 1회 산업기사]

① $\dfrac{1}{\omega}(1 - \sin\omega t)$ ② $\dfrac{1}{\omega}(1 - \cos\omega t)$

③ $\dfrac{1}{s}(1 - \sin\omega t)$ ④ $\dfrac{1}{s}(1 - \cos\omega t)$

해설

$$\frac{1}{\omega} - \frac{1}{\omega}\cos\omega t = \frac{1 - \cos\omega t}{\omega} = \frac{\dfrac{1}{s} - \dfrac{s}{s^2 + \omega^2}}{\omega} = \frac{\dfrac{s^2 + \omega^2 - s^2}{s(s^2 + \omega^2)}}{\omega} = \frac{\omega}{s(s^2 + \omega^2)}$$

※ 답을 문제로 하여 거꾸로 푼다.

50 $F(s) = \dfrac{s}{s^2 + \pi^2}\cdot e^{-2s}$ 함수를 시간추이 정리에 의해서 역변환하면?

[2012년 1회 산업기사 / 2019년 1회 산업기사]

① $\sin\pi(t - 2)\cdot u(t - 2)$ ② $\sin\pi(t + a)\cdot u(t + a)$

③ $\cos\pi(t - 2)\cdot u(t - 2)$ ④ $\cos\pi(t + a)\cdot u(t + a)$

해설   역라플라스 변환(시간추이 정리)

$$\boxed{\mathcal{L}[f(t \pm a)] = F(s)e^{\pm as}}$$

$$F(s) = \frac{s}{s^2 + \pi^2}\cdot e^{-2s}$$

$$\xrightarrow{\mathcal{L}^{-1}} f(t) = \cos\pi(t - 2)\cdot u(t - 2)$$

제어공학

1. 자동제어계

(1) 폐회로 제어계의 구성

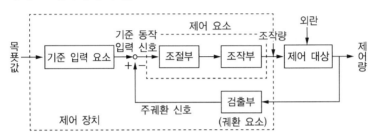

(2) 자동제어계의 분류

① 제어량의 종류에 따른 분류

  ㉠ 서보기구 : 물체의 위치, 방위, 자세 등의 기계적인 변위를 제어량으로 하는 제어계

    예 비행기, 선박 방향제어계, 추적용 레이더, 자동평형기록계

  ㉡ 프로세서제어 : 온도, 유량, 압력, 밀도, 액위, 농도 등의 공업용 프로세서의 상태량을 제어량으로 하는 제어계

  ㉢ 자동조정 : 전압, 전류, 속도, 주파수 등을 제어량으로 하는 것

    예 발전기의 조속기제어, 정전압 장치

② 제어량의 성질에 따른 분류

  ㉠ 정치제어 : 목푯값이 시간에 대하여 변화하지 않는 제어로서 프로세스제어 또는 자동조정이 이에 속한다.

  ㉡ 추치제어

    • 프로그램제어 : 미리 정해진 프로그램에 따라 제어량을 변화시키는 것을 목적

      예 열차의 무인운전, 엘리베이터

    • 추종제어 : 미지의 임의의 시간적 변화를 하는 목푯값에 제어량을 추종시키는 것을 목적

      예 대공포의 포신제어, 자동아날로그 선반 등

    • 비율제어 : 목푯값이 다른 양과 일정한 비율관계를 가지고 변화하는 경우의 제어

      예 보일러 자동연소제어, 암모니아 합성프로세스제어

③ 조절부동작에 따른 분류

    ㉠ ON-OFF동작 : 사이클링(Cycling), 오프셋(잔류편차)을 일으킨다. 불연속 제어

    ㉡ 비례동작(P동작) : 사이클링은 없으나 오프셋(잔류편차)을 일으킨다.

    ㉢ 적분동작(I동작) : 오프셋(잔류편차)을 소멸시킨다.

    ㉣ 미분동작(D동작) : 오차가 커지는 것을 미연에 방지한다.

    ㉤ 비례적분동작(PI동작) : 제어결과가 진동하기 쉽다.

    전달함수 $G(s) = K_p \left(1 + \dfrac{1}{T_i s} \right)$

    ㉥ 비례미분동작(PD동작) : 속응성을 개선한다.

    전달함수 $G(s) = K_p (1 + T_d s)$

    ㉦ 비례적분미분동작(PID동작) : 정상특성과 응답 속응성을 동시에 개선한다.

    전달함수 $G(s) = K_p \left(1 + T_d s + \dfrac{1}{T_i s} \right)$

    단, 여기서 K_p : 비례감도, T_d : 미분시간 = 레이트시간, T_i : 적분시간

핵 / 심 / 예 / 제

01 자동제어계의 기본적 구성에서 제어요소는 무엇으로 구성되는가?

[2012년 1회 기사 / 2015년 1회 기사]

① 비교부와 검출부 ② 검출부와 조작부
③ 검출부와 조절부 ④ 조절부와 조작부

해설

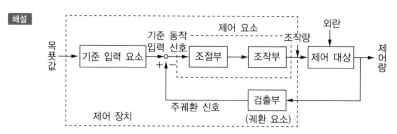

02 그림에서 ①에 알맞은 신호 이름은?

[2017년 1회 기사]

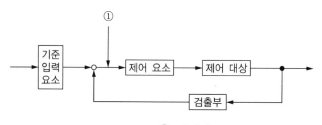

① 조작량 ② 제어량
③ 기준입력 ④ 동작신호

해설 1번 해설 참조

03 제어장치가 제어대상에 가하는 제어신호로 제어장치의 출력인 동시에 제어대상의 입력인 신호는?

[2017년 3회 기사 / 2021년 2회 기사]

① 목푯값 ② 조작량
③ 제어량 ④ 동작신호

해설 1번 해설 참조

01 ④ 02 ④ 03 ② 정답

04 블록선도에서 ⓐ에 해당하는 신호는? [2022년 1회 기사]

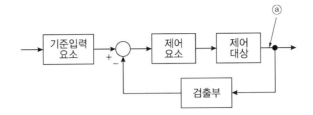

① 조작량
② 제어량
③ 기준입력
④ 동작신호

해설

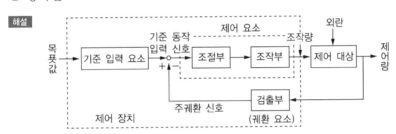

05 기준 입력과 주궤환량과의 차로서, 제어계의 동작을 일으키는 원인이 되는 신호는?

[2017년 2회 기사]

① 조작신호
② 동작신호
③ 주궤환신호
④ 기준입력신호

해설 4번 해설 참조

정답 04 ② 05 ②

06 제어량의 종류에 따른 분류가 아닌 것은? [2018년 1회 기사]

① 자동조정   ② 서보기구

③ 적응제어   ④ 프로세스제어

> 해설 **자동제어 시스템의 분류**
> • 목푯값에 의한 분류
>   정치제어, 추치제어 : 프로그램제어, 추종제어, 비율제어
> • 제어량에 의한 분류
>   서보기구(Servomechanism), 프로세스제어, 자동조정

07 제어량을 어떤 일정한 목푯값으로 유지하는 것을 목적으로 하는 제어법은? [2013년 1회 기사]

① 추종제어   ② 비율제어

③ 프로그램제어   ④ 정치제어

> 해설 **목푯값에 따른 분류**

정치제어	시간에 관계없이 목푯값이 일정한 제어	
	프로세스	유량, 압력, 온도, 농도, 액위 등 제어
	자동조정	전압, 주파수, 속도제어
추치제어	목푯값이 시간에 따라 변하는 경우	
	추종제어 (서보기구)	물체의 위치, 자세, 방향, 방위제어 예 미사일
	프로그램제어	시간을 미리 설정해 놓고 제어 예 엘리베이터, 열차 무인운전
	비율제어	목푯값이 다른 어떤 양에 비례하는 제어 예 보일러 연소제어

08 자동제어의 분류에서 제어량의 종류에 의한 분류가 아닌 것은? [2013년 1회 기사]

① 서보기구
② 추치제어
③ 프로세스제어
④ 자동조정

해설 **자동제어 시스템의 분류**
- 목푯값에 의한 분류
  정치제어, 추치제어 : 프로그램 제어, 추종제어, 비율제어
- 제어량에 의한 분류
  서보기구(Servomechanism), 프로세스제어, 자동조정

09 노 내 온도를 제어하는 프로세스 제어계에서 검출부에 해당하는 것은? [2018년 2회 기사]

① 노
② 밸 브
③ 증폭기
④ 열전대

해설 **열전대** : 열전회로(열에 의해 기전력이 발생을 구성하는 한 쌍의 도체)

10 다음 제어량 중에서 추종제어와 관계없는 것은? [2014년 2회 기사]

① 위 치
② 방 위
③ 유 량
④ 자 세

해설 **목푯값에 따른 분류**

정치제어	시간에 관계없이 목푯값이 일정한 제어	
	프로세스	유량, 압력, 온도, 농도, 액위 등 제어
	자동조정	전압, 주파수, 속도제어
추치제어	목푯값이 시간에 따라 변하는 경우	
	추종제어 (서보기구)	물체의 위치, 자세, 방향, 방위제어 예 미사일
	프로그램제어	시간을 미리 설정해 놓고 제어 예 엘리베이터, 열차 무인운전
	비율제어	목푯값이 다른 어떤 양에 비례하는 제어 예 보일러 연소제어

11 물체의 위치, 각도, 자세, 방향 등을 제어량으로 하고 목푯값의 임의의 변화에 추종하는 것과 같이 구성된 제어장치를 무엇이라고 하는가? [2012년 2회 기사]

① 프로세스제어 ② 서보기구
③ 자동조정 ④ 추종제어

> 해설 제어시스템 제어량에 의한 분류
> • 서보기구 : 위치, 방향, 자세, 각도
> • 프로세스제어 : 유량, 온도, 압력, 액위, 밀도, 농도
> • 자동조정 : 전압, 전류, 주파수, 회전수

12 자동제어의 분류에서 엘리베이터의 자동제어에 해당하는 제어는? [2014년 1회 기사]

① 추종제어 ② 프로그램제어
③ 정치제어 ④ 비율제어

> 해설 **목푯값에 따른 분류**

정치제어	시간에 관계없이 목푯값이 일정한 제어	
	프로세스	유량, 압력, 온도, 농도, 액위 등의 제어
	자동조정	전압, 주파수, 속도제어
추치제어	목푯값이 시간에 따라 변하는 경우	
	추종제어 (서보기구)	물체의 위치, 자세, 방향, 방위제어 예 미사일
	프로그램제어	시간을 미리 설정해 놓고 제어 예 엘리베이터, 열차 무인운전
	비율제어	목푯값이 다른 어떤 양에 비례하는 제어 예 보일러 연소제어

13 궤환(Feedback) 제어계의 특징이 아닌 것은?

① 정확성이 증가한다.
② 대역폭이 증가한다.
③ 구조가 간단하고 설치비가 저렴하다.
④ 계(系)의 특성 변화에 대한 입력 대 출력비의 감도가 감소한다.

> 해설
> • 외부 조건의 변화에 대한 영향을 줄일 수 있다.
> • 제어기 부품들의 성능이 다소 나빠지더라도 큰 영향을 받지 않는다.
> • 제어계의 특성을 향상 시킬 수 있다.
> • 목푯값에 정확히 도달할 수 있다.
> • 제어계가 복잡해지고 제어기의 값이 비싸지며 전체 제어계가 불안정해질 수 있다.

14 일정 입력에 대해 잔류편차가 있는 제어계는?

① 비례제어계 ② 적분제어계
③ 비례적분제어계 ④ 비례적분미분제어계

> 해설
> • **비례제어(P 제어)** : 잔류편차(Off Set) 발생
> • **비례적분제어(PI 제어)** : 잔류편차 제거, 시간지연(정상상태 개선)
> • **비례미분제어(PD 제어)** : 속응성 향상, 진동억제(과도상태 개선)
> • **비례미분적분제어(PID 제어)** : 속응성 향상, 잔류편차 제거

15 폐루프 시스템에서 응답의 잔류편차 또는 정상상태오차를 제거하기 위한 제어기법은?

① 비례제어 ② 적분제어
③ 미분제어 ④ On-Off제어

> 해설
> • **비례동작제어(P동작)** : 잔류편차가 일어난다.
> • **적분동작제어(I동작)** : 잔류편차 제거
> • **미분동작제어(D동작)** : 오차가 커지는 것을 미연에 방지
> • **On-Off제어** : 잔류편차가 일어난다. 불연속제어

16 제어기에서 적분제어의 영향으로 가장 적합한 것은? [2017년 3회 기사]

① 대역폭이 증가한다.
② 응답 속응성을 개선시킨다.
③ 작동오차의 변화율에 반응하여 동작한다.
④ 정상상태의 오차를 줄이는 효과를 갖는다.

해설 적분동작(I 동작) : 오프셋(잔류편차)을 소멸시킨다.

17 제어기에서 미분제어의 특성으로 가장 적합한 것은? [2016년 2회 기사]

① 대역폭이 감소한다.
② 제동을 감소시킨다.
③ 작동오차의 변화율에 반응하여 동작한다.
④ 정상상태의 오차를 줄이는 효과를 갖는다.

해설 • 미분동작제어 : 제어오차가 검출될 때 오차가 변화하는 속도에 비례하여 조작량을 가감하도록 하는 동작으로 오차가 커지는 것을 미연에 방지한다.
• 적분동작제어 : 오차의 크기와 오차가 발생하고 있는 시간에 둘러싸인 면적, 즉 적분값의 크기에 비례하여 조작부를 제어하는 것으로 잔류오차가 없도록 제어할 수 있다.
• 비례미분제어 : 제어결과에 빨리 도달하도록 미분동작을 부가한 동작으로 응답 속응성의 개선에 사용된다.
• 비례적분제어 : 비례동작에 의해 발생되는 잔류오차를 소멸시키기 위해 적분동작을 부가시킨 제어 동작으로 제어결과가 진동적으로 되기 쉬우나 잔류오차가 적다.
• 비례적분미분제어 : 비례적분동작에 미분동작을 추가시킨 것

18 제어오차가 검출될 때 오차가 변화하는 속도에 비례하여 조작량을 조절하는 동작으로 오차가 커지는 것을 사전에 방지하는 제어동작은?

[2016년 1회 기사]

① 미분동작제어 ② 비례동작제어
③ 적분동작제어 ④ 온-오프(On-Off)제어

해설
- **미분동작제어** : 제어오차가 검출될 때 오차가 변화하는 속도에 비례하여 조작량을 가감하도록 하는 동작으로 오차가 커지는 것을 미연에 방지한다.
- **적분동작제어** : 오차의 크기와 오차가 발생하고 있는 시간에 둘러싸인 면적, 즉 적분값의 크기에 비례하여 조작부를 제어하는 것으로 잔류오차가 없도록 제어할 수 있다.
- **비례미분제어** : 제어결과에 빨리 도달하도록 미분동작을 부가한 동작으로 응답 속응성의 개선에 사용된다.
- **비례적분제어** : 비례동작에 의해 발생되는 잔류오차를 소멸시키기 위해 적분동작을 부가시킨 제어 동작으로 제어결과가 진동적으로 되기 쉬우나 잔류오차가 적다.
- **비례적분미분제어** : 비례적분동작에 미분동작을 추가시킨 것

19 PD 조절기와 전달함수 $G(s) = 1.2 + 0.02s$ 의 영점은?

[2019년 1회 기사]

① −60 ② −50 ③ 50 ④ 60

해설
$$1.2 + 0.02s = 0$$
$$0.02s = -1.2$$
$$s = \frac{-1.2}{0.02} = -60$$

20 적분시간 4[sec], 비례감도가 4인 비례적분동작을 하는 제어요소에 동작신호 $z(t) = 2t$ 를 주었을 때 이 제어요소의 조작량은?(단, 조작량의 초깃값은 0이다)

[2020년 3회 기사]

① $t^2 + 8t$ ② $t^2 + 2t$
③ $t^2 - 8t$ ④ $t^2 - 2t$

해설
$$G(s) = K_p \left(1 + \frac{1}{T_i s}\right) = 4\left(1 + \frac{1}{4s}\right) = 4 + \frac{1}{s}$$
$$G(s) = \frac{Y(s)}{Z(s)} = 4 + \frac{1}{s}$$
$$\frac{Y(s)}{2 \cdot \frac{1}{s^2}} = 4 + \frac{1}{s}$$
$$Y(s) = \frac{2}{s^2}\left(4 + \frac{1}{s}\right) = \frac{8}{s^2} + \frac{2}{s^3}$$
$$Y(t) = 8t + t^2$$

21 적분시간 3[sec], 비례감도가 3인 비례적분동작을 하는 제어요소가 있다. 이 제어요소에 동작 신호 $x(t) = 2t$를 주었을 때 조작량은 얼마인가?(단, 초기 조작량 $y(t)$는 0으로 한다)

[2021년 1회 기사]

① $t^2 + 2t$ ② $t^2 + 4t$
③ $t^2 + 6t$ ④ $t^2 + 8t$

해설

$$G(s) = K_P\left(1 + \frac{1}{T_i s}\right) = 3\left(1 + \frac{1}{3s}\right) = 3 + \frac{1}{s}$$

$$G(s) = \frac{Y(s)}{X(s)}$$

$$Y(s) = G(s)X(s) = \left(3 + \frac{1}{s}\right) \times \frac{2}{s^2} = \frac{6}{s^2} + \frac{2}{s^3}$$

$$y(t) = 6t + t^2$$

22 전달함수가 $G_C(s) = \dfrac{2s+5}{7s}$ 인 제어기가 있다. 이 제어기는 어떤 제어기인가?

[2020년 1, 2회 기사]

① 비례미분제어기   ② 적분제어기
③ 비례적분제어기   ④ 비례적분미분제어기

해설 비례적분제어

$$C(t) = K_p\left[r(t) + \frac{1}{T_p}\int r(t)dt\right]$$

$$G(s) = \frac{2s+5}{7s} = \frac{2}{7} + \frac{5}{7s} = \frac{1}{7}\left(2 + \frac{5}{s}\right)$$

23 전달함수가 $G_C(s) = \dfrac{s^2+3s+5}{2s}$ 인 제어기가 있다. 이 제어기는 어떤 제어기인가?

[2021년 2회 기사]

① 비례미분제어기   ② 적분제어기
③ 비례적분제어기   ④ 비례미분적분제어기

해설

$$\frac{s^2+3s+5}{2s} = \frac{1}{2}s + \frac{3}{2} + \frac{5}{2s} = \frac{3}{2}\left(1 + \frac{1}{3}s + \frac{1}{\frac{3}{5}s}\right)$$

∴ 비례적분미분동작(PID동작)

$$G(s) = K_p\left(1 + T_d s + \frac{1}{T_i s}\right)$$

21 ③   22 ③   23 ④   **정답**

2. 블록선도와 신호흐름선도

(1) 블록선도

① 정의 : 블록선도는 단순성과 융통성을 지니기 때문에 모든 형태의 계통을 모델링하는 데에 자주 이용된다. 블록선도는 계통의 구성이나 연결관계를 간단히 표현하는 데 쓰일 수 있다. 또한 전달함수와 함께 전체계통의 인과관계를 표시하는 데 사용되기도 한다.

(2) 블록선도의 기호

① 화살표(→) : 신호의 진행방향을 표시

② 전달요소(□) : 입력신호를 받아서 적당히 변환된 출력 신호를 만드는 부분

③ 가합점(⊗ ±) : 두 개 이상의 신호를 가합점의 부호에 따라 더하고 빼주는 것

④ 인출점=분기점( ) : 한 개의 신호를 두 계통으로 분기하기 위한 점

(3) 블록선도와 신호흐름선도에 의한 전달함수

① 직렬결합 : 전달요소의 곱으로 표현한다.

$$R(S) \rightarrow \boxed{G_1(S)} \rightarrow \boxed{G_2(S)} \rightarrow C(S)$$

$$G(S) = \frac{C(S)}{R(S)} = G_1(S) \cdot G_2(S)$$

② 병렬결합 : 가합점의 부호에 따라 전달요소를 더하거나 뺀다.

$$R(S) \rightarrow \boxed{G_1(S)} \rightarrow \otimes_\pm \rightarrow C(S), \quad \boxed{G_2(S)}$$

$$G(S) = \frac{C(S)}{R(S)} = G_1(S) \pm G_2(S)$$

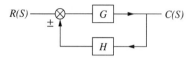

③ 피드백 결합 : 출력신호 $C(S)$의 일부가 요소 $H(S)$을 거쳐 입력 측에 피드백(Feed Back)되는 결합방식이며, 그 합성전달함수는 다음과 같다.

$$G(S) = \frac{C(S)}{R(S)} = \frac{G}{1 \mp GH} = \frac{\sum 전향경로이득}{1 - \sum 루프이득}$$

㉠ 전향경로이득 : 입력에서 출력으로 가는 동일 진행방향의 전달요소들의 곱

㉡ 루프이득 : 피드백되는 부분의 전달요소들의 곱

㉢ G : 전향 전달함수

㉣ GH : 개루프 전달함수

㉤ H : 피드백 전달요소

㉥ $H = 1$: 단위 피드백 제어계

㉦ $1 \mp GH = 0$: 특성방정식=전달함수의 분모가 0이 되는 방정식

㉧ 극점 : 특성방정식의 근=전달함수의 분모가 0이 되는 근(극점의 표기 ⇒ ×)

㉨ 영점 : 전달함수의 분자가 0이 되는 근(영점의 표기 ⇒ ○)

④ 신호흐름선도

㉠ 피드백 전달함수

• Pass → 입력에서 출력으로 가는 방법

• Loop → Feed Back

예 1)

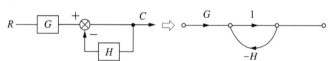

• Pass : G

• Loop : $-H$

∴ $G(S) = \dfrac{G}{1 + H}$

$$G(S) = \frac{P_1 + P_2 + P_3}{1 - L_1 - L_2 - \cdots}$$

예 2)

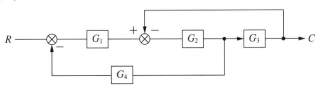

- Pass : $G_1 \cdot G_2 \cdot G_3$
- Loop1 : $-G_2 G_3$
- Loop2 : $-G_1 G_2 G_4$

$$\therefore \ G(S) = \frac{P_1}{1 - L_1 - L_2} = \frac{G_1 G_2 G_3}{1 + G_2 G_3 + G_1 G_2 G_4}$$

예 3)

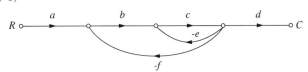

- $P_1 = abcd$
- $L_1 = -ce$
- $L_2 = -bcf$

$$G(S) = \frac{P_1}{1 - L_1 - L_2} , \ \ G(S) = \frac{C}{R} = \frac{abcd}{1 + ce + bcf}$$

ⓒ Loop가 Pass와 무관할 때

예

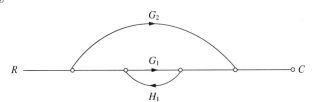

- $P_1 = G_1$
- $P_2 = G_2$
- $L_1 = G_1 H_1$

$$G(S) = \frac{P_1 + P_2}{1 - L_1}$$

$$\frac{C}{R} = \frac{P_1 + P_2(1 - L_1)}{1 - L_1} = \frac{G_1 + G_2(1 - G_1 H_1)}{1 - G_1 H_1}$$

ⓒ 2중 입력으로 된 블록선도의 출력 C는

예

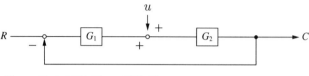

$$C = uG_2 + RG_1G_2 - CG_1G_2$$

$$C(1 + G_1G_2) = uG_2 + R(G_1G_2)$$

$$\therefore \ C = \left[\frac{G_2}{1 + G_1G_2} \right] (RG_1 + u), \ \ C = \frac{G_1G_2}{1 + G_1G_2}R + \frac{G_2}{1 + G_1G_2}u$$

이렇게 두 가지 결과치를 유추할 수 있다.

핵 / 심 / 예 / 제

01 자동제어의 각 요소를 블록선도로 표시할 때 각 요소는 전달함수로 표시하고, 신호의 전달경로는 무엇으로 표시하는가?

[2016년 3회 산업기사]

① 전달함수　　　　　　　　　② 단 자
③ 화살표　　　　　　　　　　④ 출 력

해설　자동제어계의 각 요소의 블록선도를 신호전달경로로 표시할 때 화살표로 표시한다.

02 다음의 블록선도와 같은 것은?

[2015년 1회 기사]

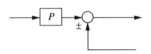

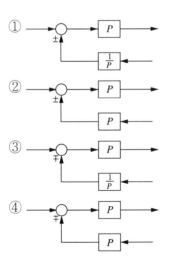

해설　$G(s) = P \pm 1$
① $G(s) = P \pm 1$
② $G(s) = P \pm P^2$
③ $G(s) = P \mp 1$
④ $G(s) = P \mp P^2$

03 블록선도 변환이 틀린 것은?

① $X_1 \to G \to X_3 \quad \Rightarrow \quad X_1 \to G \to X_3$ ... X_2

② $X_1 \to G \to X_2 \quad \Rightarrow \quad$

③ $X_1 \to G \to X_2 \quad \Rightarrow \quad$

④ $X_1 \to G \to X_3 \quad \Rightarrow \quad$

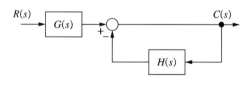

해설 $X_3 = X_1 G + X_2$

$X_3 = X_1 G + X_2 G^2$

04 블록선도의 전달함수 $\left(\dfrac{C(s)}{R(s)}\right)$는?

$R(s) \to G(s) \to \otimes \to C(s)$
$H(s)$

① $\dfrac{G(s)}{1+H(s)}$

② $\dfrac{G(s)}{1+G(s)H(s)}$

③ $\dfrac{1}{1+H(s)}$

④ $\dfrac{1}{1+G(s)H(s)}$

해설 $P = G(s)$

$L = -H(s)$

$G(s) = \dfrac{G(s)}{1+H(s)}$

05 그림과 같은 블록선도에서 전달함수 $\dfrac{C(s)}{R(s)}$ 를 구하면? [2018년 3회 기사]

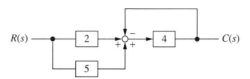

① $\dfrac{1}{8}$

② $\dfrac{5}{28}$

③ $\dfrac{28}{5}$

④ 8

해설

$$G(s) = \frac{P_1 + P_2 \cdots}{1 - L_1 - L_2 \cdots}$$

$$P_1 = G_1 G_2, \;\; P_2 = H_1 G_2, \;\; L = -G_2$$

$$\therefore \;\; G(s) = \frac{G_2(G_1 + H_1)}{1 + G_2} = \frac{4(2+5)}{1+4} = \frac{28}{5}$$

06 그림과 같은 제어시스템의 전달함수 $\dfrac{C(s)}{R(s)}$ 는? [2020년 1, 2회 기사]

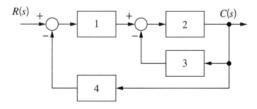

① $\dfrac{1}{15}$

② $\dfrac{2}{15}$

③ $\dfrac{3}{15}$

④ $\dfrac{4}{15}$

해설

$P = 1 \times 2 = 2$

$L_1 = (-2) \times 3 = -6$

$L_2 = (-1) \times 2 \times 4 = -8$

$$G(s) = \frac{2}{1 + 6 + 8} = \frac{2}{15}$$

07 다음 블록선도의 전달함수$\left(\dfrac{C(s)}{R(s)}\right)$는?

[2022년 2회 기사]

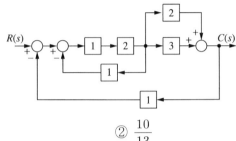

① $\dfrac{10}{9}$

② $\dfrac{10}{13}$

③ $\dfrac{12}{9}$

④ $\dfrac{12}{13}$

해설

$$G(s) = \frac{P_1 + P_2 + \cdots\cdots}{1 - L_1 - L_2 - L_3 - \cdots\cdots}$$

$P_1 = 1 \times 2 \times 3 = 6$

$P_2 = 1 \times 2 \times 2 = 4$

$L_1 = -1 \times 2 \times 1 = -2$

$L_2 = -1 \times 2 \times 3 \times 1 = -6$

$L_3 = -1 \times 2 \times 2 \times 1 = -4$

$$G(s) = \frac{6+4}{1+2+6+4} = \frac{10}{13}$$

08 그림과 같은 블록선도에 대한 등가종합전달함수(C/R)는?

[2012년 2회 기사 / 2019년 3회 기사]

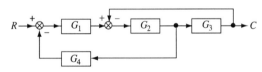

① $\dfrac{G_1 G_2 G_3}{1 + G_1 G_2 + G_1 G_2 G_3}$

② $\dfrac{G_1 G_2 G_3}{1 + G_2 G_3 + G_1 G_2 G_3}$

③ $\dfrac{G_1 G_2 G_4}{1 + G_1 G_2 + G_1 G_2 G_4}$

④ $\dfrac{G_1 G_2 G_3}{1 + G_2 G_3 + G_1 G_2 G_4}$

해설

$$G(s) = \frac{P_1 + P_2 \cdots}{1 - L_1 - L_2 \cdots}$$

$P = G_1 G_2 G_3, \quad L_1 = -G_2 G_3, \quad L_2 = -G_1 G_2 G_4$

$\therefore \ G(s) = \dfrac{G_1 G_2 G_3}{1 + G_2 G_3 + G_1 G_2 G_4}$

09 다음 블록선도의 전달함수는? [2017년 3회 기사]

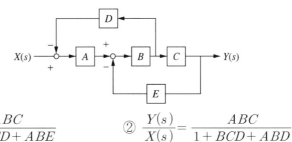

① $\dfrac{Y(s)}{X(s)} = \dfrac{ABC}{1 + BCD + ABE}$ ② $\dfrac{Y(s)}{X(s)} = \dfrac{ABC}{1 + BCD + ABD}$

③ $\dfrac{Y(s)}{X(s)} = \dfrac{ABC}{1 + BCE + ABD}$ ④ $\dfrac{Y(s)}{X(s)} = \dfrac{ABC}{1 + BCE + ABE}$

해설 $P = ABC$

$L_1 = -ABD$

$L_2 = -BCE$

$G(s) = \dfrac{Y(s)}{X(s)} = \dfrac{ABC}{1 + ABD + BCE}$

10 다음 블록선도의 전체전달함수가 1이 되기 위한 조건은? [2017년 2회 기사]

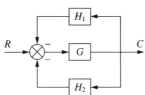

① $G = \dfrac{1}{1 - H_1 - H_2}$ ② $G = \dfrac{1}{1 + H_1 + H_2}$

③ $G = \dfrac{-1}{1 - H_1 - H_2}$ ④ $G = \dfrac{-1}{1 + H_1 + H_2}$

해설 $\dfrac{G}{1 + GH_1 + GH_2} = 1$

$G = 1 + GH_1 + GH_2$

$G(1 - H_1 - H_2) = 1$

$G = \dfrac{1}{1 - H_1 - H_2}$

11 블록선도의 전달함수가 $\dfrac{C(s)}{R(s)} = 10$과 같이 되기 위한 조건은?

[2021년 3회 기사]

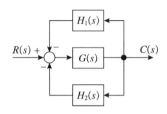

① $G(s) = \dfrac{1}{1 - H_1(s) - H_2(s)}$

② $G(s) = \dfrac{10}{1 - H_1(s) - H_2(s)}$

③ $G(s) = \dfrac{1}{1 - 10H_1(s) - 10H_2(s)}$

④ $G(s) = \dfrac{10}{1 - 10H_1(s) - 10H_2(s)}$

해설

$P = G(s)$

$L_1 = -G(s)H_1(s)$

$L_2 = -G(s)H_2(s)$

$G(s) = \dfrac{G(s)}{1 + G(s)H_1(s) + G(s)H_2(s)}$

조건에서 $\dfrac{C(s)}{R(s)} = 10$이므로

$10 = \dfrac{G(s)}{1 + G(s)H_1(s) + G(s)H_2(s)}$

$G(s) = 10 + 10G(s)H_1(s) + 10G(s)H_2(s)$

$G(s)(1 - 10H_1(s) - 10H_2(s)) = 10$

$G(s) = \dfrac{10}{1 - 10H_1(s) - 10H_2(s)}$

11 ④ 　정답

12 그림과 같은 블록선도의 전달함수 $\dfrac{C(s)}{R(s)}$ 는?

[2022년 1회 기사]

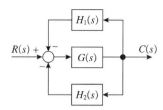

① $\dfrac{G(s)H_1(s)H_2(s)}{1+G(s)H_1(s)H_2(s)}$

② $\dfrac{G(s)}{1+G(s)H_1(s)H_2(s)}$

③ $\dfrac{G(s)}{1-G(s)(H_1(s)+H_2(s))}$

④ $\dfrac{G(s)}{1+G(s)(H_1(s)+H_2(s))}$

해설 $P=G(s)$

$L_1 = -G(s)H_1(s)$

$L_2 = -G(s)H_2(s)$

$G(s)=\dfrac{P}{1-L_1-L_2}=\dfrac{G(s)}{1+G(s)H_1(s)+G(s)H_2(s)}=\dfrac{G(s)}{1+G(s)(H_1(s)+H_2(s))}$

13 그림과 같은 블록선도에서 $C(s)/R(s)$의 값은?

[2018년 1회 기사]

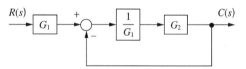

① $\dfrac{G_1}{G_1-G_2}$ ② $\dfrac{G_2}{G_1-G_2}$

③ $\dfrac{G_2}{G_1+G_2}$ ④ $\dfrac{G_1G_2}{G_1+G_2}$

해설 $P=G_2$

$L=-\dfrac{G_2}{G_1}$

$G(s)=\dfrac{P}{1-L}=\dfrac{G_2}{1+\dfrac{G_2}{G_1}}=\dfrac{G_2}{\dfrac{G_1+G_2}{G_1}}=\dfrac{G_1G_2}{G_1+G_2}$

14 다음의 블록선도에서 특성방정식의 근은? [2019년 2회 기사]

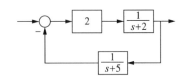

① $-2,\ -5$

② $2,\ 5$

③ $-3,\ -4$

④ $3,\ 4$

해설

$$P=\frac{2}{s+2} \qquad L=\frac{2}{(s+1)(s+5)}$$

$$G(s)=\frac{\dfrac{2}{s+2}}{1+\dfrac{2}{(s+2)(s+5)}}=\frac{\dfrac{2}{s+2}}{\dfrac{(s+2)(s+5)+2}{(s+2)(s+5)}}=\frac{2(s+5)}{(s+2)(s+5)+2}$$

$$(s+2)(s+5)+2=0 \ \rightarrow \ s^2+7s+10+2=0$$

$$s^2+7s+12=0 \ \rightarrow \ (s+3)(s+4)=0$$

$$\therefore \ s=-3,\ -4$$

15 그림의 블록선도와 같이 표현되는 제어시스템에서 $A=1$, $B=1$일 때, 블록선도의 출력 C 는 약 얼마인가? [2021년 2회 기사]

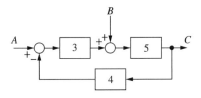

① 0.22

② 0.33

③ 1.22

④ 3.1

해설 $\quad A=B=1$

$$\frac{C}{A}=\frac{3\times5}{1+3\times5\times4}=\frac{15}{61}$$

$$C=\frac{15}{61}A=\frac{15}{61}\fallingdotseq0.246$$

$$\frac{C}{B}=\frac{5}{1+3\times5\times4}=\frac{5}{61}$$

$$C=\frac{5}{61}B=\frac{5}{61}\fallingdotseq0.082$$

$$C=0.246+0.082=0.328\fallingdotseq0.33$$

14 ③ 15 ② 정답

16 다음의 신호선도를 메이슨의 공식을 이용하여 전달함수를 구하고자 한다. 이 신호선도에서 루프(Loop)는 몇 개인가?

[2012년 3회 기사 / 2019년 1회 기사]

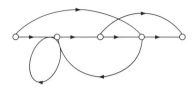

① 1   ② 2

③ 3   ④ 4

해설   루프(Loop)는 시작한 곳으로 피드백되는 궤적을 말한다.

17 다음 신호흐름선도의 일반식은?

[2019년 2회 기사]

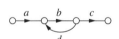

① $G = \dfrac{1-bd}{abc}$

② $G = \dfrac{1+bd}{abc}$

③ $G = \dfrac{abc}{1+bd}$

④ $G = \dfrac{abc}{1-bd}$

해설 $P = abc$

$L = bd$

$G(s) = \dfrac{abc}{1-bd}$

18 다음의 신호흐름선도에서 C/R는?

[2019년 1회 기사]

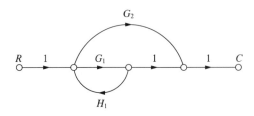

① $\dfrac{G_1 + G_2}{1 - G_1 H_1}$

② $\dfrac{G_1 G_2}{1 - G_1 H_1}$

③ $\dfrac{G_1 + G_2}{1 + G_1 H_1}$

④ $\dfrac{G_1 G_2}{1 + G_1 H_1}$

해설

$$G(s) = \frac{C}{R} = \frac{G_1 + G_2}{1 - G_1 H_1}$$

$$P_1 = G_1$$
$$P_2 = G_2$$
$$L = G_1 H_1$$

19 그림과 같은 신호흐름선도에서 $C(s)/R(s)$의 값은?

[2016년 1회 기사]

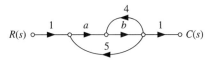

① $\dfrac{ab}{1 - 4b - 5ab}$

② $\dfrac{ab}{1 + 4b - 5ab}$

③ $\dfrac{ab}{1 - 4b + 5ab}$

④ $\dfrac{ab}{1 + 4b + 5ab}$

해설

$$G(s) = \frac{P_1 + P_2 + \cdots}{1 - L_1 - L_2 - \cdots}$$

$$L_1 = 4b$$
$$L_2 = 5ab$$
$$P = ab$$

$$\therefore \ G(s) = \frac{ab}{1 - 4b - 5ab}$$

20 신호흐름선도에서 전달함수 $\dfrac{C}{R}$ 를 구하면?

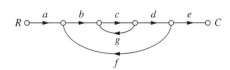

① $\dfrac{abcdg}{1 - abcde}$

② $\dfrac{abcde}{1 - cg - bcdf}$

③ $\dfrac{abcde}{1 - cg - cgf}$

④ $\dfrac{abcde}{c + cg + cgf}$

해설

$P = abcde$

$L_1 = cg$

$L_2 = bcdf$

$G(s) = \dfrac{P}{1 - L_1 - L_2} = \dfrac{abcde}{1 - cg - bcdf}$

21 신호흐름선도에서 전달함수 $\left(\dfrac{C(s)}{R(s)} \right)$ 는?

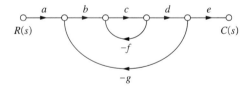

① $\dfrac{abcde}{1 - cg - bcdg}$

② $\dfrac{abcde}{1 - cf + bcdg}$

③ $\dfrac{abcde}{1 + cf - bcdg}$

④ $\dfrac{abcde}{1 + cf + bcdg}$

해설

$P = abcde$

$L_1 = -cf$

$L_2 = -bcdg$

$G(s) = \dfrac{abcde}{1 + cf + bcdg}$

22 신호흐름선도의 전달함수 $T(s) = \dfrac{C(s)}{R(s)}$ 로 옳은 것은?

[2019년 3회 기사]

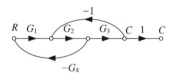

① $\dfrac{G_1 G_2 G_3}{1 - G_2 G_3 + G_1 G_2 G_4}$

② $\dfrac{G_1 G_2 G_3}{1 + G_1 G_2 G_4 + G_2 G_3}$

③ $\dfrac{G_1 G_2 G_3}{1 + G_1 G_3 - G_1 G_2 G_4}$

④ $\dfrac{G_1 G_2 G_3}{1 - G_1 G_3 - G_1 G_2 G_4}$

해설 $P = G_1 G_2 G_3$

$L_1 = - G_2 G_3$

$L_2 = - G_1 G_2 G_4$

$\therefore\ G(s) = \dfrac{G_1 G_2 G_3}{1 + G_2 G_3 + G_1 G_2 G_4}$

23 그림의 신호흐름선도에서 $\dfrac{C}{R}$ 를 구하면?

[2015년 2회 기사]

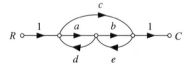

① $\dfrac{ab + c}{1 - (ad + be) - cde}$

② $\dfrac{ab + c}{1 + (ad + be) - cde}$

③ $\dfrac{ab + c}{1 - (ad + be)}$

④ $\dfrac{ab + c}{1 + (ad + be)}$

해설 $G(s) = \dfrac{P_1 + P_2 \cdots}{1 - L_1 - L_2 \cdots}$

$P_1 = ab\quad P_2 = c$

$L_1 = ad\quad L_2 = be\quad L_3 = cde$

$\therefore\ G(s) = \dfrac{ab + c}{1 - ad - be - cde} = \dfrac{ab + c}{1 - (ad + be) - cde}$

22 ② 23 ① 정답

24 다음과 같은 신호흐름선도에서 $\dfrac{C(s)}{R(s)}$ 의 값은? [2020년 3회 기사]

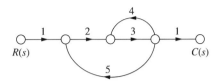

① $-\dfrac{1}{41}$

② $-\dfrac{3}{41}$

③ $-\dfrac{6}{41}$

④ $-\dfrac{8}{41}$

해설
$$P = 2 \times 3 = 6$$
$$L_1 = 3 \times 4 = 12$$
$$L_2 = 2 \times 3 \times 5 = 30$$
$$G(s) = \frac{P}{1 - L_1 - L_2} = \frac{6}{1 - 12 - 30} = -\frac{6}{41}$$

25 그림과 같은 신호흐름선도에서 $\dfrac{C(s)}{R(s)}$ 는? [2021년 3회 기사]

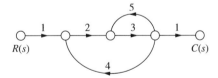

① $-\dfrac{6}{38}$

② $\dfrac{6}{38}$

③ $-\dfrac{6}{41}$

④ $\dfrac{6}{41}$

해설
$$P = 2 \times 3 = 6$$
$$L_1 = 3 \times 5 = 15$$
$$L_2 = 2 \times 3 \times 4 = 24$$
$$G(s) = \frac{6}{1 - 15 - 24} = -\frac{6}{38}$$

26 그림의 신호흐름선도를 미분방정식으로 표현한 것으로 옳은 것은?(단, 모든 초깃값은 0이다)

[2022년 2회 기사]

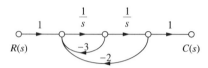

① $\dfrac{d^2c(t)}{dt^2} + 3\dfrac{dc(t)}{dt} + 2\,c(t) = r(t)$

② $\dfrac{d^2c(t)}{dt^2} + 2\dfrac{dc(t)}{dt} + 3\,c(t) = r(t)$

③ $\dfrac{d^2c(t)}{dt^2} - 3\dfrac{dc(t)}{dt} - 2\,c(t) = r(t)$

④ $\dfrac{d^2c(t)}{dt^2} - 2\dfrac{dc(t)}{dt} - 3\,c(t) = r(t)$

해설

$P = \dfrac{1}{s} \times \dfrac{1}{s} = \dfrac{1}{s^2}$

$L_1 = \dfrac{1}{s} \times -3 = -\dfrac{3}{s}$

$L_2 = \dfrac{1}{s} \times \dfrac{1}{s} \times -2 = -\dfrac{2}{s^2}$

$G(s) = \dfrac{C(s)}{R(s)} = \dfrac{\dfrac{1}{s^2}}{1 + \dfrac{3}{s} + \dfrac{2}{s^2}}$ 분모, 분자에 s^2을 곱한다.

$G(s) = \dfrac{C(s)}{R(s)} = \dfrac{1}{s^2 + 3s + 2}$ (대각선곱)

$\dfrac{d^2}{dt^2}c(t) + 3\dfrac{d}{dt}c(t) + 2\,c(t) = r(t)$

27 그림의 신호흐름선도에서 $\dfrac{C(s)}{R(s)}$ 는?

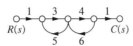

① $-\dfrac{2}{5}$

② $-\dfrac{6}{19}$

③ $-\dfrac{12}{29}$

④ $-\dfrac{12}{37}$

해설 $P = 3 \times 4 = 12$

$L_1 = 3 \times 5 = 15$

$L_2 = 4 \times 6 = 24$

$G(s) = \dfrac{12}{1-15-24} = -\dfrac{6}{19}$

28 다음의 미분방정식을 신호흐름선도에 옳게 나타낸 것은?$\left(\text{단, } c(t) = X_1(t),\ X_2(t) = \dfrac{d}{dt}X_1(t)\right.$ 로 표시한다$\Big)$

$$2\frac{dc(t)}{dt} + 5c(t) = r(t)$$

①

②

③

④

해설

① $G(s) = \dfrac{C(s)}{R(s)} = \dfrac{\dfrac{1}{2s}}{1+\dfrac{5}{2s}} = \dfrac{\dfrac{1}{2s} \times 2s}{\left(1+\dfrac{5}{2s}\right) \times 2s} = \dfrac{1}{2s+5}$

$2sC(s) + 5C(s) = R(s)$

$2\dfrac{d}{dt}c(t) + 5c(t) = r(t)$

따라서 ①번이 답이다.

29 그림과 같은 신호흐름선도에서 전달함수 $\dfrac{Y(s)}{X(s)}$ 는 무엇인가? [2017년 1회 기사]

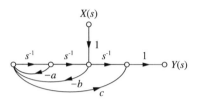

① $\dfrac{s+a}{s^2+as-b^2}$

② $\dfrac{-bcs^2+s}{s^2+as+b}$

③ $\dfrac{-bcs^2+s+a}{s^2+as}$

④ $\dfrac{-bcs^2+s+a}{s^2+as+b}$

해설

$P_1 = \dfrac{1}{s}$, $P_2 = -bc$, $L_1 = \dfrac{b}{-s^2}$, $L_2 = \dfrac{a}{-s}$ (pass와 무관한 loop)

$$G(s) = \dfrac{-bc+\dfrac{1}{s}\left(1+\dfrac{a}{s}\right)}{1+\dfrac{b}{s^2}+\dfrac{a}{s}} = \dfrac{-bc+\dfrac{1}{s}+\dfrac{a}{s^2}}{s^2+as+b} = \dfrac{-bcs^2+s+a}{s^2+as+b}$$

30 그림의 신호흐름선도에서 $\dfrac{y_2}{y_1}$ 은? [2016년 2회 기사]

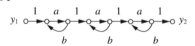

① $\dfrac{a^3}{1-3ab}$

② $\dfrac{a^3}{(1-ab)^3}$

③ $\dfrac{a^3}{(1-3ab+ab)}$

④ $\dfrac{a^3}{(1-3ab+2ab)}$

해설

$$G(S) = G_1 \times G_2 \times G_3 = G^3 = \left(\dfrac{a}{1-ab}\right)^3$$

31 그림의 신호흐름선도에서 전달함수 $\dfrac{C(s)}{R(s)}$ 는?

[2020년 1, 2회 기사]

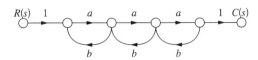

① $\dfrac{a^3}{(1-ab)^3}$

② $\dfrac{a^3}{(1-3ab+a^2b^2)}$

③ $\dfrac{a^3}{1-3ab}$

④ $\dfrac{a^3}{1-3ab+2a^2b^2}$

해설　$P=a^3$

$\triangle = 1-(L_{n1}-L_{n2}+\cdots)$

여기서, L_{n1} : 각각의 루프 이득의 합

　　　　L_{n2} : 2개의 비접촉루프 이득의 곱의 합

$L_{n1}=ab+ab+ab=3ab$

$L_{n2}=ab\times ab=a^2b^2$

$G(s)=\dfrac{a^3}{1-(3ab-a^2b^2)}=\dfrac{a^3}{1-3ab+a^2b^2}$

32 그림의 신호흐름선도에서 전달함수 $\dfrac{C(s)}{R(s)}$ 는?

[2022년 1회 기사]

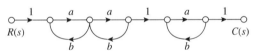

① $\dfrac{a^3}{(1-ab)^3}$

② $\dfrac{a^3}{1-3ab+a^2b^2}$

③ $\dfrac{a^3}{1-3ab}$

④ $\dfrac{a^3}{1-3ab+2a^2b^2}$

해설　$G(s)=\dfrac{P}{1-L_{n1}+L_{n2}}$

$P=a^3$

$\triangle = 1-(L_{n1}-L_{n2}+\cdots)$

여기서, L_{n1} : 각각의 루프 이득의 합

　　　　L_{n2} : 2개의 비접촉 루프 이득의 곱의 합

$L_{n1}=ab+ab+ab=3ab$

$L_{n2}=a^2b^2+a^2b^2=2a^2b^2$

$G(s)=\dfrac{a^3}{1-3ab+2a^2b^2}$

33 다음의 회로를 블록선도로 그린 것 중 옳은 것은? [2018년 3회 기사]

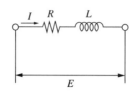

E

①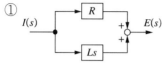

③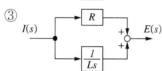

②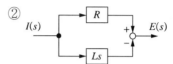

④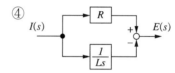

해설 $E(s) = I(s)R + sLI(s) = (R+sL)I(s)$

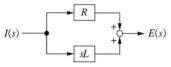

34 다음의 연산증폭기 회로에서 출력전압 V_o를 나타내는 식은?(단, V_i는 입력신호이다)
[2015년 2회 기사]

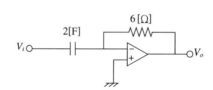

① $V_o = -12\dfrac{dV_i}{dt}$

② $V_o = -8\dfrac{dV_i}{dt}$

③ $V_o = -0.5\dfrac{dV_i}{dt}$

④ $V_o = -\dfrac{1}{8}\dfrac{dV_i}{dt}$

해설 연산증폭기

적분회로(지상보상, PI제어)	미분회로(진상보상, PD제어)
$V_o = -\dfrac{1}{RC}\int V_i\,dt$	$V_o = -RC\dfrac{dV_i}{dt}$

미분회로 $V_o = -RC\dfrac{dV_i}{dt} = -6\times2\dfrac{dV_i}{dt} = -12\dfrac{dV_i}{dt}$

3. 자동제어계의 과도응답

(1) **응답(출력)** : 어떤 요소 계에 가해진 입력에 대한 출력의 변화를 응답이라 하며 제어계의 정확도의 지표가 된다.

① 응답의 종류
    ㉠ 임펄스응답 : 기준입력이 임펄스함수인 경우의 출력
    ㉡ 인디셜응답 : 기준입력이 단위계단함수인 경우의 출력
    ㉢ 램프(경사)응답 : 기준입력이 단위램프함수인 경우의 출력

② 응답의 계산 $c(t) = \pounds^{-1}G(S)R(S)$ (단, $G(S)$: 전달함수, $R(S)$: 입력라플라스변환)

③ 과도응답의 기준입력
    ㉠ 단위계단입력 : 기준입력이 $r(t) = 1$인 경우
    ㉡ 등(정)속도입력 : 기준입력이 $r(t) = t$인 경우
    ㉢ 등(정)가속도입력 : 기준입력이 $r(t) = \dfrac{1}{2}t^2$인 경우

(2) **자동제어계의 시간응답특성**

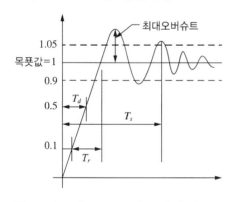

① 오버슈트(Overshoot) : 응답이 목푯값(최종값)을 넘어가는 양

$$\text{백분율 오버슈트} = \frac{\text{최대오버슈트}}{\text{최종목푯값}} \times 100[\%]$$

② 감쇠비 : 과도응답이 소멸되는 속도를 양적으로 표현한 값

$$\text{감쇠비} = \frac{\text{제2의 오버슈트}}{\text{최대오버슈트}}$$

③ 지연시간(T_d) : 응답이 최종목푯값의 50[%]에 도달하는 데 걸리는 시간

④ 상승시간(T_r) : 응답이 최종목푯값의 10[%]에서 90[%]에 도달하는 데 걸리는 시간

⑤ 정정시간＝응답시간(T_s) : 응답이 최종목푯값의 허용오차 범위(2~5[%]) 이내에 안착하는 데 걸리는 시간

(3) 자동제어계의 과도응답

① 부궤환제어계의 전달함수

$$G(S) = \frac{C(S)}{R(S)} = \frac{G}{1+GH}$$

② 특성방정식 : $1+GH=0$

③ 극점(X) : 특성방정식의 근

④ 영점(O) : 전달함수의 분자가 0이 되는 근

⑤ 특성방정식의 근의 위치와 응답

　　㉠ 특성방정식의 근이 실수축상에 존재

 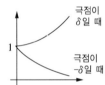

　　㉡ 특성방정식의 근이 허수축상에 존재(무한진동)

　　㉢ 특성방정식의 근이 좌반부에 존재(감쇠진동)

ㄹ 특성방정식의 근이 우반부에 존재(진동폭이 증가)

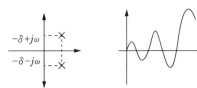

※ 특성방정식의 근이 좌반부에 존재 시(e^{-at}) 안정하지만, 우반부에 존재 시 불안정하다.

(4) 2차 계의 과도응답

① 2차 계의 전달함수 $G(S) = \dfrac{Y(S)}{X(S)} = \dfrac{K\omega_n^2}{S^2 + 2\delta\omega_n S + \omega_n^2}$

(단, δ : 감쇠계수 또는 제동비, ω_n : 고유주파수)

$\sigma = \delta\omega_n$: 제동계수, $\tau = \dfrac{1}{\sigma} = \dfrac{1}{\delta\omega_n}$: 시정수, $\omega = \omega_n\sqrt{1-\delta^2}$: 과도진동주파수

② 제동비에 따른 제동조건
   ㄱ $\delta > 1$: 과제동(비진동)
   ㄴ $\delta = 1$: 임계제동(임계진동)
   ㄷ $\delta < 1$: 부족제동(감쇠진동)
   ㄹ $\delta = 0$: 무제동(무한진동)
   ㅁ $\delta < 0$: 발산

③ 2차 지연요소

$G(S) = \dfrac{K\omega_n^2}{S^2 + 2\delta\omega_n S + \omega_n^2}$ (δ : 제동비, ω_n : 고유진동수)

• $\delta > 1$: 과제동
• $\delta < 1$: 부족제동
• $\delta = 1$: 임계제동
• $\delta = 0$: 무제동

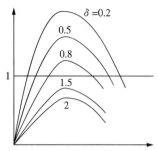

예 2차계에서 감쇠율?

$$\frac{d^2y}{dt^2} + 5\frac{dy}{dt} + 9y = 9x \qquad \Rightarrow \qquad (S^2+5S+9)\,Y(S) = 9X(S)$$

$$\frac{Y(S)}{X(S)} = \frac{9}{S^2+5S+9}$$

$$\omega_n^2 = 9 \qquad \Rightarrow \qquad \omega_n = 3$$

$$2\delta\omega_n = 5$$

$$\therefore \quad \delta = \frac{5}{6}$$

핵 / 심 / 예 / 제

01 단위계단 입력신호에 대한 과도응답은? [2014년 1회 기사 / 2015년 2회 기사]

① 임펄스응답　　　　　　　　　　② 인디셜응답

③ 노멀응답　　　　　　　　　　　④ 램프응답

> **해설**　단위계단 입력신호에 대한 과도응답은 인디셜응답 또는 단위계단응답이라 한다.

02 제어시스템에서 출력이 얼마나 목푯값을 잘 추종하는지를 알아볼 때, 시험용으로 많이 사용되는 신호로 다음 식의 조건을 만족하는 것은?　[2019년 3회 기사]

$$u(t-a) = \begin{cases} 0, & t < a \\ 1, & t \geq a \end{cases}$$

① 사인함수　　　　　　　　　　　② 임펄스함수

③ 램프함수　　　　　　　　　　　④ 단위계단함수

> **해설**　단위계단함수 $u(t) \xrightarrow{\mathcal{L}} \dfrac{1}{s}$
>
> $u(t-a) \xrightarrow{\mathcal{L}} \dfrac{1}{s} e^{-as}$

03 단위계단입력에 대한 응답특성이 $c(t) = 1 - e^{-\frac{1}{T}t}$ 로 나타나는 제어계는?　[2016년 1회 기사]

① 비례제어계　　　　　　　　　　② 적분제어계

③ 1차 지연제어계　　　　　　　　④ 2차 지연제어계

> **해설**　$\dfrac{1}{T} = a$로 치환
>
> $c(t) = 1 - e^{-at}$ 를 라플라스하면 $C(s) = \dfrac{1}{s} - \dfrac{1}{s+a}$
>
> $G(s) = \dfrac{C(s)}{R(s)} = \dfrac{\dfrac{1}{s} - \dfrac{1}{s+a}}{\dfrac{1}{s}} = \dfrac{\dfrac{s+a-s}{s(s+a)}}{\dfrac{1}{s}} = \dfrac{a}{s+a}$
>
> ∴ 1차 지연요소

정답　01 ②　02 ④　03 ③

04 시간영역에서 자동제어계를 해석할 때 기본시험입력에 보통 사용되지 않는 입력은?

[2019년 1회 기사]

① 정속도 입력　　　　　　　　　　② 정현파 입력
③ 단위계단 입력　　　　　　　　　　④ 정가속도 입력

> **해설**　단위계단, 정속도, 정가속도, 임펄스 이렇게 4가지가 입력으로 사용된다.

05 안정한 제어계에 임펄스 응답을 가했을 때 제어계의 정상상태 출력은?　　[2018년 1회 기사]

① 0　　　　　　　　　　　　　② $+\infty$ 또는 $-\infty$
③ +의 일정한 값　　　　　　　　　④ -의 일정한 값

> **해설**　안정한 제어계에서 임펄스 응답을 가하면 정상상태의 출력은 0이다.

06 다음 과도응답에 관한 설명 중 틀린 것은?　　[2014년 1회 기사]

① 지연시간은 응답이 최초로 목푯값의 50[%]가 되는 데 소요되는 시간이다.
② 백분율 오버슈트는 최종목푯값과 최대오버슈트와의 비를 [%]로 나타낸 것이다.
③ 감쇠비는 최종목푯값과 최대오버슈트와의 비를 나타낸 것이다.
④ 응답시간은 응답이 요구하는 오차 이내로 정착되는 데 걸리는 시간이다.

> **해설**　• 오버슈트 : 과도상태 중 계단입력을 초과하여 나타나는 출력의 최대편차량, 안정성의 기준
> 　　　• 감쇠비 : 과도응답의 소멸되는 정도를 나타내는 양
> 　　　※ 감쇠비 $= \dfrac{제2오버슈트}{최대오버슈트}$

07 자동제어계의 과도응답의 설명으로 틀린 것은? [2015년 2회 기사]

① 지연시간은 최종값의 50[%]에 도달하는 시간이다.

② 정정시간은 응답의 최종값의 허용범위가 ±5[%] 내에 안정되기까지 요하는 시간이다.

③ 백분율 오버슈트$=\dfrac{최대오버슈트}{최종목푯값}\times 100$

④ 상승시간은 최종값의 10[%]에서 100[%]까지 도달하는 데 요하는 시간이다.

해설
- 지연시간(T_d) : 응답이 최종값의 50[%]에 이르는 데 소요되는 시간
- 상승시간(T_r) : 응답이 최종값의 10~90[%]에 도달하는 데 필요한 시간
- 정정시간(T_s) : 응답이 최종값의 규정된 범위(2~5[%]) 이내로 들어와 머무르는 데 걸리는 시간
- 백분율 오버슈트$=\dfrac{최대오버슈트}{최종목푯값}\times 100$

08 자동제어계의 2차계 과도응답에서 응답이 최초로 정상값의 50[%]에 도달하는 데 요하는 시간은 무엇인가? [2014년 3회 기사]

① 상승시간   ② 지연시간

③ 응답시간   ④ 정정시간

해설 7번 해설 참조

정답 07 ④ 08 ②

09 다음과 같은 시스템에 단위계단입력 신호가 가해졌을 때 지연시간에 가장 가까운 값[sec]은?

[2017년 1회 기사]

$$\frac{C(s)}{R(s)} = \frac{1}{s+1}$$

① 0.5   ② 0.7

③ 0.9   ④ 1.2

 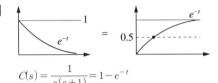

$$C(s) = \frac{1}{s(s+1)} = 1 - e^{-t}$$

$e^{-t} = 0.5$

$-t = \ln 0.5$

$t = -\ln 0.5 \fallingdotseq 0.693$

$\therefore \ t \fallingdotseq 0.693$

10 응답이 최종값의 10[%]에서 90[%]까지 되는 데 요하는 시간은? [2015년 1회 기사 / 2015년 3회 기사]

① 상승시간(Rising Time)

② 지연시간(Delay Time)

③ 응답시간(Response Time)

④ 정정시간(Settling Time)

해설 • 지연시간(T_d) : 응답이 최종값의 50[%]에 이르는 데 소요되는 시간
• 상승시간(T_r) : 응답이 최종값의 10~90[%]에 도달하는 데 필요한 시간
• 정정시간(T_s) : 응답이 최종값의 규정된 범위(2~5[%]) 이내로 들어와 머무르는 데 걸리는 시간

          09 ②   10 ①   정답

11 전달함수 $G(s) = \dfrac{1}{s+a}$ 일 때, 이 계의 임펄스응답 $c(t)$를 나타내는 것은?(단, a는 상수이다)

[2018년 2회 기사]

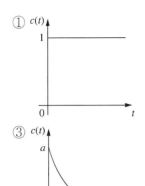

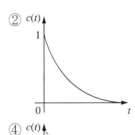

해설 $e^{-at}\begin{cases} t=0 \to 1 \\ t=\infty \to 0 \end{cases}$

12 특성방정식 $s^2 + 2\delta\omega_n s + \omega_n^2 = 0$이 부족제동을 하기 위한 δ값은?

[2012년 2회 기사 / 2018년 3회 기사]

① $\delta = 1$ ② $\delta < 1$
③ $\delta > 1$ ④ $\delta = 0$

해설   전달함수 $\dfrac{C(s)}{R(s)} = \dfrac{\omega_n^2}{s^2 + 2\delta\omega_n s + \omega_n^2}$ 의 해석

- 폐루프의 특성방정식 $s^2 + 2\delta\omega_n s + \omega_n^2 = 0$
- 감쇠율 : δ값이 클수록 제동이 많이 걸리고 안정도가 향상된다.

$0 < \delta < 1$	$\delta > 1$	$\delta = 1$	$\delta = 0$
부족제동	과제동	임계제동	무제동
감쇠제동	비진동	임계상태	무한진동

13 2차계 과도응답에 대한 특성 방정식의 근은 s_1, $s_2 = -\zeta\omega_n \pm j\omega_n\sqrt{1-\zeta^2}$ 이다. 감쇠비 ζ가 $0 < \zeta < 1$사이에 존재할 때 나타나는 현상은? [2019년 2회 기사]

① 과제동
② 무제동
③ 부족제동
④ 임계제동

해설 $\zeta > 1$: 과제동
$\zeta < 1$: 부족제동
$\zeta = 1$: 임계제동
$\zeta = 0$: 무제동

14 2차계의 감쇠비 δ가 $\delta > 1$이면 어떤 경우인가? [2015년 2회 기사]

① 비제동　　　　　　　② 과제동
③ 부족제동　　　　　　④ 발 산

해설 $\delta > 1$: 과제동
$\delta = 1$: 임계제동
$0 < \delta < 1$: 부족제동
$\delta = 0$: 무제동
$\delta < 0$: 발산

15 2차 제어시스템의 감쇠율(Damping Ratio, δ)이 $\delta < 0$인 경우 제어시스템의 과도응답 특성은? [2021년 1회 기사]

① 발 산　　　　　　　② 무제동
③ 임계제동　　　　　　④ 과제동

해설 14번 해설 참조

16 전달함수가 $\dfrac{C(s)}{R(s)} = \dfrac{1}{3s^2 + 4s + 1}$ 인 제어시스템의 과도응답 특성은? [2021년 2회 기사]

① 무제동
② 부족제동
③ 임계제동
④ 과제동

해설

$$G(s) = \frac{1}{3s^2 + 4s + 1} = \frac{\dfrac{1}{3}}{s^2 + \dfrac{4}{3}s + \dfrac{1}{3}}$$

$$G(s) = \frac{\omega_n^2}{s^2 + 28\omega_n s + \omega_n^2}$$

$$\omega_n^2 = \frac{1}{3}, \ \omega_n = \frac{1}{\sqrt{3}}$$

$2\delta\omega_n = \dfrac{4}{3}$ 에서

$$2\delta\frac{1}{\sqrt{3}} = \frac{4}{3}$$

$$\delta = \frac{4}{3} \times \frac{\sqrt{3}}{2} = 1.154$$

∴ 제동비가 1보다 크므로 과제동이다.

17 폐루프 전달함수 $C(s)/R(s)$가 다음과 같은 2차 제어계에 대한 설명 중 틀린 것은? [2017년 2회 기사]

$$\frac{C(s)}{R(s)} = \frac{\omega_n^2}{s^2 + 2\delta\omega_n s + \omega_n^2}$$

① 최대 오버슈트는 $e^{-\pi\delta/\sqrt{1-\delta^2}}$ 이다.
② 이 폐루프계의 특성방정식은 $s^2 + 2\delta\omega_n s + \omega_n^2 = 0$이다.
③ 이 계는 $\delta = 0.1$일 때 부족제동된 상태에 있게 된다.
④ δ값을 작게 할수록 제동은 많이 걸리게 되니 비교 안정도는 향상된다.

해설

전달함수 $\dfrac{C(s)}{R(s)} = \dfrac{\omega_n^2}{s^2 + 2\delta\omega_n s + \omega_n^2}$ 의 해석

• 폐루프의 특성방정식 $s^2 + 2\delta\omega_n s + \omega_n^2 = 0$
• 감쇠율 : δ값이 클수록 제동이 많이 걸리고 안정도가 향상된다.

$0 < \delta < 1$	$\delta > 1$	$\delta = 1$	$\delta = 0$
부족제동	과제동	임계제동	무제동
감쇠제동	비진동	임계상태	무한진동

18 전달함수가 $\dfrac{C(s)}{R(s)} = \dfrac{25}{s^2 + 6s + 25}$ 인 2차 제어시스템의 감쇠진동주파수(ω_d)는 몇 [rad/sec]인가?

[2020년 4회 기사]

① 3 　　　　　　　　　　　　② 4

③ 5 　　　　　　　　　　　　④ 6

해설
$$s^2 + 6s + 25 = 0$$
$$s^2 + 2\delta\omega_n s + \omega_n^2 = 0$$
$$\omega_n^2 = 25 \rightarrow \omega_n = 5$$
$$2 \cdot \delta \cdot 5 = 6 \rightarrow \delta = \frac{6}{10} = 0.6$$
감쇠진동주파수 $\omega_d = \omega_n \sqrt{1 - \delta^2} = 5\sqrt{1 - 0.6^2} = 4$

19 어떤 계에 임펄스함수(δ함수)가 입력으로 가해졌을 때 시간함수 e^{-2t} 가 출력으로 나타났다. 이 계의 전달함수는?

[2018년 3회 산업기사]

① $\dfrac{1}{s+2}$ 　　　　　　　　　② $\dfrac{1}{s-2}$

③ $\dfrac{2}{s+2}$ 　　　　　　　　　④ $\dfrac{2}{s-2}$

해설 라플라스 변환(지수함수)
　　　$c(t) = e^{-2t}$ 에서 $G(s) = \dfrac{1}{s+2}$

20 다음 회로망에서 입력전압을 $V_1(t)$, 출력전압을 $V_2(t)$라 할 때, $\dfrac{V_2(s)}{V_1(s)}$ 에 대한 고유주파수 ω_n과 제동비 ζ의 값은?(단, $R = 100\,[\Omega]$, $L = 2\,[\mathrm{H}]$, $C = 200\,[\mu\mathrm{F}]$ 이고, 모든 초기전하는 0이다)

[2019년 2회 기사]

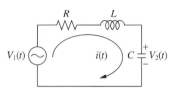

① $\omega_n = 50$, $\zeta = 0.5$ 　　　　② $\omega_n = 50$, $\zeta = 0.7$

③ $\omega_n = 250$, $\zeta = 0.5$ 　　　④ $\omega_n = 250$, $\zeta = 0.7$

해설

$$G(s) = \frac{\dfrac{1}{sC}}{R + sL + \dfrac{1}{sC}} \quad \text{분모와 분자에 } sC \text{를 곱하면}$$

$$= \frac{1}{s^2 LC + sRC + 1} = \frac{\dfrac{1}{LC}}{s^2 + \dfrac{RC}{LC}s + \dfrac{1}{LC}}$$

$$= \frac{\dfrac{1}{2 \times 200 \times 10^{-6}}}{s^2 + \dfrac{100}{2}s + \dfrac{1}{2 \times 200 \times 10^{-6}}} = \frac{2,500}{s^2 + 50s + 2,500}$$

$s^2 + 50s + 2,500 = 0$

$s^2 + 2\zeta\omega_n s + \omega_n^2 = 0$

$\omega_n^2 = 2,500 \qquad \omega_n = 50$

$2\zeta\omega_n = 50$

$2 \cdot \zeta \cdot 50 = 50 \qquad \zeta = \dfrac{1}{2} = 0.5$

$\therefore \omega_n = 50$, $\zeta = 0.5$

21 제어시스템의 전달함수가 $T(s) = \dfrac{1}{4s^2 + s + 1}$ 과 같이 표현될 때 이 시스템의 고유주파수 $(\omega_n[\text{rad/s}])$와 감쇠율(ζ)은?

[2022년 2회 기사]

① $\omega_n = 0.25$, $\zeta = 1.0$

② $\omega_n = 0.5$, $\zeta = 0.25$

③ $\omega_n = 0.5$, $\zeta = 0.5$

④ $\omega_n = 1.0$, $\zeta = 0.5$

> **해설**
>
> 2차 계의 전달함수 $\dfrac{\omega_n{}^2}{s^2 + 2\zeta\omega_n s + \omega_n{}^2}$ 에서
>
> 분모값만 이용 $s^2 + 2\zeta\omega_n s + \omega_n{}^2 = 0$
>
> $\dfrac{1}{4s^2 + s + 1}$ 에서 분모를 4로 나눈다.
>
> $\dfrac{\frac{1}{4}}{s^2 + \frac{1}{4}s + \frac{1}{4}} = 0$, $\dfrac{\omega_n{}^2}{s^2 + 2\zeta\omega_n s + \omega_n{}^2} = 0$과 비교하여(분모만 비교한다)
>
> $\omega_n{}^2 = \dfrac{1}{4}$, $\omega_n = \dfrac{1}{2} = 0.5$
>
> $2\zeta \times 0.5 = \dfrac{1}{4}$
>
> $\zeta = 0.25$

22 전달함수 $G(s) = \dfrac{C(s)}{R(s)} = \dfrac{1}{(s+a)^2}$ 인 제어계의 임펄스응답 $c(t)$는?

[2016년 3회 기사]

① e^{-at}

② $1 - e^{-at}$

③ te^{-at}

④ $\dfrac{1}{2}t^2$

> **해설**
>
> $c(t) = \mathcal{L}^{-1}[G(s)R(s)] = \mathcal{L}^{-1}\left[\dfrac{1}{(s+a)^2}\right] = te^{-at}$

23 그림과 같은 RC 저역통과 필터회로에 단위 임펄스를 입력으로 가했을 때 응답 $h(t)$는?

[2019년 2회 기사]

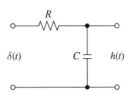

① $h(t) = RCe^{-\frac{t}{RC}}$

② $h(t) = \dfrac{1}{RC}e^{-\frac{t}{RC}}$

③ $h(t) = \dfrac{R}{1+j\omega RC}$

④ $h(t) = \dfrac{1}{RC}e^{-\frac{C}{R}t}$

해설

$$h(t) = \delta^{-1}[G(s)R(s)] = \delta^{-1}\left[\dfrac{\dfrac{1}{sC}}{R+\dfrac{1}{sC}}\right] = \delta^{-1}\left[\dfrac{1}{RCs+1}\right] = \delta^{-1}\left[\dfrac{\dfrac{1}{RC}}{s+\dfrac{1}{RC}}\right] = \dfrac{1}{RC}e^{-\frac{1}{RC}t}$$

24 전달함수가 $G(s) = \dfrac{Y(s)}{X(s)} = \dfrac{1}{s^2(s+1)}$ 로 주어진 시스템의 단위 임펄스 응답은?

[2017년 2회 기사]

① $y(t) = 1 - t + e^{-t}$

② $y(t) = 1 + t + e^{-t}$

③ $y(t) = t - 1 + e^{-t}$

④ $y(t) = t - 1 - e^{-t}$

해설

$$c(t) = \mathcal{L}^{-1}[G(s)R(s)] = \mathcal{L}^{-1}\left[\dfrac{1}{s^2(s+1)}\right] = \dfrac{k_1}{s^2} + \dfrac{k_2}{s} + \dfrac{k_3}{s+1}$$

$$k_1 = \dfrac{1}{s+1}\bigg|_{s=0} = 1$$

$$k_2 = \dfrac{d}{ds}\dfrac{1}{s+1}\bigg|_{s=0} = \dfrac{-1}{(s+1)^2}\bigg|_{s=0} = -1$$

$$k_3 = \dfrac{1}{s^2}\bigg|_{s=-1} = 1$$

$$F(s) = \dfrac{1}{s^2} - \dfrac{1}{s} + \dfrac{1}{s+1}$$

역라플라스 변환하면 $f(t) = t - 1 + e^{-t}$

4. 편차와 감도

(1) **정상편차(e_{ss})** : 단위부궤환제어계의 입력과 출력의 편차

$E(S) = R(S) - C(S) = \dfrac{1}{1+G(S)} R(S)$에 대한 최종값을 정상편차라 한다.

$e_{ss} = \lim\limits_{t\to\infty} e(t) = \lim\limits_{S\to 0} \dfrac{S}{1+G(S)} R(S)$ (단, $G(S)$는 전향전달함수)

① 단위계단입력 : 기준입력 $r(t) = u(t) = 1$, $R(S) = \dfrac{1}{S}$

② 단위램프입력 : 기준입력 $r(t) = t$, $R(S) = \dfrac{1}{S^2}$

③ 포물선입력 : 기준입력 $r(t) = \dfrac{1}{2}t^2$, $R(S) = \dfrac{1}{S^3}$

(2) **정상편차의 종류**

① **정상위치편차(e_{ssp})** : 단위부궤환제어계에 단위계단입력이 가하여진 경우의 정상편차를 정상위치편차라 한다.

$e_{ssp} = \lim\limits_{S\to 0} \dfrac{S}{1+G(S)} \times \dfrac{1}{S} = \lim\limits_{S\to 0} \dfrac{1}{1+G(S)} = \dfrac{1}{1+\lim\limits_{S\to 0} G(S)} = \dfrac{1}{1+K_p}$

단, $K_p = \lim\limits_{S\to 0} G(S)$: 위치편차상수

② **정상속도편차(e_{ssv})** : 단위부궤환제어계에 단위램프입력이 가하여진 경우의 정상편차를 정상속도편차라 한다.

$e_{ssv} = \lim\limits_{S\to 0} \dfrac{S}{1+G(S)} R(S) = \lim\limits_{S\to 0} \dfrac{S}{1+G(S)} \times \dfrac{1}{S^2} = \lim\limits_{S\to 0} \dfrac{1}{S+SG(S)} = \dfrac{1}{\lim\limits_{S\to 0} SG(S)}$

$= \dfrac{1}{K_v}$

단, $K_v = \lim\limits_{S\to 0} SG(S)$: 속도편차상수

③ 정상가속도편차(e_{ssa}) : 단위부궤환제어계에 포물선입력이 가하여진 경우의 정상편차를 정상가속도편차라 한다.

$$e_{ssa} = \lim_{S \to 0} \frac{S}{1+G(S)} R(S) = \lim_{S \to 0} \frac{S}{1+G(S)} \times \frac{1}{S^3} = \lim_{S \to 0} \frac{1}{S^2 + S^2 G(S)}$$

$$= \frac{1}{\lim\limits_{S \to 0} S^2 G(S)} = \frac{1}{K_a}$$

단, $K_a = \lim\limits_{S \to 0} S^2 G(S)$: 가속도편차상수

(3) 자동제어계의 형의 분류

개루프 전달함수 $G(S)H(S)$의 원점($S=0$)에 있는 극점의 수에 의해서 분류한다.

$$G(S)H(S) = \frac{K}{S^N}$$

$N=0$이면 0형 제어계, $N=1$이면 1형 제어계, $N=2$이면 2형 제어계, $N=3$이면 3형 제어계가 된다.

① 형의 분류에 의한 정상편차 및 편차상수

형	K_p	K_v	K_a	e_{ssp}	e_{ssv}	e_{ssa}	비 교
0	K	0	0	$\dfrac{R}{1+K}$	∞	∞	계단입력 : $\dfrac{R}{S}$
1	∞	K	0	0	$\dfrac{R}{K}$	∞	속도입력 : $\dfrac{R}{S^2}$
2	∞	∞	K	0	0	$\dfrac{R}{K}$	가속도입력 : $\dfrac{R}{S^3}$

(4) 감도 : 주어진 요소 K에 의한 계통의 폐루프 전달함수 T의 미분 감도는 $S_K^T = \dfrac{K}{T} \cdot \dfrac{dT}{dK}$에 의해서 구한다. 단, $T = \dfrac{C(S)}{R(S)}$인 폐루프 전달함수이다.

예 그림과 같은 블록선도의 제어계에서 K_1에 대한 $T=\dfrac{C}{R}$의 감도 $S_{K_1}^{T}$는?

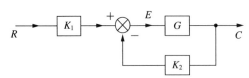

해설) 먼저 전달함수 T를 구하면 $T=\dfrac{C}{R}=\dfrac{K_1 G(S)}{1+G(S)K_2}$ 이므로 감도공식에 대입하면

$$S_K^T = \frac{K_1}{T} \cdot \frac{dT}{dK_1} = \frac{K_1}{\dfrac{K_1 G(S)}{1+G(S)K_2}} \cdot \frac{d}{dK_1}\left(\frac{K_1 G(S)}{1+G(S)K_2}\right)$$

$$= \frac{1+G(S)K_2}{G(S)} \cdot \frac{G(S)}{1+G(S)K_2} = 1 \text{이 된다.}$$

핵 / 심 / 예 / 제

01 그림과 같은 블록선도로 표시되는 제어계는? [2012년 1회 기사 / 2016년 2회 기사]

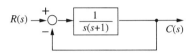

① 0형 ② 1형
③ 2형 ④ 3형

해설 시스템형에 의한 제어계의 분류

$$\lim_{s \to 0} G(s)H(s) = \frac{k}{s^l}, \quad G(s)H(s) = \frac{K}{s(s+1)}$$

$l = 0$	$l = 1$	$l = 2$
0형 제어계	1형 제어계	2형 제어계

02 단위피드백제어계의 개루프 전달함수가 $G(s) = \dfrac{1}{(s+1)(s+2)}$ 일 때 단위계단입력에 대한 정상편차는? [2016년 3회 기사]

① $\dfrac{1}{3}$ ② $\dfrac{2}{3}$

③ 1 ④ $\dfrac{4}{3}$

해설
$$e_{ss} = \frac{1}{1+K_p} = \frac{1}{1+\frac{1}{2}} = \frac{1}{\frac{3}{2}} = \frac{2}{3}$$

$$K_p = \lim_{s \to 0} G(s)$$
$$= \lim_{s \to 0} \frac{1}{(s+1)(s+2)}$$
$$= \frac{1}{2}$$

03 단위 피드백제어계에서 개루프 전달함수 $G(s)$가 다음과 같이 주어졌을 때 단위계단입력에 대한 정상상태 편차는? [2020년 1, 2회 기사]

$$G(s) = \frac{5}{s(s+1)(s+2)}$$

① 0   ② 1

③ 2   ④ 3

해설

$$e_{ss} = \frac{1}{1+K_p} = \frac{1}{1+\infty} = 0$$

$$K_p = \lim_{s \to 0} \frac{5}{s(s+1)(s+2)} = \infty$$

04 개루프 전달함수 $G(s)$가 다음과 같이 주어지는 단위부궤환계가 있다. 단위계단입력이 주어졌을 때, 정상상태편차가 0.05가 되기 위해서는 K의 값은 얼마인가? [2018년 1회 기사]

$$G(s) = \frac{6K(s+1)}{(s+2)(s+3)}$$

① 19   ② 20

③ 0.95   ④ 0.05

해설

$$e_{ss} = \frac{1}{1+K_p} = 0.05$$

$$K_p = \lim_{s \to 0} \frac{6K(s+1)}{(s+2)(s+3)} = K$$

$$\frac{1}{1+K} = 0.05$$

$$K = 19$$

05 그림과 같은 블록선도의 제어시스템에 단위계단 함수가 입력되었을 때 정상상태 오차가 0.01 이 되는 a의 값은?　　　　　　　　　　　　　　　　　　　　　　　　　　[2022년 1회 기사]

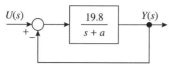

① 0.2

② 0.6

③ 0.8

④ 1.0

해설

$$e_{ss} = \frac{1}{1+k_p}$$

$$k_p = \lim_{s \to 0} G(s) = \lim_{s \to 0} \frac{19.8}{s+a} = \frac{19.8}{a}$$

$$\frac{1}{1+\frac{19.8}{a}} = 0.01$$

$$\frac{1}{0.01} = 1 + \frac{19.8}{a}$$

$$\left(\frac{1}{0.01}\right) - 1 = \frac{19.8}{a}$$

$$a = \frac{19.8}{\frac{1}{0.01} - 1} = 0.2$$

06 개루프 전달함수가 다음과 같은 계에서 단위속도입력에 대한 정상편차는?　　　[2013년 2회 기사]

$$G(s) = \frac{10}{s(s+1)(s+2)}$$

① 0.2

② 0.25

③ 0.33

④ 0.5

해설　정상속도편차

$$e_{ssv} = \frac{1}{\lim_{s \to 0} s G(s)} = \frac{1}{\lim_{s \to 0} s \frac{10}{s(s+1)(s+2)}} = \frac{1}{\frac{10}{2}} = \frac{1}{5} = 0.2$$

07 그림과 같은 블록선도의 제어시스템에서 속도편차상수 K_v는 얼마인가? [2020년 4회 기사]

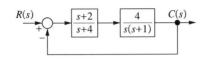

① 0

② 0.5

③ 2

④ ∞

해설 $K_v = \lim_{s \to 0} s \cdot \dfrac{4(s+2)}{s(s+1)(s+4)} = 2$

08 블록선도의 제어시스템은 단위램프입력에 대한 정상상태 오차(정상편차)가 0.01이다. 이 제어시스템의 제어요소인 $G_{C1}(s)$의 k는? [2021년 1회 기사]

$$G_{C1}(s) = k, \quad G_{C2}(s) = \frac{1+0.1s}{1+0.2s}, \quad G_P(s) = \frac{200}{s(s+1)(s+2)}$$

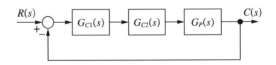

① 0.1

② 1

③ 10

④ 100

해설 $e_{ss} = \dfrac{1}{kv} = 0.01$

$kv = \lim_{s \to 0} s \cdot \dfrac{k(1+0.1s)200}{(1+0.2s)s(s+1)(s+2)} = 100k$

$\dfrac{1}{100k} = 0.01$

$\dfrac{1}{100 \times 0.01} = k$

∴ $k = 1$

07 ③ 08 ② 정답

09 블록선도의 제어시스템은 단위램프입력에 대한 정상상태 오차(정상편차)가 0.01이다. 이 제어 시스템의 제어요소인 $G_{C1}(s)$의 k는?

[2021년 3회 기사]

$$G_{C1}(s) = k, \quad G_{C2}(s) = \frac{1 + 0.1s}{1 + 0.2s}, \quad G_P(s) = \frac{20}{s(s+1)(s+2)}$$

① 0.1

② 1

③ 10

④ 100

해설

$e_{ss} = \dfrac{1}{k_v} = 0.01$

$k_v = \lim\limits_{s \to 0} \dfrac{k(1 + 0.1s)20}{(1 + 0.2s)s(s+1)(s+2)}$

$k_v = 10k$

$\dfrac{1}{10k} = 0.01$

$\dfrac{1}{10 \times 0.01} = k$

$\therefore k = 10$

10 그림과 같은 피드백제어시스템에서 입력이 단위계단함수일 때 정상상태 오차상수인 위치상수 (K_p)는?

[2020년 3회 기사]

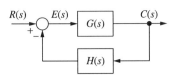

① $K_p = \lim_{s \to 0} G(s)H(s)$

② $K_p = \lim_{s \to 0} \dfrac{G(s)}{H(s)}$

③ $K_p = \lim_{s \to \infty} G(s)H(s)$

④ $K_p = \lim_{s \to \infty} \dfrac{G(s)}{H(s)}$

해설 $E = R(s) - C(s)H(s)$

$E = R(s) - EG(s)H(s)$

$E(1 + G(s)H(s)) = R(s)$

$E = \dfrac{R(s)}{1 + G(s)H(s)}$

$e_{ss} = \lim_{s \to 0}\left(s\dfrac{R(s)}{1 + G(s)H(s)}\right)$

$= \lim_{s \to 0}\left(s\dfrac{\frac{1}{s}}{1 + G(s)H(s)}\right) = \lim_{s \to 0}\left(\dfrac{1}{1 + G(s)H(s)}\right)$

$= \dfrac{1}{1 + \lim_{s \to 0}[G(s)H(s)]}$

상수 $K_p = \lim_{s \to 0}[G(s)H(s)]$

11 그림의 블록선도에서 K에 대한 폐루프 전달함수 $T = \dfrac{C(s)}{R(s)}$ 의 감도 S_K^T는?

[2016년 3회 기사]

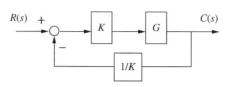

① −1

② −0.5

③ 0.5

④ 1

> **해설**
>
> $$T = G(s) = \frac{C(s)}{R(s)} = \frac{KG}{1+G}$$
>
> $$S_K^T = \frac{K}{T} \frac{d}{dK} T = \frac{K}{\dfrac{KG}{1+G}} \cdot \frac{G}{1+G} = 1$$

12 그림과 같은 제어시스템의 폐루프 전달함수 $T(s) = \dfrac{C(s)}{R(s)}$ 에 대한 감도 S_K^T는?

[2021년 2회 기사]

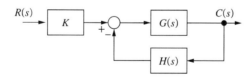

① 0.5

② 1

③ $\dfrac{G}{1+GH}$

④ $\dfrac{-GH}{1+GH}$

> **해설**
>
> $$T = G(s) = \frac{C(s)}{R(s)} = \frac{GK}{1+GH}$$
>
> $$S_K^T = \frac{K}{T} \frac{d}{dK} T$$
>
> $$= \frac{K}{\dfrac{GK}{1+GH}} \cdot \frac{G}{1+GH}$$
>
> $$= 1$$

5. 주파수 응답

(1) 주파수 응답

전달함수 $G(S)$에서 S대신 $j\omega$인 주파수 응답 $x(t)$에 대한 출력 $y(t)$를 주파수 응답이라 한다.

또한 $G(j\omega)$를 주파수 전달함수라고 한다.

① 진폭비$=|G(j\omega)|=\sqrt{실수부^2+허수부^2}$

② 위상차 $\theta=\angle\,G(j\omega)=\tan^{-1}\dfrac{허수부}{실수부}$

(2) 벡터궤적

ω를 0에서 ∞로 변화 시 주파수 전달함수 $G(j\omega)$의 크기와 위상의 변화를 궤적으로 표현한 그림이다.

① 1차 지연요소

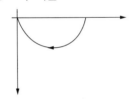

$$G(S)=\frac{1}{1+TS}=\frac{1}{j\omega T}=\frac{1}{1+\omega^2 T^2}(1-j\omega T)$$

② 부동작 시간요소

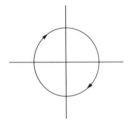

$$G(S)=e^{-LS}=e^{-j\omega L}=\cos\omega L-j\sin\omega L$$

이득값$=0[dB]$

※ 실수부+허수부

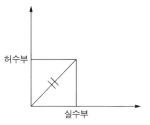

$$|G(s)| = \sqrt{실수부^2 + 허수부^2}$$

$$\theta = \tan^{-1}\frac{허수부}{실수부}$$

$$G(S) = \frac{K}{1 + TS}$$

$$G(j\omega) = \frac{K}{1 + j\omega T}$$

$$|G(s)| = \frac{K}{\sqrt{1^2 + (\omega T)^2}}$$

$$\angle \frac{K\angle 0}{\tan^{-1}(\omega T)^2}$$

$$|G(s)| \angle 0° - \tan^{-1}\omega T$$

예 1) $\dfrac{K}{1 + j\omega T}$

$$|G(s)| = \frac{K}{\sqrt{1^2 + (\omega T)^2}} \quad \angle 0° - \tan^{-1}\omega T$$

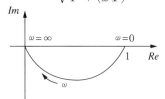

• $\displaystyle\lim_{\omega \to 0}\left|\frac{K}{1 + j\omega T}\right| = \frac{K}{1} = K\angle 0°$

• $\displaystyle\lim_{\omega \to \infty}\left|\frac{K}{1 + j\omega T}\right| = \frac{K}{j\omega T} = 0\angle -90°$

예 2) $\dfrac{K}{(1+j\omega\,T_1)(1+j\omega\,T_2)}$

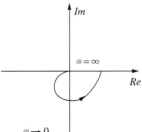

- $\lim\limits_{\omega\to 0}\left|\dfrac{K}{(1+j\omega\,T_1)(1+j\omega\,T_2)}\right| = \dfrac{K}{1} = K\angle\,0°$

- $\lim\limits_{\omega\to\infty}\left|\dfrac{K}{(1+j\omega\,T_1)(1+j\omega\,T_2)}\right| = \dfrac{K}{(j\omega\,T)^2\,T_1\,T_2} = 0\angle -180°$

예 3) $\dfrac{K}{j\omega\,(1+j\omega\,T)}$ ($\omega\to 0$ 분모의 괄호 안에만 대입)

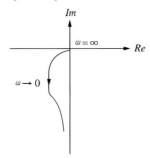

- $\lim\limits_{\omega\to 0}|G(s)| = \dfrac{K}{j\omega} = \infty\,\angle -90°$

- $\lim\limits_{\omega\to\infty}|G(s)| = \dfrac{K}{(j\omega)^2\,T} = 0\angle -180°$

예 4) $\dfrac{K}{j\omega\,(1+j\omega\,T_1)(1+j\omega\,T_2)}$

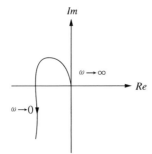

- $\displaystyle\lim_{\omega\to0}\left|\frac{K}{j\omega(1+j\omega\,T_1)(1+j\omega\,T_2)}\right|=\frac{K}{j\omega}=\infty\angle-90°$

- $\displaystyle\lim_{\omega\to\infty}\left|\frac{K}{j\omega(1+j\omega\,T_1)(1+j\omega\,T_2)}\right|=\frac{K}{(j\omega\,T)^3\,T_1\,T_2}=0\angle-270°$

(3) 보드선도

① 이득 $G=20\log|G(j\omega)|\,[\mathrm{dB}]$

② 위상 $\theta=\angle\,G(j\omega)$ (단, j=90°, $-j=\dfrac{1}{j}=-90°$)

③ 절점 주파수 ω_0 : 실수부와 허수부가 같아지는 주파수

예 1) $G(S)=e^{-LS}$ 에서 ω=100[rad/sec]일 때 이득[dB]은?

$G(j\omega)=e^{-j\omega L}$

$|G(j\omega)|=1$

$\therefore\ 20\log1=0\,[\mathrm{dB}]$

예 2) $G(S)=\dfrac{1}{0.1S(0.01S+1)}$ 에서 ω=0.1[rad/s]일 때 이득 및 위상각은?

$G(j\omega)=\dfrac{1}{0.1j\omega(0.01j\omega+1)}$

$|G(j\omega)|=\dfrac{1}{0.01\sqrt{0.001^2+1^2}}=\dfrac{1}{0.01}=10^2$

$20\log10^2=40\log10$

$\therefore\ 40\,[\mathrm{dB}]$

$\angle-90°\left(\dfrac{1}{j\omega0.1}\right)$

예 3) $G(S)H(S)=\dfrac{2}{(S+1)(S+2)}$ (개루프)의 이득여유?

$|G(S)H(S)|=\dfrac{2}{\sqrt{\omega^2+1}\,\sqrt{\omega^2+4}}$ (ω가 값이 주어지지 않으면 ω=0에서 시작한다)

$\displaystyle\lim_{\omega\to0}\frac{2}{2}=1$

$20\log\dfrac{1}{1}=0\,[\mathrm{dB}]$

예 4) $G(s)H(s) = \dfrac{k}{(s+1)(s+2)}$, 40[dB]일 때 $k=?$

$\omega = 0, \ s = j\omega$

$20\log\dfrac{1}{|GH|} = 20\log\dfrac{1}{\left|\dfrac{k}{2}\right|} = 20\log\dfrac{2}{k}$

$20\log\dfrac{2}{k} = 20\log 10^2$

$\therefore \ k = \dfrac{2}{100} = \dfrac{1}{50}$

(4) 주파수 특성에 관한 제정수

① 대역폭 : 입력에 대한 출력비의 $G(S) = \dfrac{C(S)}{R(S)} = 0.707 = \dfrac{1}{\sqrt{2}}$ 일 때의 주파수 ω를 말한다. 대역폭이 넓으면 넓을수록 응답속도가 빠르다.

② 공진정점 $M_P = \dfrac{1}{2\delta\sqrt{1-\delta^2}}$

공진정점이 크면 과도응답 시 오버슈트가 커지며 불안정하다.

③ 공진주파수 $\omega_P = \omega_n\sqrt{1-2\delta^2}$

공진정점이 일어나는 주파수

④ 분리도 : 분리도가 예리할수록 큰 공진정점을 동반하므로 불안정하기 쉽다.

⑤ 절점주파수 : 실수와 허수가 같을 때의 ω값

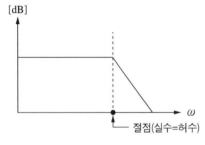

절점(실수=허수)

예 1) $G(S) = \dfrac{1}{1+5S}$ 일 때 절점에서 절점주파수 $\omega_0?$

$\dfrac{1}{1+5j\omega}$

$1 = 5\omega$

$\therefore \ \omega = \dfrac{1}{5} = 0.2$

예 2) $G(j\omega)=\dfrac{1}{1+j\omega T}$ 인 제어계에서 절점주파수일 때 이득은?

　※ 절점주파수는 실수와 허수의 값이 동일

　실수=1, 허수=1

$$20\log|G|=20\log\dfrac{1}{\sqrt{1^2+1^2}}=20\log\dfrac{1}{\sqrt{2}}≒-3[\text{dB}]$$

⑥ 이득곡선

예 $G(S)=\dfrac{10}{(S+1)(10S+1)}$ 의 보드선도의 이득곡선은?

　절점 : 1, 0.1

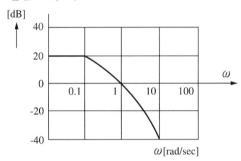

$$20\log10-20\log\sqrt{\omega^2+1}-20\log\sqrt{(10\omega)^2+1}$$

• $\omega<0.1$

　$\omega\to0$

　$20\log10=20[\text{dB/dece}]$

• $0.1<\omega<1$

　$\omega\to0.5$

　$20\log10-20\log10\omega$

　$=20\log10-20\log10-20\log\omega$

　$=-20[\text{dB/dece}]$

• $\omega>0$

　$\omega\to\infty$

　$20\log10-20\log\omega-20\log\omega10$

　$=20\log10-20\log\omega-20\log10-20\log\omega$

　$=-40[\text{dB/dece}]$

핵 / 심 / 예 / 제

01 $G(j\omega) = \dfrac{1}{j\omega T + 1}$ 의 크기와 위상각은?

[2017년 3회 기사]

① $G(j\omega) = \sqrt{\omega^2 T^2 + 1} \angle \tan^{-1}\omega T$

② $G(j\omega) = \sqrt{\omega^2 T^2 + 1} \angle -\tan^{-1}\omega T$

③ $G(j\omega) = \dfrac{1}{\sqrt{\omega^2 T^2 + 1}} \angle \tan^{-1}\omega T$

④ $G(j\omega) = \dfrac{1}{\sqrt{\omega^2 T^2 + 1}} \angle -\tan^{-1}\omega T$

해설 $\ . \ G(s) = \dfrac{1\angle 0°}{\sqrt{\omega^2 T^2 + 1}\angle \tan^{-1}\frac{\omega T}{1}} = \dfrac{1}{\sqrt{\omega^2 T^2 + 1}} \angle -\tan^{-1}\omega T$

02 $G(j\omega) = \dfrac{K}{j\omega(j\omega + 1)}$ 의 나이퀴스트선도를 도시한 것은?(단, $K > 0$ 이다)

[2012년 2회 기사 / 2012년 3회 기사 / 2015년 1회 기사]

①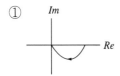

②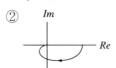

③

④

해설 **나이퀴스트선도에서 주파수 전달함수**

$G(s) = \dfrac{K}{j\omega(j\omega + 1)}$

$\lim\limits_{\omega \to 0}|G(j\omega)| = \lim\limits_{\omega \to 0}\left|\dfrac{K}{j\omega(j\omega + 1)}\right| = \lim\limits_{\omega \to 0}\left|\dfrac{K}{j\omega}\right| = \infty$

$\lim\limits_{\omega \to 0}\angle G(j\omega) = \lim\limits_{\omega \to 0}\angle \dfrac{K}{j\omega(j\omega + 1)} = \lim\limits_{\omega \to 0}\angle \dfrac{K}{j\omega} = -90°$

$\lim\limits_{\omega \to \infty}|G(j\omega)| = \lim\limits_{\omega \to \infty}\left|\dfrac{K}{j\omega(j\omega + 1)}\right| = \lim\limits_{\omega \to \infty}\left|\dfrac{K}{(j\omega)^2}\right| = 0$

$\lim\limits_{\omega \to \infty}\angle G(j\omega) = \lim\limits_{\omega \to \infty}\angle \dfrac{K}{j\omega(j\omega + 1)} = \lim\limits_{\omega \to \infty}\angle \dfrac{K}{(j\omega)^2} = -180°$

1형시스템으로 $-90°$에서 시작하여 (분모차수 $-$ 분자차수) $= 1$

$\therefore$ $-180°$에서 종착하는 궤적이 된다.

03 주파수 전달함수 $G(s) = s$인 미분요소가 있을 때 이 시스템의 벡터궤적은? [2015년 2회 기사]

①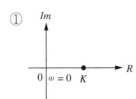

②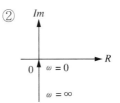

③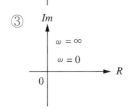

④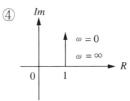

해설
① 비례요소
② 적분요소
③ 미분요소
④ 해당 없다.

04 백터궤적이 다음과 같이 표시되는 요소는? [2016년 1회 기사]

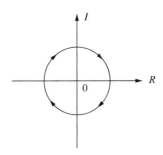

① 비례요소
② 1차 지연요소
③ 2차 지연요소
④ 부동작 시간요소

해설 **부동작 시간요소** : $Ke^{-LS} = \dfrac{K}{e^{LS}}$

05 그림의 벡터궤적을 갖는 계의 주파수 전달함수는? [2019년 3회 기사]

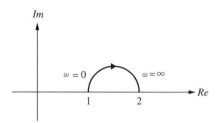

① $\dfrac{1}{j\omega + 1}$

② $\dfrac{1}{j2\omega + 1}$

③ $\dfrac{j\omega + 1}{j2\omega + 1}$

④ $\dfrac{j2\omega + 1}{j\omega + 1}$

해설 $G(j\omega) = \dfrac{1 + j\omega T_2}{1 + j\omega T_1}$

$\omega = 0$일 때 1

$\omega = \infty$일 때 $|G(j\omega)| = \dfrac{T_2}{T_1} = 2$ 이므로 $T_2 > T_1$ 이고 위상각은 +값을 갖는다.

06 그림과 같은 보드선도의 이득선도를 갖는 제어시스템의 전달함수는? [2022년 1회 기사]

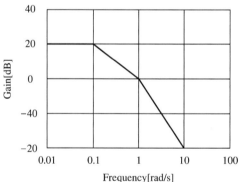

① $G(s) = \dfrac{10}{(s+1)(s+10)}$

② $G(s) = \dfrac{10}{(s+1)(10s+1)}$

③ $G(s) = \dfrac{20}{(s+1)(s+10)}$

④ $G(s) = \dfrac{20}{(s+1)(10s+1)}$

해설 $G(s) = \dfrac{10}{(s+1)(10s+1)}$

$20\log_{10} - 20\log\sqrt{\omega^2 + 1} - 20\log\sqrt{(10\omega)^2 + 1}$

$\omega = 0$일 때 20[dB]

절점 주파수는 0.1, 1이므로 ②와 ④ 중 이득값이 20[dB]인 ②가 답

※ 단, 현재 문제에서는 세로축 −40[dB]과 −20[dB]의 위치가 올바르지 않아 전항 정답 처리됨

05 ④ 06 전항 정답 **정답**

07 전압비 10^6을 데시벨[dB]로 나타내면? [2016년 3회 기사]

① 20
② 60
③ 100
④ 120

해설 $20\log 10^6 = 120[\text{dB}]$

08 1[mV]의 입력을 가했을 때 100[mV]의 출력이 나오는 4단자 회로의 이득[dB]은?

[2018년 1회 산업기사]

① 40
② 30
③ 20
④ 10

해설 $20\log G = 20\log 100 = 20\log 10^2 = 40[\text{dB}]$

09 제어시스템의 주파수 전달함수가 $G(j\omega) = j5\omega$이고, 주파수가 $\omega = 0.02[\text{rad/sec}]$일 때 이 제어시스템의 이득[dB]은? [2021년 2회 기사]

① 20
② 10
③ −10
④ −20

해설 $20\log|G| = 20\log|5\omega|$
$= 20\log|5 \times 0.02|$
$= 20\log 0.1 = 20\log 10^{-1}$
$= -20[\text{dB}]$

10 주파수 전달함수가 $G(j\omega) = \dfrac{1}{j100\omega}$ 인 제어시스템에서 $\omega = 1.0$[rad/s]일 때의 이득[dB]과

위상각은 각각 얼마인가? [2021년 3회 기사]

① 20[dB], 90°

② 40[dB], 90°

③ −20[dB], −90°

④ −40[dB], −90°

해설

$G(j\omega) = \dfrac{1}{j100\omega}$

$G(j\omega) = \dfrac{1}{j100 \times 1}$

분모에 j가 있으므로 −90°

$20\log|G(j\omega)| = 20\log\dfrac{1}{100} = 20\log10^{-2} = -40$[dB]

11 $G(s) = \dfrac{1}{0.005s(0.1s+1)^2}$ 에서 $\omega = 10$[rad/s]일 때의 이득 및 위상각은? [2018년 2회 기사]

① 20[dB], −90°

② 20[dB], −180°

③ 40[dB], −90°

④ 40[dB], −180°

해설

$G(s) = \dfrac{1}{0.005 \times 10j(0.1 \times j10 + 1)^2}$

$= \dfrac{1}{0.05j(j+1)^2} = \dfrac{1}{0.05j \times 2j}$

$(j+1)^2 \to (1+j)(1+j) = 1 + 2j - 1 = 2j$

$= \dfrac{1}{0.1j^2}$

$20\log|G| = 20\log\dfrac{1}{0.1} = 20\log10 = 20$[dB]

분모에 j^2이 있으므로 −180°

12 전달함수가 $G(s) = \dfrac{1}{0.1s(0.01s+1)}$ 과 같은 제어시스템에서 $\omega = 0.1[\text{rad/s}]$일 때의 이득 [dB]과 위상각[°]은 약 얼마인가?

[2022년 2회 기사]

① 40[dB], $-90°$

② -40[dB], $90°$

③ 40[dB], $-180°$

④ -40[dB], $-180°$

해설

$G(j\omega) = \dfrac{1}{0.1j\omega(0.01j\omega+1)}$

$\quad\quad\quad = \dfrac{1}{0.1 \times 0.1j(0.01 \times 0.1j+1)}$

$\quad\quad\quad = \dfrac{1}{0.01j(0.001j+1)}$

분모의 $(0.001j+1)$은 $\sqrt{0.001^2+1}$ 로 무효분값이 작아서 무시할 수 있다. 그러므로

$G(j\omega) = \dfrac{1}{0.01j}$

분모에 j가 한 개 있으므로 위상은 $-90°$

이득 $= 20\log|G| = 20\log\left|\dfrac{1}{0.01j}\right|$

$\quad\quad = 20\log\dfrac{1}{10^{-2}} = 20\log 10^2 = 40[\text{dB}]$

13 $G(j\omega) = \dfrac{K}{j\omega(j\omega+1)}$ 에 있어서 진폭 A 및 위상각 θ는?

[2018년 3회 기사]

$$\lim_{\omega \to \infty} G(j\omega) = A \angle \theta$$

① $A = 0$, $\theta = -90°$　　　　　② $A = 0$, $\theta = -180°$

③ $A = \infty$, $\theta = -90°$　　　　　④ $A = \infty$, $\theta = -180°$

해설

$\lim\limits_{\omega \to \infty}\left|\dfrac{K}{j\omega(j\omega+1)}\right| = \lim\limits_{\omega \to \infty}\left|\dfrac{K}{(j\omega)^2}\right| = 0°$

$\lim\limits_{\omega \to \infty}\angle G(j\omega) = \lim\limits_{\omega \to \infty}\angle\dfrac{K}{j\omega(1+j\omega)} = \lim\limits_{\omega \to \infty}\angle\dfrac{K}{(j\omega)^2} = -180°$

14 $G(s)H(s) = \dfrac{2}{(s+1)(s+2)}$ 의 이득여유[dB]는?

[2017년 1회 기사]

① 20

② -20

③ 0

④ ∞

해설 $20\log\dfrac{1}{|GH|} = 20\log\dfrac{2}{2} = 20\log 1 = 0[\text{dB}]$

※ $s=0$을 대입

15 $G(j\omega)H(j\omega) = \dfrac{K}{(1+2j\omega)(1+j\omega)}$ 의 이득여유가 20[dB]일 때 K값은?(단, $\omega = 0$ 이다)

[2012년 1회 기사]

① $K = 0$

② $K = \dfrac{1}{10}$

③ $K = 1$

④ $K = 10$

해설 조건 : 이득여유 $20\log\left|\dfrac{1}{GH}\right| = 20$에서 $GH = \dfrac{1}{10}$

$|GH| = \left|\dfrac{K}{1 - 2\omega^2 + j3\omega}\right|_{\omega=0}$ 에서 $|GH| = K$ $\therefore K = \dfrac{1}{10}$

※ GH 함수는 $\omega = 0$을 대입하여 $20\log\dfrac{1}{K} = 20\log 10$

$\dfrac{1}{K} = 10 \quad \therefore K = \dfrac{1}{10}$

16 단위 부궤환 제어시스템의 루프 전달함수 $G(s)H(s)$가 다음과 같이 주어져 있다. 이득여유가 20[dB]이면 이때의 K의 값은?　　　　　　　　　　　　　　　　　　　　　[2018년 2회 기사]

$$G(s)H(s) = \frac{K}{(s+1)(s+3)}$$

① $\dfrac{3}{10}$　　　　　　　　　　　　② $\dfrac{3}{20}$

③ $\dfrac{1}{20}$　　　　　　　　　　　　④ $\dfrac{1}{40}$

해설　$G(s)H(s) = \dfrac{K}{(s+1)(s+3)}$ 에서 s에 0을 대입하면 $G(s)H(s) = \dfrac{K}{3}$

$20\log\dfrac{1}{G(s)H(s)} = 20\log\dfrac{1}{\dfrac{K}{3}} = 20\log\dfrac{3}{K}$

20[dB]과 같으므로 $20\log\dfrac{3}{K} = 20\log 10$에서 $\dfrac{3}{K} = 10$

$\therefore K = \dfrac{3}{10}$

17 $G(s) = \dfrac{K}{s}$ 인 적분요소의 보드선도에서 이득곡선의 1[decade]당 기울기는 몇 [dB]인가?　　　　　　　　　　　　　　　　　　　　　　　　　　　　[2015년 3회 기사]

① 10　　　　　　　　　　　　② 20

③ -10　　　　　　　　　　　　④ -20

해설　보드선도에서 적분요소의 이득

구 분	적분요소	미분요소
$G(s)$	$G(s) = \dfrac{K}{s}$	$G(s) = sK$
$G(j\omega)$	$G(j\omega) = -j\dfrac{K}{\omega}$	$G(j\omega) = j\omega K$
이득 / 1[decade]	-20	20

18 나이퀴스트선도에서의 임계점(-1, $j0$)와 보드선도에서 대응하는 이득[dB]과 위상은?

[2012년 1회 기사 / 2016년 1회 기사]

① 1, 0°   ② 0, $-90°$

③ 0, 180°   ④ 0, 90°

해설

구 분	대 응	
나이퀴스트선도	임계점 $(-1+j0)$	
보드선도	이 득	위 상
	$g=20\log|G|=20\log|1|=0\,[\mathrm{dB}]$	$\theta=-180°,\ 180°$

19 보드선도에서 이득여유에 대한 정보를 얻을 수 있는 것은?   [2019년 2회 기사 / 2020년 1, 2회 기사]

① 위상곡선 0°에서의 이득과 0[dB]과의 차이

② 위상곡선 180°에서의 이득과 0[dB]과의 차이

③ 위상곡선 $-90°$에서의 이득과 0[dB]과의 차이

④ 위상곡선 $-180°$에서의 이득과 0[dB]과의 차이

해설   보드선도에서 이득곡선이 0[dB]인 점을 지날 때의 주파수에서 양의 위상여유가 생기고, 위상곡선이
$-180°$를 지날 때 이 시스템은 항상 안정이다.

20 Nyquist선도로부터 결정된 이득여유는 4~12[dB], 위상여유가 30~40°일 때 이 제어계는?

[2014년 3회 기사]

① 불안정
② 임계안정
③ 인디셜응답 시간이 지날수록 진동은 확대
④ 안 정

> **해설** **나이퀴스트선도의 안정 조건**
> • $(-1, 0)$을 기준으로 나이퀴스트선도가 오른쪽에 존재
> • 이득여유 $g_m > 0$, 위상여유 $\theta_m > 0°$
> ∴ 이득위상 30~60°과 이득여유 4~12[dB]는 안정이다.

21 주파수응답에 의한 위치제어계의 설계에서 계통의 안정도 척도와 관계가 적은 것은?

[2016년 1회 기사]

① 공진치
② 위상여유
③ 이득여유
④ 고유주파수

> **해설** 안정도 척도와 관계 : 공진치, 위상여유, 이득여유
> 고유주파수는 무관하다.

22 다음의 설명 중 틀린 것은?

[2016년 2회 기사]

① 최소위상함수는 양의 위상여유이면 안정하다.
② 이득교차주파수는 전폭비가 1이 되는 주파수이다.
③ 최소위상함수는 위상여유가 0이면 임계안정하다.
④ 최소위상함수의 상대안정도는 위상각의 증가와 함께 작아진다.

> **해설** 최소위상함수의 상대안정도는 위상각의 증가와 함께 커진다.

23 2차 제어계 $G(s)H(s)$의 나이퀴스트선도의 특징이 아닌 것은? [2016년 2회 기사]

① 이득여유는 ∞이다.

② 교차량 $|GH|=0$이다.

③ 모두 불안정한 제어계이다.

④ 부의 실축과 교차하지 않는다.

해설
- 개루프안정성 : 루프 전달함수 $G(s)H(s)$의 극점들이 모두 S평면의 좌반부에 존재할 때 이런 시스템을 개루프안정이라 한다.
- 폐루프안정성 : 폐루프 전달함수 $M(S)$의 극점 또는 특성방정식 $\triangle(S)$의 근들이 모두 S평면의 좌반부에 존재할 때 이런 시스템을 폐루프안정 또는 안정하다고 말한다.

24 Nyquist 판정법의 설명으로 틀린 것은? [2016년 2회 기사]

① 안정성을 판정하는 동시에 안정도를 제시해 준다.

② 계의 안정도를 개선하는 방법에 대한 정보를 제시해 준다.

③ Nyquist선도는 제어계의 오차응답에 관한 정보를 준다.

④ Routh-Hurwitz 판정법과 같이 계의 안정여부를 직접 판정해 준다.

해설 **나이퀴스트선도의 안정 판별법**
- 계의 주파수 응답에 관한 정보를 준다.
- 제어계의 오차 응답에 관한 정보는 제공하지 않는다.
- 계의 안정성을 판정하고 안정을 개선방법에 대한 정보를 준다.
- 상태안정도와 절대안정도를 알 수 있다.

23 ③ 24 ③ 정답

6. 안정도

(1) 루드의 안정판별법

특성방정식이 다음과 같다고 하자.

$$F(S) = 1 + G(S)H(S) = a_0 S^4 + a_1 S^3 + a_2 S^2 + a_3 S^1 + a_4 S^0 = 0$$

① 안정 필요조건 : 특성방정식의 모든 차수가 존재하여야 하며 부호의 변화가 없어야 한다.

② 안정판별법

ㄱ 제1단계 : 특성방정식의 계수를 다음과 같이 두 줄로 나열한다.

$$a_0 \qquad a_2 \qquad a_4$$
$$a_1 \qquad a_3 \qquad 0$$

ㄴ 제2단계 : 다음 표와 같은 루드 수열을 계산하여 만든다(4차 방정식의 경우).

S^4	a_0	a_2	a_4
S^3	a_1	a_3	0
S^2	$\dfrac{a_1 a_2 - a_3 a_0}{a_1} = A$	$\dfrac{a_1 a_4 - a_0 \times 0}{a_1} = a_4$	0
S^1	$\dfrac{A a_3 - a_1 a_4}{A} = B$	0	0
S^0	a_4	0	0

ㄷ 제3단계 : 2단계에서 작성한 루드의 표에서 제1열의 요소 부호를 조사한다. 이때 제1열의 원소의 부호가 변화가 없으면 안정하고, 만일 부호가 변화하면 변화하는 수만큼 불안정한 근의 수(S평면 우반 평면에 존재하는 근의 수)를 갖는다.

예 $S^3 + 2S^2 + 3S + 1 = 0$

$$S^3 \qquad 1 \qquad 3$$
$$S^2 \qquad 2 \qquad 1$$
$$S^1 \qquad \frac{6-1}{2}$$
$$S^0 \qquad 1$$

∴ 안정

예 $6S^3 + 2S^2 + 2S + 2 = 0$

$$S^3 \qquad 6 \qquad 2$$
$$S^2 \qquad 2 \qquad 2$$
$$S^1 \qquad \frac{4-12}{2}$$
$$S^0 \qquad 2$$

∴ 불안정(2개의 우반구 근), 부호변화가 2번

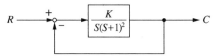

유형1) 특성방정식 $S^3 - 4S^2 - 5S + 6 = 0$로 주어지는 계는 안정한가?
우방평면에 근을 몇 개 가지는가?

$$S^3 \qquad 1 \qquad\qquad -5$$

$$S^2 \qquad -4 \qquad\qquad 6$$

$$S^1 \qquad \frac{20-6}{-4}$$

$$S^0 \qquad 6$$

∴불안정 우방평면에 2개

유형2) 특성방정식 $S^3 + 2S^2 + KS + 5 = 0$에서 안정하기 위한 K의 값은?

$$S^3 \qquad 1 \qquad\qquad K$$

$$S^2 \qquad 2 \qquad\qquad 5$$

$$S^1 \qquad \frac{2K-5}{2}$$

$$S^0 \qquad 5$$

$$\therefore \ \frac{2K-5}{2} > 0 \qquad 2K-5 > 0 \qquad K > \frac{5}{2}$$

유형3) Feed Back 제어계에서 안정하기 위한 K의 범위는?

$$S(S+1)^2 + K = 0$$

$$S^3 + 2S^2 + S + K = 0$$

$$S^3 \qquad 1 \qquad\qquad 1$$

$$S^2 \qquad 2 \qquad\qquad K$$

$$S^1 \qquad \frac{2-K}{2} > 0$$

$$S^0 \qquad K > 0$$

$$\therefore \ 0 < K < 2$$

유형4) $2S^4 + 4S^2 + 3S + 6 = 0$

S^4	2	4	6
S^3	0	3	0

$$S^2 \quad \frac{4e-6}{e} \quad \frac{6e-0}{e}$$

$$S^1 \quad \frac{-3e^2 + 6e - 9}{2e - 3}$$

$$S^0 \quad 6$$

0대신 e 대입

$$\lim_{e \to 0} \frac{4e-6}{e} = -\infty$$

$$\lim_{e \to 0} \frac{-3e^2 + 6e - 9}{2e - 3} = 3$$

$\therefore$ 불안정

(2) 나이퀴스트의 안정판별

① 이득여유와 위상여유

　㉠ 이득여유(Gain Margin) : $GM = 20 \log \frac{1}{|GH|} [\text{dB}]$

　㉡ 안정계에 요구되는 여유는 다음과 같다.
- 이득여유 $GM = 4 \sim 12 [\text{dB}]$
- 위상여유 $PM = 30 \sim 60°$

② 나이퀴스트 선도의 안정판별 : 나이퀴스트의 벡터도가 부의 실수축과 교차하는 부분이 단위원 안에 있으며 안정하다.

01 일반적인 제어시스템에서 안정의 조건은?　　　　　　　　　　　[2018년 3회 기사]

① 입력이 있는 경우 초깃값에 관계없이 출력이 0으로 간다.

② 입력이 없는 경우 초깃값에 관계없이 출력이 무한대로 간다.

③ 시스템이 유한한 입력에 대해서 무한한 출력을 얻는 경우

④ 시스템이 유한한 입력에 대해서 유한한 출력을 얻는 경우

> **해설**　안정의 조건
> • 입력이 없는 경우 초깃값에 관계없이 출력이 0이다.
> • 입력이 유한값이면 출력도 유한값

02 Routh – Hurwitz표에서 제1열의 부호가 변하는 횟수로부터 알 수 있는 것은?

　　　　　　　　　　　　　　　　　　　　　　　　　　　　　[2019년 3회 기사]

① s –평면의 좌반면에 존재하는 근의 수

② s –평면의 우반면에 존재하는 근의 수

③ s –평면의 허수축에 존재하는 근의 수

④ s –평면의 원점에 존재하는 근의 수

> **해설**　제1열의 부호가 변화하면 불안정한 계이므로 그 횟수만큼 우반면에 근이 존재한다.

03 특성 방정식 중에서 안정된 시스템인 것은?　　　　　　　　　　[2019년 1회 기사]

① $2s^3 + 3s^2 + 4s + 5 = 0$

② $s^4 + 3s^3 - s^2 + s + 10 = 0$

③ $s^5 + s^3 + 2s^2 + 4s + 3 = 0$

④ $s^4 - 2s^3 - 3s^2 + 4s + 5 = 0$

> **해설**　모든 항이 존재하고 부호가 (+) 가지면 안정 필요조건을 만족

04 다음의 특성 방정식 중 안정한 제어시스템은? [2022년 1회 기사]

① $s^3 + 3s^2 + 4s + 5 = 0$

② $s^4 + 3s^3 - s^2 + s + 10 = 0$

③ $s^5 + s^3 + 2s^2 + 4s + 3 = 0$

④ $s^4 - 2s^3 - 3s^2 + 4s + 5 = 0$

해설　Routh-Hurwitz의 성립 및 안정조건
- 안정조건 : 제1열의 부호의 변화가 없어야 한다.
- 성립조건
  - 모든 계수가 같은 부호여야 한다.
  - 계수 중 어느 하나라도 0이 되어서는 안 된다.

05 Routh 안정판별표에서 수열의 제1열이 다음과 같을 때 이 계통의 특성방정식에 양의 실수부를 갖는 근이 몇 개인가? [2017년 3회 기사]

```
1
2
-1
3
1
```

① 전혀 없다.　　　　② 1개 있다.

③ 2개 있다.　　　　④ 3개 있다.

해설　1열의 부호변화가 있으면 불안정, 부호변화가 없으면 안정한 근이다.
그러므로 2개

06 제어시스템의 특성방정식이 $s^4 + s^3 - 3s^2 - s + 2 = 0$과 같을 때, 이 특성방정식에서 s 평면의 오른쪽에 위치하는 근은 몇 개인가? [2022년 2회 기사]

① 0　　　　　　　② 1

③ 2　　　　　　　④ 3

해설　$s^4 + s^3 - 3s^2 - s + 2 = 0$을 루드의 안정판별법에 따라 계산하면 제1열의 원소의 부호가 2번 변화한다. 그러므로 평면의 오른쪽에 위치하는 근은 2개이다.

07 Routh-Hurwitz 방법으로 특성방정식이 $s^4 + 2s^3 + s^2 + 4s + 2 = 0$인 시스템의 안정도를 판별하면?

[2020년 3회 기사]

① 안 정
② 불안정
③ 임계안정
④ 조건부안정

해설 Routh의 안정도판별

s^4	1	1	2
s^3	2	4	0
s^2	$\dfrac{2-4}{2}=-2$		
s^1			
s^0			

1열의 부호가 (−)가 있으므로 불안정이다.

08 $s^3 + 11s^2 + 2s + 40 = 0$에는 양의 실수부를 갖는 근은 몇 개가 있는가?

[2013년 1회 기사 / 2018년 3회 기사]

① 0
② 1
③ 2
④ 3

해설 Routh의 안정도판별

s^3	1	2
s^2	11	40
s^1	$\dfrac{22-40}{11}=-1.64$	0
s^0	40	

안정조건 : 제1열의 부호의 변화가 없어야 한다.
1열의 부호변화가 2번 있으므로 불안정하며 우반면에 극점(양의 실수부)이 2개 존재한다.

07 ② 08 ③ **정답**

09 어떤 제어계의 전달함수 $G(s) = \dfrac{s}{(s+2)(s^2+2s+2)}$ 에서 안정성을 판정하면?

[2012년 2회 기사 / 2015년 3회 기사]

① 임계상태　　　　　　　　　② 불안정

③ 안 정　　　　　　　　　　　④ 알 수 없다.

해설　Routh-Hurwitz의 안정도판별

$$G(s) = \dfrac{s}{s^3+2s^2+2s^2+4s+2s+4} = \dfrac{s}{s^3+4s^2+6s+4}$$

특성방정식 s^3+4s^2+6s+4

s^3	1	6
s^2	4	4
s^1	$\dfrac{24-4}{4}=5$	
s^0	$\dfrac{20}{5}=4$	

안정조건 : 제1열의 부호의 변화가 없어야 한다.

제1열의 부호변화가 없으므로 안정이다.

10 다음의 특성방정식을 Routh-Hurwitz 방법으로 안정도를 판별하고자 한다. 이때 안정도를 판별하기 위하여 가장 잘 해석한 것은 어느 것인가?

[2017년 2회 기사]

$$q(s) = s^5+2s^4+2s^3+4s^2+11s+10$$

① s 평면의 우반면에 근은 없으나 불안정하다.

② s 평면의 우반면에 근이 1개 존재하여 불안정하다.

③ s 평면의 우반면에 근이 2개 존재하여 불안정하다.

④ s 평면의 우반면에 근이 3개 존재하여 불안정하다.

해설　$q(s) = s^5+2s^4+2s^3+4s^2+11s+10$

s^5	1	2	11
s^4	2	4	10
s^3	$\dfrac{4-4}{2}=e$ (0을 e로 치환)	$\dfrac{22-10}{2}=6$	
s^2	$\dfrac{4e-12}{e}$ 에서 $\lim\limits_{e\to 0}\dfrac{4e-12}{e}=-\infty$	$\dfrac{10e-0}{e}=10$	
s^1	6(★)		
s^0	10		

$$★ \quad \dfrac{\dfrac{4e-12}{e}\times 6 - 10e}{\dfrac{4e-12}{e}} = \dfrac{\dfrac{24e-72-10e^2}{e}}{\dfrac{4e-12}{e}} = \dfrac{-10e^2+24e-72}{4e-12} = \lim_{e\to 0}\dfrac{-10e^2+24e-72}{4e-12} = 6$$

11 특성방정식 $s^5+2s^4+2s^3+3s^2+4s+1$을 Routh-Hurwitz 판별법으로 분석한 결과로 옳은 것은? [2017년 3회 기사]

① s-평면의 우반면에 근이 존재하지 않기 때문에 안정한 시스템이다.

② s-평면의 우반면에 근이 1개 존재하기 때문에 불안정한 시스템이다.

③ s-평면의 우반면에 근이 2개 존재하기 때문에 불안정한 시스템이다.

④ s-평면의 우반면에 근이 3개 존재하기 때문에 불안정한 시스템이다.

해설 루드의 공식을 이용하면

$$
\begin{array}{c|ccc}
s^5 & 1 & 2 & 4 \\
s^4 & 2 & 3 & 1 \\
s^3 & \dfrac{1}{2} & \dfrac{7}{2} & \\
s^2 & -11 & 1 & \\
s^1 & \dfrac{39}{11} & & \\
s^0 & 1 & &
\end{array}
$$

제1열의 부호가 2번 바뀌었으므로 s평면의 우반면에 근이 2개 존재하기 때문에 불안정한 시스템이다.

12 특성방정식 $s^2+Ks+2K-1=0$인 계가 안정하기 위한 K의 범위는? [2019년 3회 기사]

① $K>0$ ② $K>\dfrac{1}{2}$

③ $K<\dfrac{1}{2}$ ④ $0<K<\dfrac{1}{2}$

해설 $s^2+Ks+2K-1=0$에서 모든 항이 (+)값을 가져야 하므로

$2K-1>0$, $K>0$

$2K>1$

$K>\dfrac{1}{2}$, $K>0$

$\therefore K>\dfrac{1}{2}$

13 특성방정식 $s^3 + 2s^2 + (k+3)s + 10 = 0$ 에서 Routh 안정도 판별법으로 판별 시 안정하기 위한 k의 범위는?

[2017년 1회 기사]

① $k > 2$ ② $k < 2$

③ $k > 1$ ④ $k < 1$

해설

$$1s^3 + 2s^2 + (k+3)s + 10 = 0$$

$2k+6 > 10$

$2k > 4$

$k > 2$

14 개루프 전달함수가 다음과 같은 제어시스템의 근궤적이 $j\omega$(허수)축과 교차할 때 K는 얼마인가?

[2021년 3회 기사]

$$G(s)H(s) = \frac{K}{s(s+3)(s+4)}$$

① 30 ② 48

③ 84 ④ 180

해설 임계상태(허수축과 교차)

특성방정식 $s(s+3)(s+4) + K = 0$

$s^3 + 7s^2 + 12s + K = 0$

s^3	1	12
s^2	7	K
s^1	$\dfrac{84-K}{7}$	
s^0	K	

$\dfrac{84-K}{7} = 0$ 이므로

$K = 84$

정답 13 ① 14 ③

15 단위궤환 제어시스템의 전향경로 전달함수가 $G(s) = \dfrac{K}{s(s^2 + 5s + 4)}$ 일 때, 이 시스템이 안

정하기 위한 K의 범위는? [2019년 1회 기사]

① $K < -20$　　　　　　　　　② $-20 < K < 0$

③ $0 < K < 20$　　　　　　　　④ $20 < K$

> **해설**　$s(s^2 + 5s + 4) + K = 0$
>
> $s^3 + 5s^2 + 4s + K = 0$
>
> $20 > K > 0$
>
> $K > 0$

16 $F(s) = s^3 + 4s^2 + 2s + K = 0$에서 시스템이 안정하기 위한 K의 범위는? [2016년 3회 기사]

① $0 < K < 8$　　　　　　　　　② $-8 < K < 0$

③ $1 < K < 8$　　　　　　　　　④ $-1 < K < 8$

> **해설**　※ 편 법
>
> $F(s) = 1s^3 + 4s^2 + 2s + K = 0$
>
> 안쪽의 곱한 값이 바깥쪽의 곱한 값보다 크고 모든 항은 0보다 커야 한다.
>
> $K < 8, \ K > 0$
>
> $\therefore 0 < K < 8$

17 특성방정식이 $s^3 + 2s^2 + Ks + 5 = 0$가 안정하기 위한 K의 값은? [2018년 1회 기사]

① $K > 0$　　　　　　　　　　② $K < 0$

③ $K > \dfrac{5}{2}$　　　　　　　　　④ $K < \dfrac{5}{2}$

> **해설**
>
>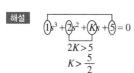
>
> $2K > 5$
>
> $K > \dfrac{5}{2}$

18 특성방정식이 $s^3 + 2s^2 + Ks + 10 = 0$로 주어지는 제어시스템이 안정하기 위한 K의 범위는?

[2020년 1, 2회 기사]

① $K > 0$　　　　　　　　　② $K > 5$

③ $K < 0$　　　　　　　　　④ $0 < K < 5$

해설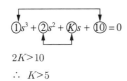

$$① s^3 + ② s^2 + K s + ⑩ = 0$$

$2K > 10$

$\therefore K > 5$

19 Routh-Hurwitz 안정도 판별법을 이용하여 특성방정식 $s^3 + 3s^2 + 3s + 1 + K = 0$으로 주어진 제어시스템이 안정하기 위한 K의 범위를 구하면?

[2020년 4회 기사]

① $-1 \leq K < 8$

② $-1 < K \leq 8$

③ $-1 < K < 8$

④ $K < -1$ 또는 $K > 8$

해설

$$① s^3 + ③ s^2 + 3s + (1+K) = 0$$

$9 > 1 + K \rightarrow 8 > K$

$1 + K > 0 \rightarrow K < -1$

$\therefore -1 < K < 8$

20 그림과 같은 제어시스템이 안정하기 위한 k의 범위는? [2021년 2회 기사]

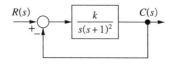

① $k > 0$　　　　　　　　② $k > 1$

③ $0 < k < 1$　　　　　　④ $0 < k < 2$

 $G(s) = \dfrac{k}{s(s+1)^2 + k}$ 에서 특성방정식을 이용하므로

$s(s+1)^2 + k = 0$

$①s^3 + ②s^2 + ①s + ⓚ = 0$ （위: k, 아래: 2）

$k < 2$이고 $k > 0$이므로

$0 < k < 2$

21 그림의 제어시스템이 안정하기 위한 K의 범위는? [2021년 3회 기사]

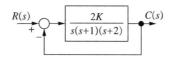

① $0 < K < 3$　　　　　　② $0 < K < 4$

③ $0 < K < 5$　　　　　　④ $0 < K < 6$

해설 개루프 전달함수 $G(s)H(s) = \dfrac{2K}{s(s+1)(s+2)}$ 에서

폐루프의 특성 방정식 $s(s+1)(s+2) + 2K = 0$

$①s^3 + ③s^2 + ②s + ②ⓚ = 0$ （위: $2K$, 아래: $3 \times 2 = 6$）

$2K < 6$　　　　　　$K < 3 \cdots\cdots$ⓐ

$2K > 0$　　　　　　$K > 0 \cdots\cdots$ⓑ

ⓐ식과 ⓑ식을 만족시키는 조건 $0 < K < 3$

22 다음은 시스템의 블록선도이다. 이 시스템이 안정한 시스템이 되기 위한 K의 범위는?

[2015년 1회 기사]

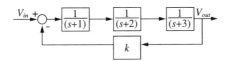

① $-6 < K < 60$

② $0 < K < 60$

③ $-1 < K < 3$

④ $0 < K < 3$

해설 Routh-Hurwitz의 안정도판별

개루프 전달함수 $G(s)H(s) = 1 + \dfrac{K}{(s+1)(s+2)(s+3)}$ 에서

폐루프의 특성방정식 $(s+1)(s+2)(s+3) + K = 0$

$s^3 + 6s^2 + 11s + 6 + K = 0$

s^3	1	11
s^2	6	$6+K$
s^1	$\dfrac{66-(6+K)}{6}$	0
s^0	$6+K$	

안정조건 : 제1열의 부호의 변화가 없어야 한다.

$6+K > 0$일 때 $K > -6$ ················ ⓐ

$66-6-K > 0$일 때 $K < 60$ ················ ⓑ

ⓐ식과 ⓑ식의 만족조건 $-6 < K < 60$

23 특성 방정식이 $2s^4 + 10s^3 + 11s^2 + 5s + K = 0$으로 주어진 제어시스템이 안정하기 위한 조건은?

[2021년 1회 기사]

① $0 < K < 2$

② $0 < K < 5$

③ $0 < K < 6$

④ $0 < K < 10$

해설 $2s^4 + 10s^3 + 11s^2 + 5s + K = 0$

s^4	2	11	K
s^3	10	5	0
s^2	$\dfrac{110-10}{10} = 10$		
s^1	$\dfrac{50-10K}{10} > 0$		
s^0	$K > 0$		

$\dfrac{50-10K}{10} > 10$, $K < 5$

$K > 0$

$\therefore 0 < K < 5$

24 계의 특성상 감쇠계수가 크면 위상여유가 크고, 감쇠성이 강하여 (A)는(은) 좋으나 (B)는(은) 나쁘다. A, B를 바르게 묶은 것은?   [2013년 1회 기사]

① 안정도, 응답성
② 응답성, 이득여유
③ 오프셋, 안정도
④ 이득여유, 안정도

> 해설 ω_n(고유주파수) 일정 시 ζ(감쇠율)가 증가
> • 대역폭은 감소한다.
> • 회로의 R값이 크다.
> • 안정도가 향상된다.
> • 응답성은 저하된다(상승시간이나 지연시간이 길어진다).

25 다음 안정도 판별법 중 $G(s)H(s)$의 극점과 영점이 우반평면에 있을 경우 판정 불가능한 방법은?   [2013년 2회 기사]

① Routh-Hurwitz 판별법
② Bode선도
③ Nyquist 판별법
④ 근궤적법

> 해설 보드선도는 극점과 영점이 우반평면에 존재하는 경우 위상선도가 언제나 -180° 위에 존재하여 판별이 불가능하다.

26 주파수 특성의 정수 중 대역폭이 좁으면 좁을수록 이때의 응답속도는 어떻게 되는가?   [2017년 3회 기사]

① 빨라진다.
② 늦어진다.
③ 빨라졌다 늦어진다.
④ 늦어졌다 빨라진다.

> 해설 대역폭이 좁으면 좁을수록 응답속도는 늦어진다.

7. 근궤적

(1) 근궤적의 작도법

개루프 전달함수 $G(S)H(S)$의 극점, 영점과 특성방정식의 근 사이의 관계로부터 근궤적을 그리는 방법은 다음과 같다.

① 근궤적의 출발점 : $G(S)H(S)$의 극점

② 근궤적의 종착점 : $G(S)H(S)$의 영점

③ 근궤적의 개수 N

z : $G(S)H(S)$의 유한 영점의 개수

p : $G(S)H(S)$의 유한 극점의 개수라 하면

$z > p$이면 $N = z$로 $p > z$이면 $N = p$로 정한다.

또는 개루프 전달함수의 특성방정식의 최고차 차수와 같다.

④ 근궤적의 대칭성

특성방정식의 근이 실근 또는 공액 복소근을 가지므로 근궤적은 실수축에 대하여 대칭이다.

⑤ 근궤적의 점근선의 각도 a_K

$$a_K = \frac{(2K+1)\pi}{p-z} \text{(단, } K = p - z \text{전까지의 양의 정수)}$$

⑥ 점근선의 교차점

㉠ 점근선은 실수축상에서만 교차하고 그 수는 $n = P - Z$이다.

㉡ 실수축상에서의 점근선의 교차점 σ

$$\sigma = \frac{\sum G(S)H(S)\text{의 극점} - \sum G(S)H(S)\text{의 영점}}{p - z}$$

⑦ 실수축상의 근궤적 존재범위

$G(S)H(S)$의 실 극점과 실 영점의 총수가 짝수 개이면 $-\infty$에서 오른쪽으로 진행 시 짝수 번째 실 극점 또는 실 영점을 만나는 부분의 구간에 근궤적 존재하고 홀수 번째이며 존재하지 아니한다.

예 $\dfrac{K}{S(S+4)(S+5)}$, 극점 0, −4, −5, 영점×(홀수 구간만 존재)

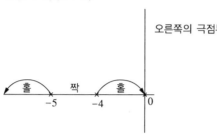

오른쪽의 극점부터

㉠ 근의 궤적 영역

0~−4, −5~−∞

㉡ 실수축과 교차점

$$\dfrac{\text{극점의 총합} - \text{영점의 총합}}{P - Z} \ (P : \text{극점의 수}, \ Z : \text{영점의 수})$$

$$= \dfrac{(-4-5) - (0)}{3 - 0} = -3$$

㉢ 각 $\dfrac{(2K+1)\pi}{P-Z}$

$K=0, \ \dfrac{\pi}{3} = 60°$

$K=1, \ \dfrac{3\pi}{3} = 180°$

$K=2, \ \dfrac{5\pi}{3} = 300°$

㉣ 점근선

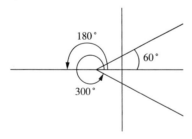

㉤ 이탈점, 분지점(Break Away)

$1 + G(S)H(S) = 0$ 상태에서 $\dfrac{dK}{dS} = 0$

예 $\dfrac{K}{S(S+1)}$, 극점 : 0, -1, 영점 : ×

• 영 역

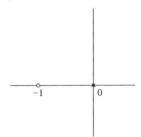

홀수 구간만 존재

• 실수축과 교차점

$$\dfrac{-1-0}{2-0}=-\dfrac{1}{2}$$

• 실수축과 이루는 각 $\dfrac{(2K+1)\pi}{P-Z}$

$$K=0,\ \dfrac{\pi}{2-0}=90°$$

$$K=1,\ \dfrac{3\pi}{2-0}=270°$$

• 점근선

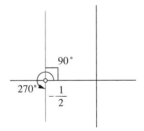

• 이탈점

$1+G(S)H(S)=0$에서 $\dfrac{dK}{dS}=0$

$$1+\dfrac{K}{S(S+1)}=0$$

$$\dfrac{S(S+1)+K}{S(S+1)}=0,\ S(S+1)+K=0,\ K=(S^2+S)$$

$$\dfrac{dK}{dS}=0,\ \dfrac{d}{dS}(S^2+S)=2S+1=0,\ 2S=-1,\ S=-\dfrac{1}{2}$$

∴ 영역 $-1\sim0$ 사이에 있기 때문에 답은 $S=-\dfrac{1}{2}$이 될 수 있다.

01 시간영역에서 제어계 설계에 주로 사용되는 방법은? [2013년 3회 기사]

① Bode선도법　　　　　　　　② 근궤적법
③ Nyquist선도법　　　　　　　④ Nichols선도법

> **해설**
> • 주파수영역에서 선형계, 자동 제어계에 주로 사용되는 방법 : 보드선도법, 나이퀴스트선도법, 니콜스선도법
> • 시간영역에서 주로 사용하는 방법 : 근궤적법

02 근궤적에 관한 설명으로 틀린 것은? [2019년 3회 기사]

① 근궤적은 실수축에 대하여 상하 대칭으로 나타난다.
② 근궤적의 출발점은 극점이고 근궤적의 도착점은 영점이다.
③ 근궤적의 가지 수는 극점의 수와 영점의 수 중에서 큰 수와 같다.
④ 근궤적이 s평면의 우반면에 위치하는 K의 범위는 시스템이 안정하기 위한 조건이다.

> **해설**
> • 좌반면에 존재 시 안정
> • 우반면에 존재 시 불안정
> • 허수축 존재 시 임계상태

03 근궤적에 대한 설명 중 옳은 것은? [2016년 3회 기사]

① 점근선은 허수축에서만 교차한다.
② 근궤적이 허수축을 끊는 K의 값은 일정하다.
③ 근궤적은 절대안정도 및 상대안정도와 관계가 없다.
④ 근궤적의 개수는 극점의 수와 영점의 수 중에서 큰 것과 일치한다.

> **해설**
> 근궤적의 개수는 극점과 영점의 개수 중에서 많은 개수의 수가 근궤적의 수가 된다.

01 ② 　02 ④ 　03 ④ 　**정답**

04 이득이 K인 시스템의 근궤적을 그리고자 한다. 다음 중 잘못된 것은? [2014년 1회 기사]

① 근궤적의 가지수는 극(Pole)의 수와 같다.

② 근궤적은 $K=0$일 때 극에서 출발하고 $K=\infty$일 때 영점에 도착한다.

③ 실수축에서 이득 K가 최대가 되게 하는 점이 이탈점이 될 수 있다.

④ 근궤적은 실수축에 대칭이다.

> **해설** 근궤적은 극에서 출발하여 0점에서 종착하게 되는데 근궤적의 개수는 z와 p 중 큰 것과 일치한다. 또한 근궤적의 개수는 특성방정식의 차수와 같다.

05 폐루프 전달함수 $\dfrac{G(s)}{1+G(s)H(s)}$의 극의 위치를 개루프 전달함수 $G(s)H(s)$의 이득상수 K의 함수로 나타내는 기법은? [2019년 2회 기사]

① 근궤적법

② 보드선도법

③ 이득선도법

④ Nyquist판정법

> **해설** 시스템의 파라미터가 변할 때 근궤적법을 이용하면 폐루프 극의 위치를 평면에 그릴 수 있으며 이것을 통하여 시스템의 안정도를 파악할 수 있다.
>
> **실수축과 교차점**
>
> $$\frac{(2K+1)\pi}{P_N-Z_N}$$

06 근궤적의 성질 중 틀린 것은? [2020년 4회 기사]

① 근궤적은 실수축을 기준으로 대칭이다.

② 점근선은 허수축상에서 교차한다.

③ 근궤적의 가지수는 특성방정식의 차수와 같다.

④ 근궤적은 개루프 전달함수의 극점으로부터 출발한다.

> **해설** 근궤적은 실수축을 기준으로 대칭이다.

정답 04 ① 05 ① 06 ②

07 근궤적이 s평면의 $j\omega$축과 교차할 때 폐루프의 제어계는? [2014년 2회 기사 / 2017년 1회 기사]

① 안정하다.
② 불안정하다.
③ 임계상태이다.
④ 알 수 없다.

해설 근궤적에서 허수축($j\omega$)과 교차하면 실수값이 없는 임계상태가 된다.

08 다음의 전달함수 중에서 극점이 $-1 \pm j2$, 영점이 -2인 것은? [2016년 3회 기사]

① $\dfrac{s+2}{(s+1)^2+4}$ 　　　　② $\dfrac{s-2}{(s+1)^2+4}$

③ $\dfrac{s+2}{(s-1)^2+4}$ 　　　　④ $\dfrac{s-2}{(s-1)^2+4}$

해설 영점 분자의 근 -2, 극점 분모의 근 $-1 \pm j2$에 해당되는 것은 $\dfrac{s+2}{(s+1)^2+4}$ 이다.

09 개루프 전달함수 $G(s)H(s)$가 다음과 같이 주어지는 부궤환계에서 근궤적 점근선의 실수축과의 교차점은? [2018년 3회 기사]

$$G(s)H(s) = \frac{K}{s(s+4)(s+5)}$$

① 0 　　　　② -1
③ -2 　　　　④ -3

해설 • 영점 : X
• 극점 : 0, -4, -5

∴ 실수축과의 교차점 $= \dfrac{P_T - Z_T}{P_N - Z_N} = \dfrac{-9-0}{3-0} = -3$

10 $G(s)H(s) = \dfrac{K(s+1)}{s^2(s+2)(s+3)}$ 에서 점근선의 교차점을 구하면? [2016년 3회 기사]

① $-\dfrac{5}{6}$ ② $-\dfrac{1}{5}$

③ $-\dfrac{4}{3}$ ④ $-\dfrac{1}{3}$

해설 • 극점 : 0, 0, −2, −3
 • 영점 : −1

$$\therefore \ \frac{P_T - Z_T}{P_N - Z_N} = \frac{-5+1}{4-1} = \frac{-4}{3}$$

11 개루프 전달함수 $G(s)H(s) = \dfrac{K(s-5)}{s(s-1)^2(s+2)^2}$ 일 때 주어지는 계에서 점근선의 교차점은? [2018년 1회 기사]

① $-\dfrac{3}{2}$ ② $-\dfrac{7}{4}$

③ $\dfrac{5}{3}$ ④ $-\dfrac{1}{5}$

해설 • 극점 : 0, 1, 1, −2, −2
 • 영점 : 5

$$\therefore \ \frac{P_T - Z_T}{P_N - Z_N} = \frac{-2-5}{5-1} = \frac{-7}{4}$$

12 $G(s)H(s) = \dfrac{K(s-1)}{s(s+1)(s-4)}$ 에서 점근선의 교차점을 구하면? [2019년 1회 기사]

① −1   ② 0

③ 1   ④ 2

해설 • 극점 : 0, −1, 4
 • 영점 : 1

$$\therefore \ \frac{P_T - Z_T}{P_N - Z_N} = \frac{3-1}{3-1} = 1$$

13 개루프 전달함수 $G(s)H(s)$로부터 근궤적을 작성할 때 실수축에서의 점근선의 교차점은?

[2021년 1회 기사]

$$G(s)H(s) \;=\; \frac{K(s-2)(s-3)}{s(s+1)(s+2)(s+4)}$$

① 2

② 5

③ −4

④ −6

해설 • 극점 : 0, −1, −2, −4

• 영점 : 2, 3

∴ 실수축과 교차점 $= \dfrac{P_T - Z_T}{P_N - Z_N} = \dfrac{-7-5}{4-2} = \dfrac{-12}{2} = -6$

14 다음의 개루프 전달함수에 대한 근궤적의 점근선이 실수축과 만나는 교차점은?

[2022년 1회 기사]

$$G(s)H(s) = \frac{K(s+3)}{s^2(s+1)(s+3)(s+4)}$$

① $\dfrac{5}{3}$

② $-\dfrac{5}{3}$

③ $\dfrac{5}{4}$

④ $\dfrac{-5}{4}$

해설 • 극점 : 0, 0, −1, −3, −4

• 영점 : −3

∴ $\dfrac{P_T - Z_T}{P_N - Z_N} = \dfrac{-8+3}{5-1} = \dfrac{-5}{4}$

15 제어시스템의 개루프 전달함수가 $G(s)H(s) = \dfrac{K(s+30)}{s^4 + s^3 + 2s^2 + s + 7}$ 로 주어질 때, 다음 중

$K > 0$인 경우 근궤적의 점근선이 실수축과 이루는 각[°]은?　　　[2020년 1, 2회 기사]

① 20°　　　　　　　　　　　　　② 60°

③ 90°　　　　　　　　　　　　　④ 120°

> **해설**　$\dfrac{(2K+1)\pi}{P_N - Z_N} = \dfrac{(2K+1)\pi}{4-1} = \dfrac{(2K+1)\pi}{3}$(극점 : 4개, 영점 : 1개)에서
>
> $K=0$　　　60°
> $K=1$　　　180°
> $K=2$　　　300°

16 $G(s)H(s) = \dfrac{K(s+1)}{s^2(s+2)(s+3)}$ 에서 근궤적의 수는?　　　[2016년 1회 기사]

① 1　　　　　　　　　　　　　② 2

③ 3　　　　　　　　　　　　　④ 4

> **해설**　**극점** : 0, 0, -2, -3
> **영점** : -1
> 극점과 영점의 많은 수의 개수가 근궤적의 수

17 전달함수 $G(s)H(s) = \dfrac{K(s+1)}{s(s+1)(s+2)}$ 일 때 근궤적의 수는?　　　[2017년 2회 기사]

① 1　　　　　　　　　　　　　② 2

③ 3　　　　　　　　　　　　　④ 4

> **해설**　**극점** : 0, -1, -2
> **영점** : -1
> 많은 수의 개수가 근궤적 개수이다.

18 어떤 제어시스템의 개루프 이득이 $G(s)H(s) = \dfrac{K(s+2)}{s(s+1)(s+3)(s+4)}$ 일 때 이 시스템이 가

지는 근궤적의 가지(Branch)수는?

[2020년 3회 기사]

① 1

② 3

③ 4

④ 5

해설 극점 또는 영점의 개수가 많은 것이 근궤적의 가지수
- 극점 0, −1, −3, −4
- 영점 −2
극점이 4개이므로 근궤적의 가지수는 4개

19 개루프 전달함수 $G(s)H(s) = \dfrac{K}{s(s+3)^2}$ 의 이탈점에 해당되는 것은?

[2012년 3회 기사 / 2013년 2회 기사]

① −2.5

② −2

③ −1

④ −0.5

해설 근궤적의 이탈점

개루프 전달함수 $G(s)H(s) = \dfrac{K}{s(s+3)^2}$ 에서

$1 + G(s)H(s) = \dfrac{s(s+3)^2 + K}{s(s+3)^2} = 0$

특성방정식 $F(s) = s(s+3)^2 + K = 0$

$K = -s(s+3)^2 = -s(s^2 + 6s + 9) = -s^3 - 6s^2 - 9s$

$\dfrac{dK}{ds} = -3s^2 - 12s - 9 = 0$에서 $s = -3, -1$

이탈점 $a = -3$, $b = -1$이 된다.

20 다음의 개루프 전달함수에 대한 근궤적이 실수축에서 이탈하게 되는 분리점은 약 얼마인가?

[2022년 2회 기사]

$$G(s)H(s) = \frac{K}{s(s+3)(s+8)}, \ K \geq 0$$

① -0.93

② -5.74

③ -6.0

④ -1.33

해설 개루프 전달함수 $G(s)H(s) = \frac{K}{s(s+3)(s+8)}$ 에서

$1 + G(s)H(s) = \frac{s(s+3)(s+8)+K}{s(s+3)(s+8)} = 0$

$s(s+3)(s+8) + K = 0$

$s^3 + 11s^2 + 24s + K = 0$

$\frac{d}{ds}(s^3 + 11s^2 + 24s + K) = 0$

$3s^2 + 22s + 24 = -\frac{dK}{ds} = 0$

근의 공식 $\frac{-22 \pm \sqrt{22^2 - 4 \times 3 \times 24}}{2 \times 3}$ 에 따라

$s = -1.33, \ -6$

근은 $-\infty \sim -8$, $-3 \sim 0$에 존재해야 하므로
-1.33이 이탈점(분리점)이 된다.

21 그림은 제어계와 그 제어계의 근궤적을 작도한 것이다. 이것으로부터 결정된 이득여윳값은?

[2018년 2회 기사]

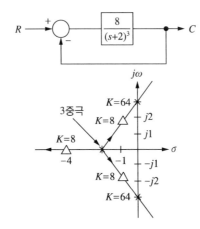

① 2

② 4

③ 8

④ 64

해설 이득여유 GM

$$GM = \frac{\text{허수축과 교차점의 } K\text{값}}{K\text{설계값}} = \frac{64}{8} = 8$$

※ [dB]로 표시한 이득여유

$GM = 20\log 8 \fallingdotseq 18[\text{dB}]$

22 단위 궤환제어계의 개루프 전달함수가 $G(s) = \dfrac{K}{s(s+2)}$ 일 때, K가 $-\infty$ 로부터 $+\infty$ 까지 변하는 경우 특성방정식의 근에 대한 설명으로 틀린 것은? [2019년 2회 기사]

① $-\infty < K < 0$ 에 대하여 근은 모두 실근이다.

② $0 < K < 1$ 에 대하여 2개의 근은 모두 음의 실근이다.

③ $K = 0$ 에 대하여 $s_1 = 0$, $s_2 = -2$ 의 근은 $G(s)$ 의 극점과 일치한다.

④ $1 < K < \infty$ 에 대하여 2개의 근은 음의 실수부 중근이다.

> **해설**
>
> $G(s) = \dfrac{K}{s(s+2)}$
>
> 특성방정식 $s(s+2) + K = 0$
>
> $s^2 + 2s + K = 0$
>
> $s = \dfrac{-2 \pm \sqrt{4 - 4 \times 1 \times K}}{2} = \dfrac{-2 \pm \sqrt{4(1-K)}}{2} = \dfrac{-2 \pm 2\sqrt{1-K}}{2}$
>
> $s = -1 \pm \sqrt{1-K}$
>
> ① $-\infty < K < 0$ 일 때, $s = -1 \pm \sqrt{1-K}$ 상수
>
> ② $0 < K < 1$ 일 때, $s = -1 \pm \sqrt{1-K}$
>
> $K > 0$ 일 때, (−)실근
>
> $K < 1$ 일 때, (−)실근
>
> ③ $K = 0$ 일 때
>
> $s = -1 + 1 = 0$
>
> $s = -1 - 1 = -2$
>
>   극점 0, −2와 일치
>
> ④ $1 < K < \infty$ 일 때
>
> $K = 3$ 이라면 $s = -1 \pm \sqrt{1-3} = -1 \pm \sqrt{-2} = -1 \pm j2$ 특수근 존재

8. 시퀀스제어

(1) 시간응답

① AND회로

ㄱ 의미 : 입력이 모두 H일 때 출력이 H인 회로

ㄴ 논리식과 논리회로

$$X = A \cdot B$$

ㄷ 유접점과 진리표

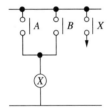

A	B	X
0	0	0
0	1	0
1	0	0
1	1	1

② OR회로

ㄱ 의미 : 입력 중 어느 하나 이상 H일 때 출력이 H인 회로

ㄴ 논리식과 논리회로

$$X = A + B$$

ㄷ 유접점과 진리표

A	B	X
0	0	0
0	1	1
1	0	1
1	1	1

③ NOT회로

    ㉠ 의미 : 입력과 출력이 반대로 동작하는 회로로서 입력이 H이면 출력은 L, 입력이
         L이면 출력은 H인 회로

    ㉡ 논리식과 논리회로

$$X = \overline{A}$$

    ㉢ 유접점과 진리표

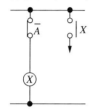

A	X
0	1
1	0

④ NAND회로

    ㉠ 의미 : AND회로의 부정회로로서 입력이 모두 H일 때만 출력이 L인 회로

    ㉡ 논리식과 논리회로

$$X = \overline{A \cdot B}$$

    ㉢ 유접점과 진리표

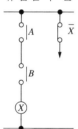

A	B	X
0	0	1
0	1	1
1	0	1
1	1	0

⑤ NOR회로

    ㉠ 의미 : OR회로의 부정회로로서 입력이 모두 L일 때만 출력이 H인 회로

    ㉡ 논리식과 논리회로

$$X = \overline{A + B}$$

    ㉢ 유접점과 진리표

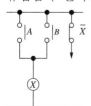

A	B	X
0	0	1
0	1	0
1	0	0
1	1	0

⑥ Exclusive OR회로

　　㉠ 의미 : 입력 중 어느 하나만 H일 때 출력이 H인 회로

　　㉡ 논리식과 논리회로

$$X = A \cdot \overline{B} + \overline{A} \cdot B$$

　　㉢ 유접점과 진리표

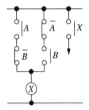

A	B	X
0	0	0
0	1	1
1	0	1
1	1	0

(2) 불대수와 드모르간 정리

① 불대수 정리

$$A + A = A, \ A \cdot A = A, \ A + 1 = 1, \ A + 0 = A$$
$$A \cdot 1 = A, \ A \cdot 0 = 0, \ A + \overline{A} = 1, \ A \cdot \overline{A} = 0$$

② 드모르간 정리

　　㉠ $\overline{A + B} = \overline{A} \cdot \overline{B}$

　　㉡ $\overline{AB} = \overline{A} + \overline{B}$

핵 / 심 / 예 / 제

01 불 대수식 중 틀린 것은? [2019년 3회 기사]

① $A \cdot \overline{A} = 1$
② $A + 1 = 1$
③ $A + A = A$
④ $A \cdot A = A$

해설
$A \cdot \overline{A} = 0$
$A + 1 = 1$
$A + A = A$
$A \cdot A = A$
$A + \overline{A} = 1$

02 드모르간의 정리를 나타낸 식은? [2017년 1회 기사]

① $\overline{A + B} = A \cdot B$
② $\overline{A + B} = \overline{A} + \overline{B}$
③ $\overline{A \cdot B} = \overline{A} \cdot \overline{B}$
④ $\overline{A + B} = \overline{A} \cdot \overline{B}$

해설 $\overline{A + B} = \overline{A} \cdot \overline{B}$, $\overline{A \cdot B} = \overline{A} + \overline{B}$

03 논리식 $L = \overline{x} \cdot \overline{y} + \overline{x} \cdot y + x \cdot y$를 간략화한 것은? [2018년 3회 기사]

① $x + y$
② $\overline{x} + y$
③ $x + \overline{y}$
④ $\overline{x} + \overline{y}$

해설 $\overline{x} \cdot \overline{y} + \overline{x} \cdot y + x \cdot y = \overline{x}(\overline{y} + y) + x \cdot y$
$= \overline{x} + (x \cdot y) = (\overline{x} + x) \cdot (\overline{x} + y) = \overline{x} + y$

04 다음의 논리식과 등가인 것은?

$$Y = (A+B)(\overline{A}+B)$$

① $Y = A$ ② $Y = B$

③ $Y = \overline{A}$ ④ $Y = \overline{B}$

해설 $Y = (A+B)(\overline{A}+B)$

$\quad = A\overline{A} + AB + \overline{A}B + BB$

$\qquad \parallel \qquad\qquad\qquad \parallel$

$\qquad 0 \qquad\qquad\qquad B$

$\quad = AB + \overline{A}B + B$

$\quad = B(A + \overline{A} + 1)$

$\quad = B$

05 논리식 $((AB + A\overline{B}) + AB) + \overline{A}B$를 간단히 하면?

① $A + B$

② $\overline{A} + B$

③ $A + \overline{B}$

④ $A + A \cdot B$

해설 $((AB + A\overline{B}) + AB) + \overline{A}B$

$\quad = (A(B + \overline{B}) + AB) + \overline{A}B$

$\quad = (A + AB) + \overline{A}B$

$\quad = A(1 + B) + \overline{A}B$

$\quad = A + \overline{A}B$

$\quad = (A + \overline{A})(A + B)$

$\quad = A + B$

       04 ②   05 ①   정답

06 다음 논리식을 간단히 한 것은? [2020년 4회 기사]

$$Y = \overline{A}BC\overline{D} + \overline{A}BCD + \overline{A}\,\overline{B}C\overline{D} + \overline{A}\,\overline{B}CD$$

① $Y = \overline{A}C$
③ $Y = AB$

② $Y = A\overline{C}$
④ $Y = BC$

해설 $\overline{A}BC\overline{D} + \overline{A}BCD + \overline{A}\,\overline{B}C\overline{D} + \overline{A}\,\overline{B}CD = \overline{A}BC(\overline{D} + D) + \overline{A}\,\overline{B}C(\overline{D} + D)$

$= \overline{A}BC + \overline{A}\,\overline{B}C = \overline{A}C(B + \overline{B}) = \overline{A}C$

07 $\overline{A} + \overline{B} \cdot \overline{C}$와 등가인 논리식은? [2021년 1회 기사]

① $\overline{A \cdot (B + C)}$
② $\overline{A + B \cdot C}$
③ $\overline{A \cdot B + C}$
④ $\overline{A \cdot B} + C$

해설 $\overline{A} + \overline{B} \cdot \overline{C} = \overline{A} + \overline{B + C} = \overline{A \cdot (B + C)}$

08 그림과 같은 논리회로는? [2018년 2회 기사]

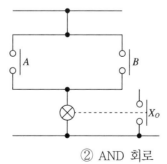

① OR 회로
③ NOT 회로

② AND 회로
④ NOR 회로

해설 OR 회로 : $A + B = X_o$

AND 회로 : $A \cdot B = X_o$

09 그림의 회로는 어느 게이트(Gate)에 해당되는가? [2017년 2회 기사]

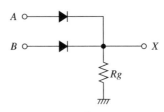

① OR ② AND

③ NOT ④ NOR

해설 OR 게이트

A	B	X
0	0	0
0	1	1
1	0	1
1	1	1

10 다음 진리표의 논리소자는? [2012년 2회 기사 / 2014년 3회 기사 / 2017년 1회 기사]

입 력		출 력
A	B	C
0	0	1
0	1	0
1	0	0
1	1	0

① NOR ② OR

③ AND ④ NAND

해설 OR회로에 NOT회로를 접속한 NOR회로

논리식 $X = \overline{A} \cdot \overline{B} = \overline{A+B}$

11 다음의 회로와 동일한 논리소자는?

[2014년 2회 기사]

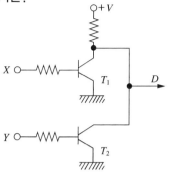

①

③

②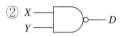

④

> **해설**
>
> **트랜지스터 논리회로**
>
> **트랜지스터의 동작** : B에 신호 인가 시 C에서 E로 전류가 흐른다.
>
> | X | Y | D |
> |---|---|---|
> | 0 | 0 | 1 |
> | 0 | 1 | 0 |
> | 1 | 0 | 0 |
> | 1 | 1 | 0 |
>
> 위 진리표의 결과는 NOR소자에 해당된다.
> (입력 측 : OR, 출력 측 : NOT)

12 그림의 시퀀스 회로에서 전자접촉기 X에 의한 A접점(Normal Open Contact)의 사용 목적은?

[2019년 2회 기사]

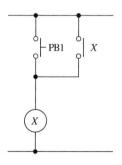

① 자기유지회로 ② 지연회로
③ 우선 선택회로 ④ 인터로크(Interlock)회로

> **해설** PB1 스위치를 눌렀다 놓아도 ⊗계전기가 계속 여자되어 있는 회로 → 자기유지회로

13 다음 논리회로의 출력 X는?

[2016년 2회 기사 / 2021년 2회 기사]

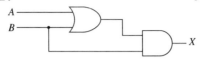

① A ② B

③ $A+B$ ④ $A \cdot B$

해설 $X=(A+B) \cdot B = AB+BB = AB+B = B(A+1) = B$

14 다음 논리회로가 나타내는 식은?

[2017년 3회 기사]

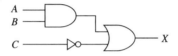

① $X=(A \cdot B)+\overline{C}$

② $X=(\overline{A \cdot B})+C$

③ $X=(\overline{A+B}) \cdot C$

④ $X=(A+B) \cdot \overline{C}$

해설 $X=AB+\overline{C}$

15 그림의 논리회로와 등가인 논리식은?

[2021년 3회 기사]

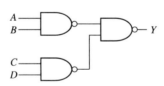

① $Y=A \cdot B \cdot C \cdot D$

② $Y=A \cdot B+C \cdot D$

③ $Y=\overline{A \cdot B}+\overline{C \cdot D}$

④ $Y=(\overline{A}+\overline{B}) \cdot (\overline{C}+\overline{D})$

해설 $Y=\overline{\overline{AB} \cdot \overline{CD}}$
$= \overline{\overline{AB}}+\overline{\overline{CD}}$
$= AB+CD$

16 그림과 같은 논리회로와 등가인 것은?

[2022년 1회 기사]

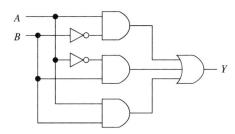

① A B $\longrightarrow$ Y

② A B $\longrightarrow$ Y

③ A B $\longrightarrow$ Y

④ A B $\longrightarrow$ Y

해설 $A\overline{B} + \overline{A}B + AB = A(\overline{B} + B) + \overline{A}B$
$= A + \overline{A}B$
$= (A + \overline{A})(A + B)$
$= A + B$

A B $\longrightarrow$ Y

17 다음의 논리회로를 간단히 하면?

[2016년 1회 기사]

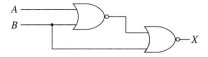

① $X = AB$

② $X = A\overline{B}$

③ $X = \overline{A}B$

④ $X = \overline{AB}$

해설 $\overline{\overline{A + B} + B} = (A + B) \cdot \overline{B} = A \cdot \overline{B} + B \cdot \overline{B} = A \cdot \overline{B}$

18 다음의 논리회로를 간단히 하면? [2016년 3회 기사]

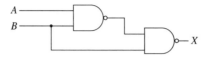

① $\overline{A} + B$

② $A + \overline{B}$

③ $\overline{A} + \overline{B}$

④ $A + B$

해설
$$\overline{\overline{AB} \cdot B}$$
$$= \overline{\overline{AB}} + \overline{B}$$
$$= AB + \overline{B}$$
$$= (A + \overline{B}) \cdot (B + \overline{B}) = A + \overline{B}$$

19 그림과 같은 논리회로의 출력 Y는? [2020년 1, 2회 기사]

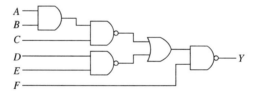

① $ABCDE + \overline{F}$

② $\overline{A}\,\overline{B}\,\overline{C}\overline{D}\overline{E} + F$

③ $\overline{A} + \overline{B} + \overline{C} + \overline{D} + \overline{E} + F$

④ $A + B + C + D + E + \overline{F}$

해설

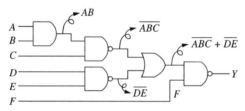

$$\overline{(\overline{ABC} + \overline{DE}) \cdot F}$$
$$= \overline{\overline{ABC} + \overline{DE}} + \overline{F}$$
$$= \overline{\overline{ABC}} \cdot \overline{\overline{DE}} + \overline{F}$$
$$= ABCDE + \overline{F}$$

18 ② 19 ① 정답

20 타이머에서 입력신호가 주어지면 바로 동작하고, 입력신호가 차단된 후에는 일정시간이 지난 후에 출력이 소멸되는 동작형태는?

[2019년 1회 기사]

① 한시동작 순시복귀

② 순시동작 순시복귀

③ 한시동작 한시복귀

④ 순시동작 한시복귀

> **해설** 바로 동작하고 ⇒ 순시동작
> 일정시간이 지난 후에 출력이 소멸 ⇒ 한시복귀
> ∴ 순시동작 한시복귀

21 다음 중 이진값 신호가 아닌 것은?

[2019년 2회 기사]

① 디지털 신호

② 아날로그 신호

③ 스위치의 On-Off 신호

④ 반도체 소자의 동작, 부동작 상태

> **해설** 디지털 신호, S/W On-Off, 반도체 소자의 동작 상태는 이진수 0과 1로 나타낸다.

9. 상태방정식

(1) 상태방정식

계통방정식이 n차 미분방정식일 때 이것을 n개의 1차 미분방정식으로 바꾸어서 행렬을 이용하여 표현한 것을 상태방정식이라 한다.

예 계통식 $\dfrac{d^2x}{dt^2} + 2\dfrac{dx}{dt} + 5x = r(t)$

$$\left(상태변수\ x_1 = x,\ \dot{x_1} = \frac{dx}{dt},\ \dot{x_2} = \frac{d^2x}{dt^2} = -5x_1 - 2x_2 + r(t) \right)$$

$$\begin{bmatrix} \dot{x_1} \\ \dot{x_2} \end{bmatrix} = \begin{bmatrix} 0 & 1 \\ -5 & -2 \end{bmatrix} \begin{bmatrix} x_1 \\ x_2 \end{bmatrix} + \begin{bmatrix} 0 \\ 1 \end{bmatrix} r(t) = AX(t) + Br(t)$$

위의 행렬식에서 $A = \begin{bmatrix} 0 & 1 \\ -5 & -2 \end{bmatrix}$를 계수행렬이라 한다.

예 $\dfrac{d^3c(t)}{dt^3} + 5\dfrac{d^2c(t)}{dt^2} + \dfrac{dc(t)}{dt} + 2c(t) = r(t)$의 계수행렬 A는

$$x_1(t) = C(t),\ x_2(t) = \frac{d}{dt}c(t),\ x_3(t) = \frac{d^2}{dt^2}c(t)$$

$$\dot{x_1}(t) = x_2(t),\ \dot{x_2}(t) = x_3(t),\ \dot{x_3}(t) = -2x_1(t) - x_2(t) - 5x_3(t) + r(t)$$

$$\begin{bmatrix} \dot{x_1}(t) \\ \dot{x_2}(t) \\ \dot{x_3}(t) \end{bmatrix} = \begin{vmatrix} 0 & 1 & 0 \\ 0 & 0 & 1 \\ -2 & -1 & -5 \end{vmatrix} \begin{bmatrix} x_1(t) \\ x_2(t) \\ x_3(t) \end{bmatrix} + \begin{bmatrix} 0 \\ 0 \\ 1 \end{bmatrix} r(t)$$

예

$$G(S) = \frac{C(S)}{R(S)} = \frac{\dfrac{10}{S(S+1)}}{1 + \dfrac{10}{S(S+1)}} = \frac{10}{S(S+1) + 10} = \frac{10}{S^2 + S + 10}$$

$$(S^2 + S + 10)C(S) = 10R(S)$$

$$\frac{d^2C(t)}{dt^2} + \frac{dC(t)}{dt} + 10C(t) = 10r(t)$$

$$x_1 = C(t),\ \dot{x_1} = x_2$$

$$x_2 = \frac{d}{dt}C(t),\ \dot{x_2} = -10x_1 - x_2 + 10r$$

(2) 상태천이행렬($\phi(t)$) : 기본행렬이라고도 한다.

① $\phi(t) = e^{At} = \pounds^{-1}[sI - A]^{-1}$

② $\phi(0) = I$ 단, $I = \begin{bmatrix} 1 & 0 \\ 0 & 1 \end{bmatrix}$인 단위행렬

③ $\phi^{-1}(t) = \phi(-t)$

④ $\dot{\phi}(t) = A\phi(t)$

⑤ $[\phi(t)]^k = \phi(kt)$

예 $A = \begin{bmatrix} 0 & 1 \\ -2 & -3 \end{bmatrix}$의 천이행렬?

$$\begin{bmatrix} s & 0 \\ 0 & s \end{bmatrix} - \begin{bmatrix} 0 & 1 \\ -2 & -3 \end{bmatrix} = \begin{bmatrix} s & -1 \\ 2 & s+3 \end{bmatrix}$$

$$(sI - A)^{-1} = \frac{1}{s(s+3)+2}\begin{bmatrix} s+3 & 1 \\ -2 & s \end{bmatrix}$$

$$= \frac{1}{(s+1)(s+2)}\begin{bmatrix} s+3 & 1 \\ -2 & s \end{bmatrix}$$

$$= \begin{bmatrix} \dfrac{s+3}{(s+1)(s+2)} & \dfrac{1}{(s+1)(s+2)} \\ \dfrac{-2}{(s+1)(s+2)} & \dfrac{s}{(s+1)(s+2)} \end{bmatrix}$$

$$\phi(t) = \pounds^{-1}\{(sI-A)^{-1}\}$$

$$\therefore \begin{bmatrix} (t+1)e^{-t} & te^{-t} \\ -te^{-t} & (-t+1)e^{-t} \end{bmatrix}$$

(3) 특성방정식

$|sI - A| = 0$을 만족하는 방정식을 제어계의 특성방정식이라 하며 이 때의 S값을 특성방정식의 근 또는 고윳값이라 한다.

$f(t)$	$F(S)$	$F(Z)$
$\delta(t)$	1	1
$u(t)$	$\dfrac{1}{S}$	$\dfrac{Z}{Z-1}$
e^{-at}	$\dfrac{1}{S+a}$	$\dfrac{Z}{Z-e^{-aT}}$

(4) Z변환

    ① S평면의 Z평면으로의 사상

        ㉠ S평면 허수축($j\omega$)=중심이 원점이 단위원주상에 사상

        ㉡ S평면 좌반평면=중심이 원점이 단위원 내부에 사상

        ㉢ S평면 우반평면=중심이 원점이 단위원 외부에 사상

    ② 초기치 정리 $\lim\limits_{t=0} f(t) = \lim\limits_{Z=\infty} F(Z)$

핵 / 심 / 예 / 제

01 다음의 미분방정식으로 표시되는 시스템의 계수행렬 A는 어떻게 표시되는가?

[2014년 2회 기사 / 2020년 1, 2회 기사]

$$\frac{d^2c(t)}{dt^2} + 5\frac{dc(t)}{dt} + 3c(t) = r(t)$$

① $\begin{bmatrix} -5 & -3 \\ 0 & 1 \end{bmatrix}$　　　　② $\begin{bmatrix} -3 & -5 \\ 0 & 1 \end{bmatrix}$

③ $\begin{bmatrix} 0 & 1 \\ -3 & -5 \end{bmatrix}$　　　　④ $\begin{bmatrix} 0 & 1 \\ -5 & -3 \end{bmatrix}$

> **해설** 미분방정식 $\frac{d^2c(t)}{dt^2} + 5\frac{dc(t)}{dt} + 3c(t) = r(t)$
>
> $x_2{'}(t) + x_2(t) + 3x_1(t) = r(t)$
>
> **상태방정식** $\frac{d}{dt}x(t) = Ax(t) + Bu(t)$
>
> $x'(t) = Ax(t) + Bu(t)$
> $x_1{'}(t) = x_2(t)$
> $x_2{'}(t) = -3x_1(t) - 5x_2(t) + r(t)$
>
> $\therefore \begin{bmatrix} x_1{'} \\ x_2{'} \end{bmatrix} = \begin{bmatrix} 0 & 1 \\ -3 & -5 \end{bmatrix}\begin{bmatrix} x_1 \\ x_2 \end{bmatrix} + \begin{bmatrix} 0 \\ 1 \end{bmatrix}r(t)$에서 계수행렬 $\begin{bmatrix} 0 & 1 \\ -3 & -5 \end{bmatrix}$

02 $\frac{d^2}{dt^2}c(t) + 5\frac{d}{dt}c(t) + 4c(t) = r(t)$와 같은 함수를 상태함수로 변환하였다. 백터 A, B의 값으로 적당한 것은?

[2018년 2회 기사]

$$\frac{d}{dt}X(t) = AX(t) + Br(t)$$

① $A = \begin{bmatrix} 0 & 1 \\ -5 & -4 \end{bmatrix}$, $B = \begin{bmatrix} 0 \\ 1 \end{bmatrix}$　　② $A = \begin{bmatrix} 0 & 1 \\ 5 & 4 \end{bmatrix}$, $B = \begin{bmatrix} 0 \\ 1 \end{bmatrix}$

③ $A = \begin{bmatrix} 0 & 1 \\ -4 & -5 \end{bmatrix}$, $B = \begin{bmatrix} 0 \\ 1 \end{bmatrix}$　　④ $A = \begin{bmatrix} 0 & 1 \\ 4 & 5 \end{bmatrix}$, $B = \begin{bmatrix} 0 \\ 1 \end{bmatrix}$

> **해설** $C(t) = X_1(t)$
>
> $\frac{d}{dt}c(t) = X_2(t)$
>
> $\dot{X_1}(t) = X_2(t)$
>
> $\dot{X_2}(t) = r(t) - 4X_1(t) - 5X_2(t)$
>
> $\begin{bmatrix} \dot{X_1}(t) \\ \dot{X_2}(t) \end{bmatrix} = \begin{bmatrix} 0 & 1 \\ -4 & -5 \end{bmatrix}\begin{bmatrix} X_1(t) \\ X_2(t) \end{bmatrix} + \begin{bmatrix} 0 \\ 1 \end{bmatrix}r(t)$

03 다음 방정식으로 표시되는 제어계가 있다. 이 계를 상태방정식 $x(t) = Ax(t) + Bu(t)$로 나타내면 계수 행렬 A는? [2018년 1회 기사 / 2022년 1회 기사]

$$\frac{d^3c(t)}{dt^3} + 5\frac{d^2c(t)}{dt^2} + \frac{dc(t)}{dt} + 2c(t) = r(t)$$

① $\begin{bmatrix} 0 & 1 & 0 \\ 0 & 0 & 1 \\ -2 & -1 & -5 \end{bmatrix}$ ② $\begin{bmatrix} 0 & 1 & 0 \\ 1 & 0 & 0 \\ 5 & 1 & 2 \end{bmatrix}$

③ $\begin{bmatrix} 0 & 0 & 1 \\ 1 & 0 & 0 \\ 0 & 5 & 2 \end{bmatrix}$ ④ $\begin{bmatrix} 0 & 1 & 0 \\ 0 & 0 & 1 \\ -2 & -1 & 0 \end{bmatrix}$

해설 $x_1(t) = c(t)$

$x_2(t) = \dfrac{d}{dt}c(t)$

$x_3 = \dfrac{d^2}{dt^2}c(t)$

$x_2(t) = \dot{x_1}(t)$

$x_3(t) = \dot{x_2}(t)$

$\dot{x_3}(t) = r(t) - 2x_1(t) - x_2(t) - 5x_3(t)$

$\begin{bmatrix} \dot{x_1}(t) \\ \dot{x_2}(t) \\ \dot{x_3}(t) \end{bmatrix} = \begin{bmatrix} 0 & 1 & 0 \\ 0 & 0 & 1 \\ -2 & -1 & -5 \end{bmatrix} \begin{bmatrix} x_1(t) \\ x_2(t) \\ x_3(t) \end{bmatrix} + \begin{bmatrix} 0 \\ 0 \\ 1 \end{bmatrix} r(t)$

04 블록선도와 같은 단위 피드백 제어시스템의 상태방정식은?(단, 상태변수는 $x_1(t) = c(t)$, $x_2(t) = \dfrac{d}{dt}c(t)$로 한다) [2021년 1회 기사]

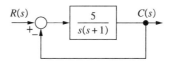

① $\dot{x}_1(t) = x_2(t)$
  $\dot{x}_2(t) = -5x_1(t) - x_2(t) + 5r(t)$

② $\dot{x}_1(t) = x_2(t)$
  $\dot{x}_2(t) = -5x_1(t) - x_2(t) - 5r(t)$

③ $\dot{x}_1(t) = -x_2(t)$
  $\dot{x}_2(t) = 5x_1(t) + x_2(t) - 5r(t)$

④ $\dot{x}_1(t) = -x_2(t)$
  $\dot{x}_2(t) = -5x_1(t) - x_2(t) + 5r(t)$

해설
$$G(s) = \frac{C(s)}{R(s)} = \frac{5}{s(s+1)+5} = \frac{5}{s^2+s+5}$$

$$5R(s) = s^2 C(s) + s C(s) + 5C(s)$$

$$\frac{d^2}{dt^2}C(t) + \frac{d}{dt}C(t) + 5C(t) = 5r(t)$$

$$C(t) = x_1(t)$$

$$\frac{d}{dt}C(t) = x_2(t)$$

$$\dot{x}_1(t) = x_2(t)$$

$$\dot{x}_2(t) = 5r(t) - 5x_1(t) - x_2(t)$$

05 상태공간 표현식 $\dot{x} = Ax + Bu$ 로 표현되는 선형 시스템에서 $A = \begin{bmatrix} 0 & 1 & 0 \\ 0 & 0 & 1 \\ -2 & -9 & -8 \end{bmatrix}$, $B = \begin{bmatrix} 0 \\ 0 \\ 5 \end{bmatrix}$,

$C = [100]$, $D = 0$, $x = \begin{bmatrix} x_1 \\ x_2 \\ x_3 \end{bmatrix}$ 이면 시스템 전달함수 $\dfrac{Y(s)}{U(s)}$ 는? [2019년 3회 기사]

① $\dfrac{1}{s^3 + 8s^2 + 9s + 2}$

② $\dfrac{1}{s^3 + 2s^2 + 9s + 8}$

③ $\dfrac{5}{s^3 + 8s^2 + 9s + 2}$

④ $\dfrac{5}{s^3 + 2s^2 + 9s + 8}$

해설

$y = Cx$ 에서 $y = (1 \ 0 \ 0) \begin{pmatrix} x_1 \\ x_2 \\ x_3 \end{pmatrix}$

$y = x_1$

$\begin{pmatrix} \dot{x}_1 \\ \dot{x}_2 \\ \dot{x}_3 \end{pmatrix} = \begin{pmatrix} 0 & 1 & 0 \\ 0 & 0 & 1 \\ -2 & -9 & -8 \end{pmatrix} \begin{pmatrix} x_1 \\ x_2 \\ x_3 \end{pmatrix} + \begin{pmatrix} 0 \\ 0 \\ 5 \end{pmatrix} u$

$\dot{x}_1 = x_2$

$\dot{x}_2 = x_3$

$\dot{x}_3 = -2x_1 - 9x_2 - 8x_3 + 5u$

$\dot{x}_3 + 8x_3 + 9x_2 + 2x_1 = 5u (y = x_1$을 대입)

$\dfrac{d^3}{dt^3} y + 8 \dfrac{d^2}{dt^2} y + 9 \dfrac{d}{dt} y + 2y = 5u$

$(s^3 + 8s^2 + 9s + 2)y = 5u$

$G(s) = \dfrac{y}{u} = \dfrac{5}{s^3 + 8s^2 + 9s + 2}$

06 제어시스템의 상태방정식이 $\dfrac{dx(t)}{dt}=Ax(t)+Bu(t)$, $A=\begin{bmatrix} 0 & 1 \\ -3 & 4 \end{bmatrix}$, $B=\begin{bmatrix} 1 \\ 1 \end{bmatrix}$일 때, 특성방정식을 구하면?

[2020년 3회 기사]

① $s^2-4s-3=0$ ② $s^2-4s+3=0$

③ $s^2+4s+3=0$ ④ $s^2+4s-3=0$

해설 $SI-A=0$

$\begin{bmatrix} s & 0 \\ 0 & s \end{bmatrix}-\begin{bmatrix} 0 & 1 \\ -3 & 4 \end{bmatrix}=\begin{bmatrix} s & -1 \\ 3 & s-4 \end{bmatrix}$

$s(s-4)+3=0$

$s^2-4s+3=0$

07 다음과 같은 상태방정식의 고윳값 λ_1과 λ_2는?

[2016년 2회 기사]

$$\begin{bmatrix} \dot{x_1} \\ \dot{x_2} \end{bmatrix}=\begin{bmatrix} 1 & -2 \\ -3 & 2 \end{bmatrix}\begin{bmatrix} x_1 \\ x_2 \end{bmatrix}+\begin{bmatrix} 2 & -3 \\ -4 & 3 \end{bmatrix}\begin{bmatrix} r_1 \\ r_2 \end{bmatrix}$$

① 4, −1   ② −4, 1

③ 6, −1   ④ −6, 1

해설 $\begin{pmatrix} s & 0 \\ 0 & s \end{pmatrix}-\begin{pmatrix} 1 & -2 \\ -3 & 2 \end{pmatrix}=\begin{pmatrix} s-1 & 2 \\ 3 & s-2 \end{pmatrix}$

$(s-1)(s-2)-2\times3=0$

$s^2-3s+2-6=0$

$s^2-3s-4=0$

$(s-4)(s+1)=0$

$s=4,\ -1$

08 다음과 같은 상태방정식으로 표현되는 제어시스템의 특성방정식의 근(s_1, s_2)은?

[2021년 2회 기사]

$$\begin{bmatrix} \dot{x_1} \\ \dot{x_2} \end{bmatrix} = \begin{bmatrix} 0 & 1 \\ -2 & -3 \end{bmatrix} \begin{bmatrix} x_1 \\ x_2 \end{bmatrix} + \begin{bmatrix} 1 \\ 0 \end{bmatrix} u$$

① 1, −3

② −1, −2

③ −2, −3

④ −1, −3

해설 $\begin{pmatrix} s & 0 \\ 0 & s \end{pmatrix} - \begin{pmatrix} 0 & 1 \\ -2 & -3 \end{pmatrix} = \begin{pmatrix} s & -1 \\ 2 & s+3 \end{pmatrix}$

$s^2 + 3s + 2 = 0$

$(s+1)(s+2) = 0$

$s = -1, \ -2$

09 다음과 같은 상태방정식으로 표현되는 제어계에 대한 설명으로 틀린 것은? [2016년 1회 기사]

$$\dot{x} = \begin{bmatrix} 0 & 1 \\ -2 & -3 \end{bmatrix} x + \begin{bmatrix} 1 & 1 \\ 0 & -2 \end{bmatrix} u$$

① 2차 제어계이다.

② x는 (2×1)의 벡터이다.

③ 특성방정식은 $(s+1)(s+2) = 0$이다.

④ 제어계는 부족제동(Under Damped)된 상태에 있다.

해설 $\begin{pmatrix} S & 0 \\ 0 & S \end{pmatrix} - \begin{pmatrix} 0 & 1 \\ -2 & -3 \end{pmatrix} = \begin{pmatrix} S & -1 \\ 2 & S+3 \end{pmatrix}$

$S^2 + 3S + 2 = 0$

$S^2 + 2\delta W_n S + W_n^2 = 0$

$W_n = \sqrt{2}$

$2\delta\sqrt{2} = 3$

$\delta = \dfrac{3}{2\sqrt{2}} \fallingdotseq 1.06 \quad \therefore \ \text{과제동}$

10 상태방정식이 다음과 같은 계의 천이행렬 $\phi(t)$는 어떻게 표시되는가? [2013년 3회 기사]

$$\dot{x}(t) = Ax(t) + Bu$$

① $\mathcal{L}^{-1}[(sI-A)]$

② $\mathcal{L}^{-1}[(sI-A)^{-1}]$

③ $\mathcal{L}^{-1}[(sI-B)]$

④ $\mathcal{L}^{-1}[(sI-B)^{-1}]$

해설　상태방정식 $\dfrac{d}{dt}x(t) = Ax(t) + Bu(t)$

　　　　상태천이행렬 $\mathcal{L}^{-1}(sI-A)^{-1} = \phi(t)$

11 n차 선형 시불변 시스템의 상태방정식을 $\dfrac{d}{dt}X(t) = AX(t) + Br(t)$로 표시할 때 상태천이행렬 $\Phi(t)(n \times n$행렬)에 관하여 틀린 것은? [2019년 1회 기사]

① $\Phi(t) = e^{At}$

② $\dfrac{d\Phi(t)}{dt} = A \cdot \Phi(t)$

③ $\Phi(t) = \mathcal{L}^{-1}\left[(sI-A)^{-1}\right]$

④ $\Phi(t)$는 시스템의 정상상태응답을 나타낸다.

해설　$\Phi(t)$ = 천이행렬

　　　　① $\Phi(t) = e^{At}$

　　　　② $\dfrac{d\Phi(t)}{dt} = \dfrac{de^{At}}{dt} = A \cdot e^{At} = A \cdot \Phi(t)$

　　　　③ $\Phi(t) = \mathcal{L}^{-1}\left[(sI-A)^{-1}\right]$

12 상태방정식으로 표시되는 제어계의 천이행렬 $\phi(t)$는? [2017년 3회 기사]

$$\dot{X} = \begin{bmatrix} 0 & 1 \\ 0 & 0 \end{bmatrix} X + \begin{bmatrix} 0 \\ 1 \end{bmatrix} U$$

① $\begin{bmatrix} 0 & t \\ 1 & 1 \end{bmatrix}$　　② $\begin{bmatrix} 1 & 1 \\ 0 & t \end{bmatrix}$　　③ $\begin{bmatrix} 1 & t \\ 0 & 1 \end{bmatrix}$　　④ $\begin{bmatrix} 0 & t \\ 1 & 0 \end{bmatrix}$

해설　$\phi(t) = \mathcal{L}^{-1}[(sI-A)^{-1}]$

$(SI-A)^{-1} = \left[\begin{bmatrix} s & 0 \\ 0 & s \end{bmatrix} - \begin{bmatrix} 0 & 1 \\ 0 & 0 \end{bmatrix}\right]^{-1} = \begin{bmatrix} s & -1 \\ 0 & s \end{bmatrix}^{-1} = \frac{1}{s^2}\begin{bmatrix} s & 1 \\ 0 & s \end{bmatrix}$

$\begin{bmatrix} \dfrac{1}{s} & \dfrac{1}{s^2} \\ 0 & \dfrac{1}{s} \end{bmatrix}$ 을 역라플라스하면 $\begin{bmatrix} 1 & t \\ 0 & 1 \end{bmatrix}$

13 시스템행렬 A가 다음과 같을 때 상태천이행렬을 구하면? [2020년 4회 기사]

$$A = \begin{bmatrix} 0 & 1 \\ -2 & -3 \end{bmatrix}$$

① $\begin{bmatrix} 2e^t - e^{2t} & -e^t + e^{2t} \\ 2e^t - 2e^{2t} & -e^t - 2e^{2t} \end{bmatrix}$

② $\begin{bmatrix} 2e^{-t} - e^{-2t} & e^{-t} - e^{-2t} \\ -2e^{-t} + 2e^{-2t} & -e^{-t} - 2e^{2t} \end{bmatrix}$

③ $\begin{bmatrix} 2e^{-t} - e^{-2t} & -e^{-t} + e^{-2t} \\ 2e^{-t} - 2e^{-2t} & -e^{-t} - 2e^{-2t} \end{bmatrix}$

④ $\begin{bmatrix} 2e^{-t} - e^{-2t} & e^{-t} - e^{-2t} \\ -2e^{-t} + 2e^{-2t} & -e^{-t} + 2e^{-2t} \end{bmatrix}$

해설　$\phi(t) = \mathcal{L}^{-1}(sI-A)^{-1}$

$\begin{bmatrix} s & 0 \\ 0 & s \end{bmatrix} - \begin{bmatrix} 0 & 1 \\ -2 & -3 \end{bmatrix} = \begin{bmatrix} s & -1 \\ 2 & s+3 \end{bmatrix}$

$\begin{bmatrix} s & -1 \\ 2 & s+3 \end{bmatrix}^{-1} = \frac{1}{s(s+3)+2}\begin{bmatrix} s+3 & 1 \\ -2 & s \end{bmatrix} = \frac{1}{s^2+3s+2}\begin{bmatrix} s+3 & 1 \\ -2 & s \end{bmatrix} = \frac{1}{(s+1)(s+2)}\begin{bmatrix} s+3 & 1 \\ -2 & s \end{bmatrix}$

$= \mathcal{L}^{-1} \begin{bmatrix} \dfrac{s+3}{(s+1)(s+2)} & \dfrac{1}{(s+1)(s+2)} \\ \dfrac{-2}{(s+1)(s+2)} & \dfrac{s}{(s+1)(s+2)} \end{bmatrix}$

여기서, D 정수만 구하면 답을 알 수 있으므로

$\dfrac{s}{(s+1)(s+2)} = \dfrac{A}{s+1} + \dfrac{B}{s+2}$

$A = \dfrac{s}{s+2}\Big|_{s=-1} = -1$

$B = \dfrac{s}{s+1}\Big|_{s=-2} = 2$

$\mathcal{L}^{-1}\left\{\dfrac{-1}{s+1} + \dfrac{2}{s+2}\right\} = -e^{-t} + 2e^{-2t}$

14 다음의 상태방정식으로 표현되는 시스템의 상태천이행렬은?

[2022년 2회 기사]

$$\begin{bmatrix} \dfrac{d}{dt}x_1 \\ \dfrac{d}{dt}x_2 \end{bmatrix} = \begin{bmatrix} 0 & 1 \\ -3 & -4 \end{bmatrix} \begin{bmatrix} x_1 \\ x_2 \end{bmatrix}$$

① $\begin{bmatrix} 1.5e^{-t} - 0.5e^{-3t} & -1.5e^{-t} + 1.5e^{-3t} \\ 0.5e^{-t} - 0.5e^{-3t} & -0.5e^{-t} + 1.5e^{-3t} \end{bmatrix}$

② $\begin{bmatrix} 1.5e^{-t} - 0.5e^{-3t} & 0.5e^{-t} - 0.5e^{-3t} \\ -1.5e^{-t} + 1.5e^{-3t} & -0.5e^{-t} + 1.5e^{-3t} \end{bmatrix}$

③ $\begin{bmatrix} 1.5e^{-t} - 0.5e^{-4t} & 0.5e^{-t} - 0.5e^{-4t} \\ -1.5e^{-t} + 1.5e^{-4t} & -0.5e^{-t} + 1.5e^{-4t} \end{bmatrix}$

④ $\begin{bmatrix} 1.5e^{-t} - 0.5e^{-4t} & -1.5e^{-t} + 1.5e^{-4t} \\ 0.5e^{-t} - 0.5e^{-4t} & -0.5e^{-t} + 1.5e^{-4t} \end{bmatrix}$

해설

$\phi(t) = \mathcal{L}^{-1}[SI - A]^{-1}$

$\begin{bmatrix} s & 0 \\ 0 & s \end{bmatrix} - \begin{bmatrix} 0 & 1 \\ -3 & -4 \end{bmatrix} = \begin{bmatrix} s & -1 \\ 3 & s+4 \end{bmatrix}$

$\begin{bmatrix} s & -1 \\ 3 & s+4 \end{bmatrix}^{-1} = \dfrac{1}{s(s+4)+3} \begin{bmatrix} s+4 & 1 \\ -3 & s \end{bmatrix} = \dfrac{1}{(s+1)(s+3)} \begin{bmatrix} s+4 & 1 \\ -3 & s \end{bmatrix}$ 에서

$\begin{bmatrix} A & B \\ C & D \end{bmatrix}$ 중 B를 구하면

$\dfrac{1}{(s+1)(s+3)} = \dfrac{K_1}{s+1} + \dfrac{K_2}{s+3}$

$K_1 = \dfrac{1}{s+3}\Big|_{s=-1} = \dfrac{1}{2}$

$K_2 = \dfrac{1}{s+1}\Big|_{s=-3} = -\dfrac{1}{2}$

$\dfrac{1}{2}\dfrac{1}{s+1} - \dfrac{1}{2}\dfrac{1}{s+3}$ 을 역라플라스변환을 하면

$0.5e^{-t} - 0.5e^{-3t}$ 이므로

B값 중에서 찾아 ②번이 답이다.

15 다음과 같은 상태방정식으로 표현되는 제어시스템에 대한 특성방정식의 근(s_1, s_2)은?

[2021년 3회 기사]

$$\begin{bmatrix} \dot{x_1} \\ \dot{x_2} \end{bmatrix} = \begin{bmatrix} 0 & -3 \\ 2 & -5 \end{bmatrix} \begin{bmatrix} x_1 \\ x_2 \end{bmatrix} + \begin{bmatrix} 1 \\ 0 \end{bmatrix} u$$

① 1, -3

② -1, -2

③ -2, -3

④ -1, -3

 해설

$$\begin{pmatrix} s & 0 \\ 0 & s \end{pmatrix} - \begin{pmatrix} 0 & -3 \\ 2 & -5 \end{pmatrix} = \begin{pmatrix} s & 3 \\ -2 & s+5 \end{pmatrix}$$

$$s(s+5)+2\times3=0$$

$$s^2+5s+6=0$$

$$(s+2)(s+3)=0$$

$$s=-2, -3$$

16 특성방정식의 모든 근이 s 복소평면의 좌반면에 있으면 이 계는 어떠한가? [2017년 2회 기사]

① 안 정

② 준안정

③ 불안정

④ 조건부안정

해설 **특성방정식의 근의 위치에 따른 안정도 판별**

안정도	s평면의 근의 위치	z평면의 근의 위치
안 정	좌반면	단위원 내부
불안정	우반면	단위원 외부
임계안정	허수축	단위원주상

15 ③ 16 ① 정답

17 Z변환법을 사용한 샘플치 제어계가 안정되려면 $1 + GH(Z) = 0$의 근의 위치는?

[2013년 1회 기사 / 2015년 2회 기사]

① Z평면의 좌반면에 존재하여야 한다.
② Z평면의 우반면에 존재하여야 한다.
③ $|Z| = 1$인 단위원 내에 존재하여야 한다.
④ $|Z| = 1$인 단위원 밖에 존재하여야 한다.

해설 특성방정식의 근의 위치에 따른 안정도 판별

안정도	s평면의 근의 위치	z평면의 근의 위치
안 정	좌반면	단위원 내부
불안정	우반면	단위원 외부
임계안정	허수축	단위원주상

18 특성방정식의 모든 근이 s평면(복소평면)의 $j\omega$축(허수축)에 있을 때 이 제어시스템의 안정도는?

[2020년 3회 기사]

① 알 수 없다.
② 안정하다.
③ 불안정하다.
④ 임계안정이다.

해설 17번 해설 참조

19 이산 시스템(Discrete Data System)에서의 안정도 해석에 대한 설명 중 옳은 것은?

[2018년 2회 기사]

① 특성방정식의 모든 근이 z평면의 음의 반평면에 있으면 안정하다.
② 특성방정식의 모든 근이 z평면의 양의 반평면에 있으면 안정하다.
③ 특성방정식의 모든 근이 z평면의 단위원 내부에 있으면 안정하다.
④ 특성방정식의 모든 근이 z평면의 단위원 외부에 있으면 안정하다.

해설

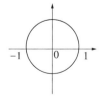

단위원 내부에 근이 있으면 안정

20 특성방정식이 다음과 같다. 이를 z변환하여 z평면에 도시할 때 단위원 밖에 놓일 근은 몇 개인가?

[2017년 1회 기사]

$$(s+1)(s+2)(s-3) = 0$$

① 0   ② 1

③ 2   ④ 3

해설 • 근 : −1, −2, 3
  • 단위원 내 : −1, −2
  • 단위원 밖 : 3

21 3차인 이산치 시스템의 특성방정식의 근이 −0.3, −0.2, +0.5로 주어져 있다. 이 시스템의 안정도는?

[2017년 2회 기사]

① 이 시스템은 안정한 시스템이다.
② 이 시스템은 불안정한 시스템이다.
③ 이 시스템은 임계 안정한 시스템이다.
④ 위 정보로서는 이 시스템의 안정도를 알 수 없다.

해설 근이 z평면의 −1, 1 사이이므로 안정

22 $e(t)$의 z변환을 $E(z)$라 했을 때 $e(t)$의 초깃값은?

[2015년 3회 기사 / 2020년 4회 기사]

① $\lim\limits_{z \to 0} z E(z)$ ② $\lim\limits_{z \to 0} E(z)$

③ $\lim\limits_{z \to \infty} z E(z)$ ④ $\lim\limits_{z \to \infty} E(z)$

해설

구 분	초깃값 정리	최종값 정리
z변환	$x(0) = \lim\limits_{z \to \infty} X(z)$	$x(\infty) = \lim\limits_{z \to 1}\left(1 - \dfrac{1}{z}\right)X(z)$
라플라스변환	$x(0) = \lim\limits_{s \to \infty} sX(s)$	$x(\infty) = \lim\limits_{s \to 0} sX(s)$

20 ②   21 ①   22 ④   정답

23 $e(t)$의 z변환을 $E(z)$라고 했을 때 $e(t)$의 최종값 $e(\infty)$은? [2021년 1회 기사]

① $\displaystyle\lim_{z \to 1} E(z)$

② $\displaystyle\lim_{z \to \infty} E(z)$

③ $\displaystyle\lim_{z \to 1} (1 - z^{-1}) E(z)$

④ $\displaystyle\lim_{z \to \infty} (1 - z^{-1}) E(z)$

> **해설**
>
> $\displaystyle\lim_{t \to \infty} e(t) = \lim_{z \to 1} (1 - z^{-1}) E(z)$

24 단위계단함수의 라플라스변환과 z변환함수는?

[2014년 3회 기사 / 2016년 2회 기사 / 2018년 1회 기사 / 2021년 3회 기사]

① $\dfrac{1}{s}$, $\dfrac{z}{z-1}$

② s, $\dfrac{z}{z-1}$

③ $\dfrac{1}{s}$, $\dfrac{z-1}{z}$

④ s, $\dfrac{z-1}{z}$

> **해설** 함수의 변환
>
> | $f(t)$ | | $F(s)$ | $F(z)$ |
> |---|---|---|---|
> | 단위계단함수 | $u(t)$ | $\dfrac{1}{s}$ | $\dfrac{z}{z-1}$ |

25 다음 중 $f(t) = e^{-at}$ 의 z변환은?

[2015년 1회 기사 / 2019년 3회 기사 / 2021년 2회 기사]

① $\dfrac{1}{z - e^{-at}}$

② $\dfrac{1}{z + e^{-at}}$

③ $\dfrac{z}{z - e^{-at}}$

④ $\dfrac{z}{z + e^{-at}}$

> **해설** 함수의 변환
>
> | $f(t)$ | | $F(s)$ | $F(z)$ |
> |---|---|---|---|
> | 지수함수 | e^{-at} | $\dfrac{1}{s+a}$ | $\dfrac{z}{z - e^{-at}}$ |

26 $f(t) = Ke^{-at}$ 의 z 변환은?

[2015년 2회 기사]

① $\dfrac{Kz}{z - e^{-at}}$　　　　　　　② $\dfrac{Kz}{z + e^{-at}}$

③ $\dfrac{z}{z - Ke^{-at}}$　　　　　　　④ $\dfrac{z}{z + Ke^{-at}}$

해설　**함수의 변환**

$f(t)$		$F(s)$	$F(z)$
임펄스함수	$\delta(t)$	1	1
단위계단함수	$u(t)$	$\dfrac{1}{s}$	$\dfrac{z}{z-1}$
램프함수	t	$\dfrac{1}{s^2}$	$\dfrac{Tz}{(z-1)^2}$
지수함수	e^{-at}	$\dfrac{1}{s+a}$	$\dfrac{z}{z-e^{-at}}$

27 다음 중 z 변환함수 $\dfrac{3z}{(z - e^{-3t})}$ 에 대응되는 라플라스 변환함수는?

[2014년 1회 기사 / 2020년 1, 2회 기사]

① $\dfrac{1}{(s+3)}$　　　　　　　② $\dfrac{3}{(s-3)}$

③ $\dfrac{1}{(s-3)}$　　　　　　　④ $\dfrac{3}{(s+3)}$

해설　**함수의 변환**

$f(t)$		$F(s)$	$F(z)$
지수함수	e^{-at}	$\dfrac{1}{s+a}$	$\dfrac{z}{z-e^{-at}}$

$F(z) = \dfrac{3z}{(z - e^{-3t})}$ 에서 $F(z) = 3 \times \dfrac{z}{(z - e^{-3t})}$ 로 계산

$\therefore\ F(s) = \dfrac{3}{(s+3)}$

28 $R(z) = \dfrac{(1-e^{-aT})z}{(z-1)(z-e^{-aT})}$ 의 역변환은?　　[2019년 1회 기사 / 2022년 1회 기사 / 2022년 2회 기사]

① te^{aT} 　　　　　　　　　　　　② te^{-aT}

③ $1-e^{-aT}$ 　　　　　　　　　　④ $1+e^{-aT}$

해설

$$\dfrac{(1-e^{-aT})z}{(z-1)(z-e^{-aT})} = z\left\{ \dfrac{K_1}{(z-1)} + \dfrac{K_2}{(z-e^{-aT})} \right\}$$

$$K_1 = \lim_{z \to 1} \dfrac{1-e^{-aT}}{z-e^{-aT}} = \dfrac{1-e^{-aT}}{1-e^{-aT}} = 1$$

$$K_2 = \lim_{z \to e^{-aT}} \dfrac{1-e^{-aT}}{z-1} = \lim_{z \to e^{-aT}} \dfrac{1-e^{-aT}}{-(1-z)} \lim_{z \to e^{-aT}} \dfrac{1-e^{-aT}}{-(1-e^{-aT})} = -1$$

$$\dfrac{z}{z-1} - \dfrac{z}{z-e^{-aT}} = 1-e^{-aT}$$

29 그림과 같은 이산치계의 z 변환 전달함수 $\dfrac{C(z)}{R(z)}$ 를 구하면?(단, $Z\left[\dfrac{1}{s+a}\right] = \dfrac{z}{z-e^{-aT}}$ 임)

[2016년 1회 기사]

① $\dfrac{2z}{z-e^{-T}} - \dfrac{2z}{z-e^{-2T}}$

② $\dfrac{2z^2}{(z-e^{-T})(z-e^{-2T})}$

③ $\dfrac{2z}{z-e^{-2T}} - \dfrac{2z}{z-e^{-T}}$

④ $\dfrac{2z}{(z-e^{-T})(z-e^{-2T})}$

해설

$$z(S) = \dfrac{z}{z-e^{-T}} \cdot \dfrac{2z}{z-e^{-2T}} = \dfrac{2z^2}{(z-e^{-T})(z-e^{-2T})}$$

30 다음 그림의 전달함수 $\dfrac{Y(z)}{R(z)}$ 는 다음 중 어느 것인가?　　　　[2018년 3회 기사]

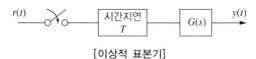

[이상적 표본기]

① $G(z)z$

② $G(z)z^{-1}$

③ $G(z)Tz^{-1}$

④ $G(z)Tz$

해설

$$G(z) = \frac{Y(z)}{R(z)} = G(z) \cdot Z^{-1}$$

$$Z = e^{TS}$$

$$e^{-TS} = (e^{TS})^{-1} = Z^{-1}$$

31 시간함수 $f(t) = \sin \omega t$ 의 z변환은?(단, T는 샘플링 주기이다)　　　　[2020년 3회 기사]

① $\dfrac{z \sin \omega T}{z^2 + 2z \cos \omega T + 1}$

② $\dfrac{z \sin \omega T}{z^2 - 2z \cos \omega T + 1}$

③ $\dfrac{z \cos \omega T}{z^2 - 2z \sin \omega T + 1}$

④ $\dfrac{z \cos \omega T}{z^2 + 2z \sin \omega T + 1}$

전기공사기사 · 산업기사 기본서 시리즈

전기공사

기사 · 산업기사 필기

SERIES 4

회로이론 및 제어공학

최근 기출복원문제

전기공사
기사 · 산업기사
필기 **SERIES 4**
회로이론 및
제어공학

합격의 공식
온라인 강의

잠깐!

혼자 공부하기 힘드시다면 방법이 있습니다.
SD에듀의 동영상강의를 이용하시면 됩니다.
www.sdedu.co.kr → 회원가입(로그인) → 강의 살펴보기

01 다음 회로망에서 입력전압을 $V_1(t)$, 출력전압을 $V_2(t)$라 할 때, $\dfrac{V_2(s)}{V_1(s)}$ 에 대한 고유주파수 ω_n과 제동비 ζ의 값은?(단, $R = 100[\Omega]$, $L = 2[\mathrm{H}]$, $C = 200[\mu\mathrm{F}]$ 이고, 모든 초기전하는 0이다)

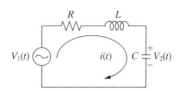

① $\omega_n = 50$, $\zeta = 0.5$
② $\omega_n = 50$, $\zeta = 0.7$
③ $\omega_n = 250$, $\zeta = 0.5$
④ $\omega_n = 250$, $\zeta = 0.7$

02 전달함수 $G(s) = \dfrac{20}{3 + 2s}$ 을 갖는 요소가 있다. 이 요소에 $\omega = 2[\mathrm{rad/sec}]$인 정현파를 주었을 때 $|G(j\omega)|$를 구하면?

① 8   ② 6
③ 4   ④ 2

03 적분시간 3[sec], 비례감도가 3인 비례적분동작을 하는 제어요소가 있다. 이 제어요소에 동작신호 $x(t) = 2t$를 주었을 때 조작량은 얼마인가?(단, 초기 조작량 $y(t)$는 0으로 한다)

① $t^2 + 2t$ ② $t^2 + 4t$
③ $t^2 + 6t$ ④ $t^2 + 8t$

04 이산 시스템(Discrete Data System)에서의 안정도 해석에 대한 설명 중 옳은 것은?

① 특성방정식의 모든 근이 z평면의 음의 반평면에 있으면 안정하다.
② 특성방정식의 모든 근이 z평면의 양의 반평면에 있으면 안정하다.
③ 특성방정식의 모든 근이 z평면의 단위원 내부에 있으면 안정하다.
④ 특성방정식의 모든 근이 z평면의 단위원 외부에 있으면 안정하다.

05 어떤 제어시스템의 개루프 이득이 $G(s)H(s) = \dfrac{K(s+2)}{s(s+1)(s+3)(s+4)}$ 일 때 이 시스템이 가

지는 근궤적의 가지(Branch)수는?

① 1
② 3
③ 4
④ 5

06 그림과 같은 논리회로의 출력 Y는?

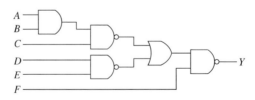

① $ABCDE + \overline{F}$
② $\overline{A}\,\overline{B}\,\overline{C}\overline{D}\overline{E} + F$
③ $\overline{A} + \overline{B} + \overline{C} + \overline{D} + \overline{E} + F$
④ $A + B + C + D + E + \overline{F}$

07 그림과 같은 $R-C$ 회로에서 전압 $v_i(t)$를 입력으로 하고 전압 $v_o(t)$를 출력으로 할 때 이에 맞는 신호흐름선도는?(단, 전달함수의 초깃값은 0이다)

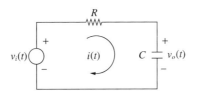

①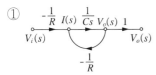

②

③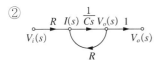

④

08 시스템행렬 A 가 다음과 같을 때 상태천이행렬을 구하면?

$$A = \begin{bmatrix} 0 & 1 \\ -2 & -3 \end{bmatrix}$$

① $\begin{bmatrix} 2e^t - e^{2t} & -e^t + e^{2t} \\ 2e^t - 2e^{2t} & -e^t - 2e^{2t} \end{bmatrix}$

② $\begin{bmatrix} 2e^{-t} - e^{-2t} & e^{-t} - e^{-2t} \\ -2e^{-t} + 2e^{-2t} & -e^{-t} - 2e^{2t} \end{bmatrix}$

③ $\begin{bmatrix} 2e^{-t} - e^{-2t} & -e^{-t} + e^{-2t} \\ 2e^{-t} - 2e^{-2t} & -e^{-t} - 2e^{-2t} \end{bmatrix}$

④ $\begin{bmatrix} 2e^{-t} - e^{-2t} & e^{-t} - e^{-2t} \\ -2e^{-t} + 2e^{-2t} & -e^{-t} + 2e^{-2t} \end{bmatrix}$

09 단위피드백제어계에서 개루프 전달함수 $G(s)$가 다음과 같이 주어지는 계의 단위계단입력에 대한 정상편차는?

$$G(s) = \frac{6}{(s+1)(s+3)}$$

① $\dfrac{1}{2}$　　　　　　　　　② $\dfrac{1}{3}$

③ $\dfrac{1}{4}$　　　　　　　　　④ $\dfrac{1}{6}$

10 특성 방정식이 $2s^4 + 10s^3 + 11s^2 + 5s + K = 0$으로 주어진 제어시스템이 안정하기 위한 조건은?

① $0 < K < 2$　　　　　　　② $0 < K < 5$
③ $0 < K < 6$　　　　　　　④ $0 < K < 10$

11 $8 + j6[\Omega]$인 임피던스에 $13 + j20[V]$의 전압을 인가할 때 복소전력은 약 몇 [VA]인가?

① $12.7 + j34.1$　　　　　　② $12.7 + j55.5$
③ $45.5 + j34.1$　　　　　　④ $45.5 + j55.5$

12 RL 직렬회로에 V인 직류전압원을 갑자기 연결하였을 때 $t = 0^+$ 인 순간, 이 회로에 흐르는 회로전류에 대하여 바르게 표현된 것은?

① 이 회로에는 전류가 흐르지 않는다.

② 이 회로에는 $\dfrac{V}{R}$ 크기의 전류가 흐른다.

③ 이 회로에는 무한대의 전류가 흐른다.

④ 이 회로에는 $\dfrac{V}{R + j\omega L}$ 의 전류가 흐른다.

13 그림과 같은 회로에서 단자 $a - b$ 간의 전압 V_{ab}[V]는?

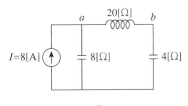

① $-j160$

② $j160$

③ 40

④ 80

14 불평형 3상 전류가 $I_a = 15 + j2$[A], $I_b = -20 - j14$[A], $I_c = -3 + j10$[A]일 때 정상분 전류 I[A]는?

① $1.91 + j6.24$

② $-2.67 - j0.67$

③ $15.7 - j3.57$

④ $18.4 + j12.3$

15 1[km]당 인덕턴스 25[mH], 정전용량 0.005[μF]의 선로가 있다. 무손실 선로라고 가정한 경우 진행파의 위상(전파)속도는 약 몇 [km/s]인가?

① 8.95×10^4

② 9.95×10^4

③ 89.5×10^4

④ 99.5×10^4

16 대칭 3상 Y결선 부하에서 각 상의 임피던스가 $16 + j12[\Omega]$이고, 부하전류가 10[A]일 때, 이 부하의 선간전압은 약 몇 [V]인가?

① 152.6

② 229.1

③ 346.4

④ 445.1

17 그림 (a)와 같은 회로에 대한 구동점 임피던스의 극점과 영점이 각각 그림 (b)에 나타낸 것과 같고 $Z(0) = 1$일 때, 이 회로에서 $R[\Omega]$, $L[H]$, $C[F]$의 값은?

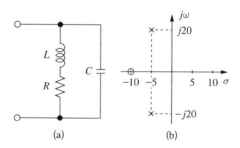

(a)　　　(b)

① $R = 1.0[\Omega]$, $L = 0.1[H]$, $C = 0.0235[F]$

② $R = 1.0[\Omega]$, $L = 0.2[H]$, $C = 1.0[F]$

③ $R = 2.0[\Omega]$, $L = 0.1[H]$, $C = 0.0235[F]$

④ $R = 2.0[\Omega]$, $L = 0.2[H]$, $C = 1.0[F]$

18 0.1[μF]의 콘덴서에 주파수 1[kHz], 최대전압 2,000[V]를 인가할 때 전류의 순시값[A]은?

① $4.446\sin(\omega t + 90°)$

② $4.446\cos(\omega t - 90°)$

③ $1.256\sin(\omega t + 90°)$

④ $1.256\cos(\omega t - 90°)$

19 어떤 회로의 단자전압과 전류가 다음과 같을 때, 회로에 공급되는 평균전력은 약 몇 [W]인가?

$$v(t) = 100\sin\omega t + 70\sin 2\omega t + 50\sin(3\omega t - 30°)[\text{V}]$$
$$i(t) = 20\sin(\omega t - 60°) + 10\sin(3\omega t + 45°)[\text{A}]$$

① 565

② 525

③ 495

④ 465

20 그림과 같은 회로에서 저항 R에 흐르는 전류 I[A]는?

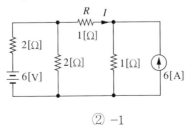

① -2

② -1

③ 2

④ 1

01 다음의 상태방정식으로 표현되는 시스템의 상태천이행렬은?

$$\begin{bmatrix} \dfrac{d}{dt}x_1 \\ \dfrac{d}{dt}x_2 \end{bmatrix} = \begin{bmatrix} 0 & 1 \\ -3 & -4 \end{bmatrix} \begin{bmatrix} x_1 \\ x_2 \end{bmatrix}$$

① $\begin{bmatrix} 1.5e^{-t} - 0.5e^{-3t} & -1.5e^{-t} + 1.5e^{-3t} \\ 0.5e^{-t} - 0.5e^{-3t} & -0.5e^{-t} + 1.5e^{-3t} \end{bmatrix}$

② $\begin{bmatrix} 1.5e^{-t} - 0.5e^{-3t} & 0.5e^{-t} - 0.5e^{-3t} \\ -1.5e^{-t} + 1.5e^{-3t} & -0.5e^{-t} + 1.5e^{-3t} \end{bmatrix}$

③ $\begin{bmatrix} 1.5e^{-t} - 0.5e^{-4t} & 0.5e^{-t} - 0.5e^{-4t} \\ -1.5e^{-t} + 1.5e^{-4t} & -0.5e^{-t} + 1.5e^{-4t} \end{bmatrix}$

④ $\begin{bmatrix} 1.5e^{-t} - 0.5e^{-4t} & -1.5e^{-t} + 1.5e^{-4t} \\ 0.5e^{-t} - 0.5e^{-4t} & -0.5e^{-t} + 1.5e^{-4t} \end{bmatrix}$

02 다음의 개루프 전달함수에 대한 근궤적의 점근선이 실수축과 만나는 교차점은?

$$G(s)H(s) = \frac{K(s+3)}{s^2(s+1)(s+3)(s+4)}$$

① $\dfrac{5}{3}$

② $-\dfrac{5}{3}$

③ $\dfrac{5}{4}$

④ $-\dfrac{5}{4}$

03 전달함수가 $G_C(s) = \dfrac{s^2 + 3s + 5}{2s}$ 인 제어기가 있다. 이 제어기는 어떤 제어기인가?

① 비례미분제어기

② 적분제어기

③ 비례적분제어기

④ 비례미분적분제어기

04 전달함수 $\dfrac{C(s)}{R(s)} = \dfrac{1}{3s^2 + 4s + 1}$ 인 제어시스템의 과도응답 특성은?

① 무제동

② 부족제동

③ 임계제동

④ 과제동

05 다음 논리식을 간단히 한 것은?

$$Y = \overline{A}BC\overline{D} + \overline{A}BCD + \overline{A}\,\overline{B}C\overline{D} + \overline{A}\,\overline{B}CD$$

① $Y = \overline{A}\,C$

② $Y = A\,\overline{C}$

③ $Y = AB$

④ $Y = BC$

06 특성 방정식이 $2s^4 + 10s^3 + 11s^2 + 5s + K = 0$으로 주어진 제어시스템이 안정하기 위한 조건은?

① $0 < K < 2$

② $0 < K < 5$

③ $0 < K < 6$

④ $0 < K < 10$

07 단위피드백제어계의 개루프 전달함수가 $G(s) = \dfrac{1}{(s+1)(s+2)}$ 일 때 단위계단입력에 대한 정상편차는?

① $\dfrac{1}{3}$

② $\dfrac{2}{3}$

③ 1

④ $\dfrac{4}{3}$

08 그림과 같은 블록선도에 대한 등가종합전달함수(C/R)는?

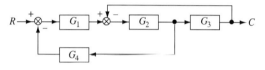

① $\dfrac{G_1 G_2 G_3}{1 + G_1 G_2 + G_1 G_2 G_3}$

② $\dfrac{G_1 G_2 G_3}{1 + G_2 G_3 + G_1 G_2 G_3}$

③ $\dfrac{G_1 G_2 G_4}{1 + G_1 G_2 + G_1 G_2 G_4}$

④ $\dfrac{G_1 G_2 G_3}{1 + G_2 G_3 + G_1 G_2 G_4}$

09 다음과 같은 상태방정식의 고윳값 λ_1과 λ_2는?

$$\begin{bmatrix} \dot{x_1} \\ \dot{x_2} \end{bmatrix} = \begin{bmatrix} 1 & -2 \\ -3 & 2 \end{bmatrix} \begin{bmatrix} x_1 \\ x_2 \end{bmatrix} + \begin{bmatrix} 2 & -3 \\ -4 & 3 \end{bmatrix} \begin{bmatrix} r_1 \\ r_2 \end{bmatrix}$$

① 4, −1

② −4, 1

③ 6, −1

④ −6, 1

10    $G(j\omega) = \dfrac{1}{j\omega T + 1}$ 의 크기와 위상각은?

① $G(j\omega) = \sqrt{\omega^2 T^2 + 1} \angle \tan^{-1} \omega T$

② $G(j\omega) = \sqrt{\omega^2 T^2 + 1} \angle - \tan^{-1} \omega T$

③ $G(j\omega) = \dfrac{1}{\sqrt{\omega^2 T^2 + 1}} \angle \tan^{-1} \omega T$

④ $G(j\omega) = \dfrac{1}{\sqrt{\omega^2 T^2 + 1}} \angle - \tan^{-1} \omega T$

11   그림과 같은 평형 3상 Y형 결선에서 각 상이 8[Ω]의 저항과 6[Ω]의 리액턴스가 직렬로 접속된 부하에 선간전압 $100\sqrt{3}$ [V]가 공급되었다. 이때 선전류는 몇 [A]인가?

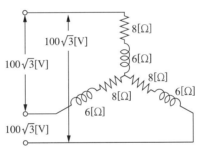

① 5   ② 10

③ 15   ④ 20

12   저항 R[Ω], 리액턴스 X[Ω]와의 직렬회로에 교류전압 V[V]를 가했을 때 소비되는 전력[W]은?

① $\dfrac{V^2 R}{\sqrt{R^2 + X^2}}$ ② $\dfrac{V}{\sqrt{R^2 + X^2}}$

③ $\dfrac{V^2 R}{R^2 + X^2}$ ④ $\dfrac{X}{R^2 + X^2}$

13 최댓값이 10[V]인 정현파 전압이 있다. $t=0$에서의 순시값이 5[V]이고 이 순간에 전압이 증가하고 있다. 주파수가 60[Hz]일 때, $t=2$[ms]에서의 전압의 순시값[V]은?

① $10\sin30°$

② $10\sin43.2°$

③ $10\sin73.2°$

④ $10\sin103.2°$

14 다음 회로에서 $t=0$일 때 스위치 K를 닫았다. $i_1(0^+)$, $i_2(0^+)$의 값은?(단, $t<0$에서 C 전압과 L전압은 각각 0[V]이다)

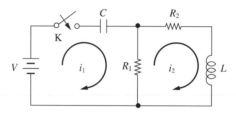

① $\dfrac{V}{R_1}$, 0

② 0, $\dfrac{V}{R_2}$

③ 0, 0

④ $-\dfrac{V}{R_1}$, 0

15 분포정수 전송회로에 대한 설명이 아닌 것은?

① $\dfrac{R}{L}=\dfrac{G}{C}$ 인 회로를 무왜형 회로라 한다.

② $R=G=0$인 회로를 무손실 회로라 한다.

③ 무손실 회로와 무왜형 회로의 감쇠정수는 $\sqrt{RG}$ 이다.

④ 무손실 회로와 무왜형 회로에서의 위상속도는 $\dfrac{1}{\sqrt{LC}}$ 이다.

16 불평형 3상 전류가 다음과 같을 때 역상전류 I_2는 약 몇 [A]인가?

$$I_a = 15 + j2[A], \ I_b = -20 - j14[A], \ I_c = -3 + j10[A]$$

① $1.91 + j6.24$

② $2.17 + j5.34$

③ $3.38 - j4.26$

④ $4.27 - j3.68$

17 전압 및 전류가 다음과 같을 때 유효전력[W] 및 역률[%]은 각각 약 얼마인가?

$$v(t) = 100\sin\omega t - 50\sin(3\omega t + 30°) + 20\sin(5\omega t + 45°)[V]$$
$$i(t) = 20\sin(\omega t + 30°) + 10\sin(3\omega t - 30°) + 5\cos 5\omega t[A]$$

① $825[W], \ 48.6[\%]$

② $776.4[W], \ 59.7[\%]$

③ $1,120[W], \ 77.4[\%]$

④ $1,850[W], \ 89.6[\%]$

18 회로에서 저항 1[Ω]에 흐르는 전류 I[A]는?

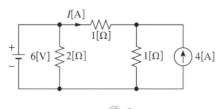

① 3

② 2

③ 1

④ -1

19 회로에서 4단자 정수 A, B, C, D의 값은?

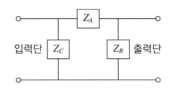

① $A = 1 + \dfrac{Z_A}{Z_B}$, $B = Z_A$, $C = \dfrac{1}{Z_A}$, $D = 1 + \dfrac{Z_B}{Z_A}$

② $A = 1 + \dfrac{Z_A}{Z_B}$, $B = Z_A$, $C = \dfrac{1}{Z_B}$, $D = 1 + \dfrac{Z_A}{Z_B}$

③ $A = 1 + \dfrac{Z_A}{Z_B}$, $B = Z_A$, $C = \dfrac{Z_A + Z_B + Z_C}{Z_B Z_C}$, $D = \dfrac{1}{Z_B Z_C}$

④ $A = 1 + \dfrac{Z_A}{Z_B}$, $B = Z_A$, $C = \dfrac{Z_A + Z_B + Z_C}{Z_B Z_C}$, $D = 1 + \dfrac{Z_A}{Z_C}$

20 $R = 1\,[\text{k}\Omega]$, $C = 1\,[\mu\text{F}]$ 가 직렬접속된 회로에 스텝(구형파)전압 10[V]를 인가하는 순간에 커패시터 C에 걸리는 최대전압[V]은?

① 0

② 3.72

③ 6.32

④ 10

01 제어량의 종류에 따른 분류가 아닌 것은?

① 자동조정
② 서보기구
③ 적응제어
④ 프로세스제어

02 다음의 회로와 동일한 논리소자는?

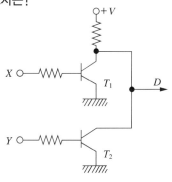

① $\begin{matrix} X \\ Y \end{matrix}$ ⟩o— D

② $\begin{matrix} X \\ Y \end{matrix}$ ⟩o— D

③ $\begin{matrix} X \\ Y \end{matrix}$ ⟩— D

④ $\begin{matrix} X \\ Y \end{matrix}$ ⟩— D

03 다음의 신호흐름선도에서 C/R는?

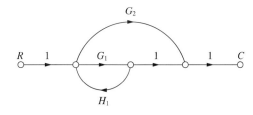

① $\dfrac{G_1 + G_2}{1 - G_1 H_1}$

② $\dfrac{G_1 G_2}{1 - G_1 H_1}$

③ $\dfrac{G_1 + G_2}{1 + G_1 H_1}$

④ $\dfrac{G_1 G_2}{1 + G_1 H_1}$

04 $\dfrac{d^2}{dt^2}c(t)+5\dfrac{d}{dt}c(t)+4c(t)=r(t)$와 같은 함수를 상태함수로 변환하였다. 벡터 A, B의

값으로 적당한 것은?

$$\frac{d}{dt}X(t) = AX(t) + Br(t)$$

① $A=\begin{bmatrix} 0 & 1 \\ -5 & -4 \end{bmatrix}$, $B=\begin{bmatrix} 0 \\ 1 \end{bmatrix}$

② $A=\begin{bmatrix} 0 & 1 \\ 5 & 4 \end{bmatrix}$, $B=\begin{bmatrix} 0 \\ 1 \end{bmatrix}$

③ $A=\begin{bmatrix} 0 & 1 \\ -4 & -5 \end{bmatrix}$, $B=\begin{bmatrix} 0 \\ 1 \end{bmatrix}$

④ $A=\begin{bmatrix} 0 & 1 \\ 4 & 5 \end{bmatrix}$, $B=\begin{bmatrix} 0 \\ 1 \end{bmatrix}$

05 전달함수가 $\dfrac{C(s)}{R(s)}=\dfrac{25}{s^2+6s+25}$ 인 2차 제어시스템의 감쇠진동주파수(ω_d)는 몇 [rad/s]

인가?

① 3

③ 5

② 4

④ 6

06 주파수 전달함수가 $G(j\omega)=\dfrac{1}{j100\omega}$ 인 제어시스템에서 $\omega=1.0$[rad/s]일 때의 이득[dB]과

위상각은 각각 얼마인가?

① 20[dB], 90°

③ −20[dB], −90°

② 40[dB], 90°

④ −40[dB], −90°

07 Z 변환법을 사용한 샘플치 제어계가 안정되려면 $1 + GH(Z) = 0$의 근의 위치는?

① Z 평면의 좌반면에 존재하여야 한다.

② Z 평면의 우반면에 존재하여야 한다.

③ $|Z| = 1$인 단위원 내에 존재하여야 한다.

④ $|Z| = 1$인 단위원 밖에 존재하여야 한다.

08 특성방정식 $s^3 + 2s^2 + (k+3)s + 10 = 0$에서 Routh 안정도 판별법으로 판별 시 안정하기 위한 k의 범위는?

① $k > 2$　　　　　　　　　② $k < 2$

③ $k > 1$　　　　　　　　　④ $k < 1$

09 어떤 제어시스템의 개루프 이득이 $G(s)H(s) = \dfrac{K(s+2)}{s(s+1)(s+3)(s+4)}$ 일 때 이 시스템이 가지는 근궤적의 가지(Branch)수는?

① 1　　　　　　　　　② 3

③ 4　　　　　　　　　④ 5

10 그림과 같은 RC 브리지 회로의 전달함수 $\dfrac{E_o(s)}{E_i(s)}$ 는?

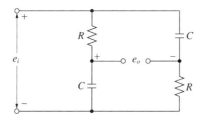

① $\dfrac{1}{1 + RCs}$　　　　　　　② $\dfrac{RCs}{1 + RCs}$

③ $\dfrac{1 + RCs}{1 - RCs}$　　　　　　④ $\dfrac{1 - RCs}{1 + RCs}$

11 대칭 n상 환상결선에서 선전류와 상전류 사이의 위상차는 어떻게 되는가?

① $\dfrac{\pi}{2}\left(1-\dfrac{2}{n}\right)$

② $2\left(1-\dfrac{2}{n}\right)$

③ $\dfrac{n}{2}\left(1-\dfrac{\pi}{2}\right)$

④ $\dfrac{\pi}{2}\left(1-\dfrac{n}{2}\right)$

12 $R_1 = R_2 = 100[\Omega]$이며 $L_1 = 5[\mathrm{H}]$인 회로에서 시정수는 몇 [s]인가?

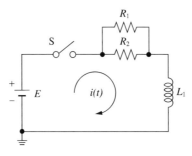

① 0.001

② 0.01

③ 0.1

④ 1

13 2단자 임피던스 함수 $Z(s) = \dfrac{(s+2)(s+3)}{(s+4)(s+5)}$일 때 극점(Pole)은?

① $-2, -3$

② $-3, -4$

③ $-2, -4$

④ $-4, -5$

14 저항 $\dfrac{1}{3}[\Omega]$, 유도리액턴스 $\dfrac{1}{4}[\Omega]$인 $R-L$ 병렬회로의 합성 어드미턴스[℧]는?

① $3+j4$

② $3-j4$

③ $\dfrac{1}{3}+j\dfrac{1}{4}$

④ $\dfrac{1}{3}-j\dfrac{1}{4}$

15 그림과 같은 회로의 전달함수는?(단, $T_1 = R_1 C$, $T_2 = \dfrac{R_2}{R_1 + R_2}$ 이다)

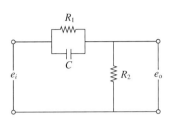

① $\dfrac{1}{1 + T_1 s}$

② $\dfrac{T_2(1 + T_1 s)}{1 + T_1 T_2 s}$

③ $\dfrac{1 + T_1 s}{1 + T_2 s}$

④ $\dfrac{T_2(1 + T_1 s)}{T_1(1 + T_2 s)}$

16 그림은 평형 3상 회로에서 운전하고 있는 유도전동기의 결선도이다. 각 계기의 지시가 $W_1 = 2.36[\text{kW}]$, $W_2 = 5.95[\text{kW}]$, $V = 200[\text{V}]$, $I = 30[\text{A}]$일 때, 이 유도전동기의 역률은 약 몇 [%]인가?

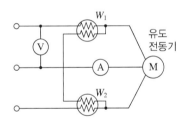

① 80

② 76

③ 70

④ 66

17 분포정수회로에서 선로의 특성임피던스를 Z_0, 전파정수를 γ 라 할 때 무한장 선로에 있어서 송전단에서 본 직렬임피던스는?

① $\dfrac{Z_0}{\gamma}$

② $\sqrt{\gamma Z_0}$

③ γZ_0

④ $\dfrac{\gamma}{Z_0}$

18 다음 회로에서 I를 구하면 몇 [A]인가?

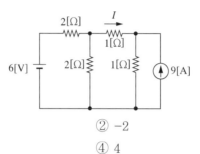

① 2

② -2

③ -4

④ 4

19 3상 회로의 선간전압이 각각 80[V], 50[V], 50[V]일 때의 전압의 불평형률[%]은?

① 39.6

② 57.3

③ 73.6

④ 86.7

20 다음 그림과 같은 회로에서 R의 값은?

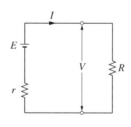

① $\dfrac{E}{E-V}r$

② $\dfrac{V}{E-V}r$

③ $\dfrac{E-V}{E}r$

④ $\dfrac{E-V}{V}r$

01 다음과 같은 상태방정식의 고윳값 λ_1과 λ_2는?

$$\begin{bmatrix} \dot{x_1} \\ \dot{x_2} \end{bmatrix} = \begin{bmatrix} 1 & -2 \\ -3 & 2 \end{bmatrix} \begin{bmatrix} x_1 \\ x_2 \end{bmatrix} + \begin{bmatrix} 2 & -3 \\ -4 & 3 \end{bmatrix} \begin{bmatrix} r_1 \\ r_2 \end{bmatrix}$$

① 4, −1

② −4, 1

③ 6, −1

④ −6, 1

02 일정 입력에 대해 잔류편차가 있는 제어계는?

① 비례제어계

② 적분제어계

③ 비례적분제어계

④ 비례적분미분제어계

03 다음의 특성 방정식 중 안정한 제어시스템은?

① $s^3 + 3s^2 + 4s + 5 = 0$

② $s^4 + 3s^3 - s^2 + s + 10 = 0$

③ $s^5 + s^3 + 2s^2 + 4s + 3 = 0$

④ $s^4 - 2s^3 - 3s^2 + 4s + 5 = 0$

04 그림과 같은 블록선도에서 $C(s)/R(s)$의 값은?

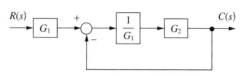

① $\dfrac{G_1}{G_1 - G_2}$

② $\dfrac{G_2}{G_1 - G_2}$

③ $\dfrac{G_2}{G_1 + G_2}$

④ $\dfrac{G_1 G_2}{G_1 + G_2}$

05 다음 과도응답에 관한 설명 중 틀린 것은?

① 지연시간은 응답이 최초로 목푯값의 50[%]가 되는 데 소요되는 시간이다.

② 백분율 오버슈트는 최종목푯값과 최대오버슈트와의 비를 [%]로 나타낸 것이다.

③ 감쇠비는 최종목푯값과 최대오버슈트와의 비를 나타낸 것이다.

④ 응답시간은 응답이 요구하는 오차 이내로 정착되는 데 걸리는 시간이다.

06 2차 제어계의 전달함수 $G(s) = \dfrac{\omega_n^2}{s^2 + 2\delta\omega_n s + \omega_n^2}$ 인 제어계의 단위 임펄스 응답은?(단, $\delta = 1$, $\omega_n = 1$ 이다)

① e^{-t}

② $1 - e^{-t}$

③ te^{-t}

④ $\dfrac{1}{2}t^2$

07 블록선도 (a), (b)가 서로 등가일 때 블록 A의 전달함수는?

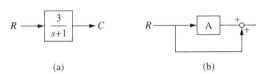

(a)　　　　　　　　　　　　(b)

① $\dfrac{1}{s+1}$　　　　　　　　　　② $\dfrac{-1}{s+1}$

③ $\dfrac{s-2}{s+1}$　　　　　　　　　④ $\dfrac{-s+2}{s+1}$

08 그림의 시퀀스 회로에서 전자접촉기 X에 의한 A접점(Normal Open Contact)의 사용 목적은?

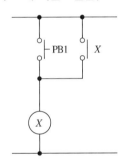

① 자기유지회로　　　　　　　② 지연회로
③ 우선 선택회로　　　　　　　④ 인터로크(Interlock)회로

09 다음 이산치 제어계의 블록선도의 전달함수는?

① $G(z)$　　　　　　　　　　② $\dfrac{G(z)}{1+G(z)}$

③ $G(z)+1$　　　　　　　　　④ $\dfrac{G(z)}{1-G(z)}$

10 그림과 같은 회로망은 어떤 보상기로 사용될 수 있는가?(단, $1 < R_1C$ 인 경우로 한다)

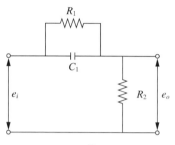

① 지연 보상기
② 지·진상 보상기
③ 지상 보상기
④ 진상 보상기

11 그림과 같은 4단자 회로망에서 출력 측을 개방하니 $V_1 = 12$[V], $I_1 = 2$[A], $V_2 = 4$[V]이고, 출력 측을 단락하니 $V_1 = 16$[V], $I_1 = 4$[A], $I_2 = 2$[A]이었다. 4단자 정수 A, B, C, D는 얼마인가?

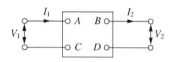

① $A = 2$, $B = 3$, $C = 8$, $D = 0.5$
② $A = 0.5$, $B = 2$, $C = 3$, $D = 8$
③ $A = 8$, $B = 0.5$, $C = 2$, $D = 3$
④ $A = 3$, $B = 8$, $C = 0.5$, $D = 2$

12 1상의 임피던스가 $14 + j48$[Ω]인 평형 △ 부하에 선간전압이 200[V]인 평형 3상 전압이 인가될 때 이 부하의 피상전력[VA]은?

① 1,200
② 1,384
③ 2,400
④ 4,157

13 그림과 같은 $R-C$ 병렬회로에서 전원전압이 $e(t)=3e^{-5t}$인 경우 이 회로의 임피던스는?

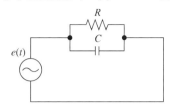

① $\dfrac{j\omega RC}{1+j\omega RC}$ ② $\dfrac{R}{1-5RC}$

③ $\dfrac{R}{1+RCs}$ ④ $\dfrac{1+j\omega RC}{R}$

14 그림과 같은 회로에서 5[Ω]에 흐르는 전류 I는 몇 [A]인가?

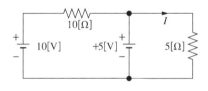

① $\dfrac{1}{2}$ ② $\dfrac{2}{3}$

③ 1   ④ $\dfrac{5}{3}$

15 분포정수 선로에서 위상정수를 β[rad/m]라 할 때 파장은?

① $2\pi\beta$ ② $\dfrac{2\pi}{\beta}$

③ $4\pi\beta$ ④ $\dfrac{4\pi}{\beta}$

16 $R_1 = R_2 = 100[\Omega]$이며 $L_1 = 5[\mathrm{H}]$인 회로에서 시정수는 몇 $[\mathrm{s}]$인가?

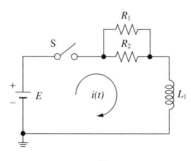

① 0.001

② 0.01

③ 0.1

④ 1

17 그림은 상순이 a–b–c인 3상 대칭회로이다. 선간전압이 220[V]이고 부하 한 상의 임피던스가 $100 \angle 60°[\Omega]$일 때 전력계 W_a의 지시값[W]은?

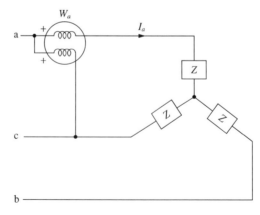

① 242

② 386

③ 419

④ 484

18 3상 전류가 $I_a = 10 + j3$[A], $I_b = -5 - j2$[A], $I_c = -3 + j4$[A]일 때 정상분 전류의 크기는 약 몇 [A]인가?

① 5

② 6.4

③ 10.5

④ 13.34

19 코일 A는 저항 3[Ω], 리액턴스 5[Ω]이고, 코일 B는 저항 5[Ω], 리액턴스 1[Ω]일 때, 두 코일을 직렬로 접속하여 100[V]의 전압을 인가하였다면 이 회로에 흐르는 전류 I는 몇 [A]인가?

① $10 \angle -37°$

② $10 \angle 37°$

③ $10 \angle -53°$

④ $10 \angle 53°$

20 다음 두 회로의 4단자 정수 A, B, C, D가 동일할 조건은?

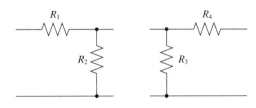

① $R_1 = R_2$, $R_3 = R_4$

② $R_1 = R_3$, $R_2 = R_4$

③ $R_1 = R_4$, $R_2 = R_3 = 0$

④ $R_2 = R_3$, $R_1 = R_4 = 0$

01 RL 직렬회로에 직류전압 5[V]를 $t = 0$에서 인가하였더니 $i(t) = 50(1 - e^{-20 \times 10^{-3}t})$[mA] $(t \geq 0)$이었다. 이 회로의 저항을 처음 값의 2배로 하면 시정수는 얼마가 되겠는가?

① 10[ms]

② 40[ms]

③ 5[s]

④ 25[s]

02 주기적인 구형파 신호의 구성은?

① 직류 성분만으로 구성된다.

② 기본파 성분만으로 구성된다.

③ 고조파 성분만으로 구성된다.

④ 직류 성분, 기본파 성분, 무수히 많은 고조파 성분으로 구성된다.

03 3상 전류가 $I_a = 10 + j3$[A], $I_b = -5 - j2$[A], $I_c = -3 + j4$[A]일 때 정상분 전류의 크기는 약 몇 [A]인가?

① 5

② 6.4

③ 10.5

④ 13.34

04 동일한 용량 2대의 단상 변압기를 V결선하여 3상으로 운전하고 있다. 단상 변압기 2대의 용량에 대한 3상 V결선 시 변압기 용량의 비인 변압기 이용률은 약 몇 [%]인가?

① 57.7

② 70.7

③ 80.1

④ 86.6

05 $i(t) = 3\sqrt{2}\sin(377t - 30°)$[A]의 평균값은 약 몇 [A]인가?

① 1.35

② 2.7

③ 4.35

④ 5.4

06 그림과 같은 회로의 합성인덕턴스는?

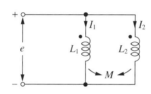

① $\dfrac{L_1 L_2 - M^2}{L_1 + L_2 - 2M}$

② $\dfrac{L_1 L_2 + M^2}{L_1 + L_2 - 2M}$

③ $\dfrac{L_1 L_2 - M^2}{L_1 + L_2 + 2M}$

④ $\dfrac{L_1 L_2 + M^2}{L_1 + L_2 + 2M}$

07 회로에서 단자 1-1′에서 본 구동점 임피던스 Z_{11}은 몇 [Ω]인가?

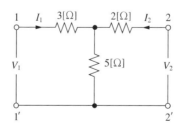

① 5

② 8

③ 10

④ 15

08 비정현파 전류가 $i(t) = 56\sin\omega t + 20\sin2\omega t + 30\sin(3\omega t + 30°) + 40\sin(4\omega t + 60°)$ 로 표현될 때, 왜형률은 약 얼마인가?

① 1.0 ② 0.96

③ 0.55 ④ 0.11

09 20[Ω]과 30[Ω]의 병렬회로에서 20[Ω]에 흐르는 전류가 6[A]이라면 전체 전류 I[A]는?

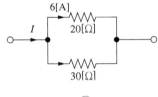

① 3 ② 4

③ 9 ④ 10

10 그림과 같은 회로에서 전류 I[A]는?

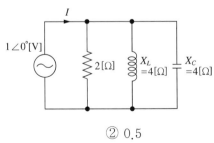

① 0.2 ② 0.5

③ 0.7 ④ 0.9

11 그림과 같은 회로의 전압비 전달함수 $G(j\omega)$는?(단, 입력 $V(t)$는 정현파 교류전압이며, V_R은 출력이다)

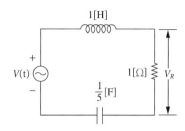

① $\dfrac{j\omega}{(5-\omega^2)+j\omega}$

② $\dfrac{j\omega}{(5+\omega^2)+j\omega}$

③ $\dfrac{j\omega}{(5-\omega)^2+j\omega}$

④ $\dfrac{j\omega}{(5+\omega)^2+j\omega}$

12 그림과 같은 회로에서 저항 0.2[Ω]에 흐르는 전류는 몇 [A]인가?

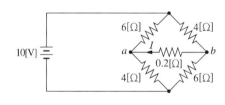

① 0.4

② -0.4

③ 0.2

④ -0.2

13 다음 두 회로의 4단자 정수 A, B, C, D가 동일할 조건은?

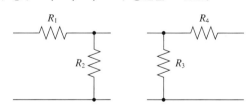

① $R_1 = R_2$, $R_3 = R_4$

② $R_1 = R_3$, $R_2 = R_4$

③ $R_1 = R_4$, $R_2 = R_3 = 0$

④ $R_2 = R_3$, $R_1 = R_4 = 0$

14 다음 회로에서 스위치 S를 닫을 때 회로에 흐르는 전류 $i(t)$의 시정수는?(단, C에 초기 전하가 없었다)

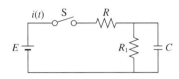

① $\dfrac{R_1 + R_2}{RR_1 C}$

② $\dfrac{RR_1 C}{R + R_1}$

③ $(RR_1 + R_1)\,C$

④ $\dfrac{C}{RR_1 + R_1}$

15 어떤 코일의 임피던스를 측정하고자 직류전압 100[V]를 가했더니 500[W]가 소비되고, 교류전압 150[V]를 가했더니 720[W]가 소비되었다. 코일의 저항[Ω]과 리액턴스[Ω]는 각각 얼마인가?

① $R = 20, \; X_L = 15$

② $R = 15, \; X_L = 20$

③ $R = 25, \; X_L = 20$

④ $R = 30, \; X_L = 25$

16 저항 $\dfrac{1}{3}$[Ω], 유도리액턴스 $\dfrac{1}{4}$[Ω]인 $R\text{-}L$ 병렬회로의 합성 어드미턴스[℧]는?

① $3 + j4$

② $3 - j4$

③ $\dfrac{1}{3} + j\dfrac{1}{4}$

④ $\dfrac{1}{3} - j\dfrac{1}{4}$

17 3상 불평형 회로의 전압에서 불평형률[%]은?

① $\dfrac{영상전압}{정상전압} \times 100[\%]$

② $\dfrac{정상전압}{역상전압} \times 100[\%]$

③ $\dfrac{정상전압}{영상전압} \times 100[\%]$

④ $\dfrac{역상전압}{정상전압} \times 100[\%]$

18 3상 유도전동기의 출력이 3.7[kW], 선간전압 200[V], 효율 90[%], 역률 80[%]일 때, 이 전동기에 유입되는 선전류는 약 몇 [A]인가?

① 8

② 10

③ 12

④ 15

19 전압과 전류가 각각 $e = 141.4\sin\left(377t + \dfrac{\pi}{3}\right)$[V], $i = \sqrt{8}\sin\left(377t + \dfrac{\pi}{6}\right)$[A]인 회로의 소비전력은 약 몇 [W]인가?

① 100

② 173

③ 200

④ 344

20 그림과 같은 함수의 라플라스 변환은?

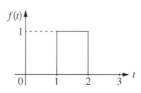

① $\dfrac{1}{s}\left(e^{s} - e^{2s}\right)$

② $\dfrac{1}{s}\left(e^{-s} - e^{-2s}\right)$

③ $\dfrac{1}{s}\left(e^{-2s} - e^{-s}\right)$

④ $\dfrac{1}{s}\left(e^{-s} + e^{-2s}\right)$

01 전기회로의 입력을 V_1, 출력을 V_2라고 할 때 전달함수는?(단, $s = j\omega$ 이다)

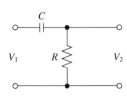

① $\dfrac{1}{R + \dfrac{1}{j\omega C}}$

② $\dfrac{1}{j\omega + \dfrac{1}{RC}}$

③ $\dfrac{j\omega}{j\omega + \dfrac{1}{RC}}$

④ $\dfrac{j\omega}{R + \dfrac{1}{j\omega C}}$

02 대칭 n상 Y결선에서 선간전압의 크기는 상전압의 몇 배인가?

① $\sin\dfrac{\pi}{n}$

② $\cos\dfrac{\pi}{n}$

③ $2\sin\dfrac{\pi}{n}$

④ $2\cos\dfrac{\pi}{n}$

03 1,000[Hz]인 정현파 교류에서 5[mH]인 유도리액턴스와 같은 용량리액턴스를 갖는 C의 값은 약 몇 [μF]인가?

① 4.07

② 5.07

③ 6.07

④ 7.07

04 그림과 같은 회로에서 공진 시의 어드미턴스[℧]는?

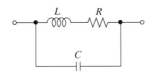

① $\dfrac{CR}{L}$

② $\dfrac{LC}{R}$

③ $\dfrac{C}{RL}$

④ $\dfrac{R}{LC}$

05 $i(t) = 100 + 50\sqrt{2}\sin\omega t + 20\sqrt{2}\sin\left(3\omega t + \dfrac{\pi}{6}\right)$[A]로 표현되는 비정현파 전류의 실횻값은 약 몇 [A]인가?

① 20

② 50

③ 114

④ 150

06 전류의 대칭분이 $I_0 = -2 + j4$[A], $I_1 = 6 - j5$[A], $I_2 = 8 + j10$[A]일 때 3상 전류 중 a상 전류(I_a)의 크기($|I_a|$)는 몇 [A]인가?(단, I_0는 영상분이고, I_1은 정상분이고, I_2는 역상분이다)

① 9

② 12

③ 15

④ 19

07 그림과 같은 회로에서 임피던스 파라미터 Z_{11}은?

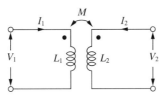

① sL_1

② sM

③ sL_1L_2

④ sL_2

08 다음과 같은 회로에서 $i_1 = I_m \sin\omega t$[A]일 때, 개방된 2차 단자에 나타나는 유기기전력 e_2는 몇 [V]인가?

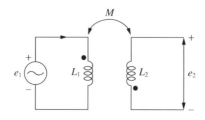

① $\omega M I_m \sin(\omega t - 90°)$

② $\omega M I_m \cos(\omega t - 90°)$

③ $-\omega M \sin\omega t$

④ $\omega M \cos\omega t$

09 각 상의 전류가 $i_a = 30\sin\omega t$[A], $i_b = 30\sin(\omega t - 90°)$[A], $i_c = 30\sin(\omega t + 90°)$[A]일 때 영상분 전류[A]의 순시치는?

① $10\sin\omega t$

② $10\sin\dfrac{\omega t}{3}$

③ $30\sin\omega t$

④ $\dfrac{30}{\sqrt{3}}\sin(\omega t + 45°)$

10 어떤 전지의 외부 회로의 저항은 3[Ω]이고, 전류는 5[A]가 흐른다. 외부 회로에 3[Ω] 대신에 8[Ω]의 저항을 접속하면 전류는 2.5[A]로 떨어진다. 전지의 기전력[V]은?

① 5

② 15

③ 25

④ 35

11 전압 $v(t)$를 RL 직렬회로에 인가했을 때 제3고조파 전류의 실횻값[A]의 크기는?(단, $R = 8$ [Ω], $\omega L = 2$[Ω], $v(t) = 100\sqrt{2}\sin\omega t + 200\sqrt{2}\sin3\omega t + 50\sqrt{2}\sin5\omega t$[V]이다)

① 10

② 14

③ 20

④ 28

12 $Z = 8 + j6[\Omega]$인 평형 Y부하에 선간전압 200[V]인 대칭 3상 전압을 가할 때, 선전류는 약 몇 [A]인가?

① 20

② 11.5

③ 7.5

④ 5.5

13 인덕턴스가 각각 5[H], 3[H]인 두 코일을 모두 dot 방향으로 전류가 흐르게 직렬로 연결하고 인덕턴스를 측정하였더니 15[H]이었다. 두 코일 간의 상호 인덕턴스[H]는?

① 3.5

② 4.5

③ 7

④ 9

14 평형 3상 3선식 회로에서 부하는 Y결선이고, 선간전압이 173.2∠0°[V]일 때 선전류는 20∠−120°[A]이었다면, Y결선된 부하 한 상의 임피던스는 약 몇 [Ω]인가?

① $5 \angle 60°$

② $5 \angle 90°$

③ $5\sqrt{3} \angle 60°$

④ $5\sqrt{3} \angle 90°$

15 RC 직렬회로의 과도현상에 대하여 옳게 설명한 것은?

① $\dfrac{1}{RC}$의 값이 클수록 과도전류값은 천천히 사라진다.

② RC 값이 클수록 과도전류값은 빨리 사라진다.

③ 과도전류는 RC 값에 관계가 없다.

④ RC 값이 클수록 과도전류값은 천천히 사라진다.

16 그림과 같은 4단자 회로망에서 출력 측을 개방하니 $V_1 = 12[V]$, $I_1 = 2[A]$, $V_2 = 4[V]$이고, 출력 측을 단락하니 $V_1 = 16[V]$, $I_1 = 4[A]$, $I_2 = 2[A]$이었다. 4단자 정수 A, B, C, D는 얼마인가?

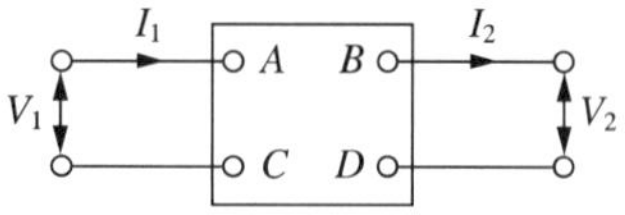

① $A=2$, $B=3$, $C=8$, $D=0.5$
② $A=0.5$, $B=2$, $C=3$, $D=8$
③ $A=8$, $B=0.5$, $C=2$, $D=3$
④ $A=3$, $B=8$, $C=0.5$, $D=2$

17 $f(t) = e^{-t} + 3t^2 + 3\cos 2t + 5$ 의 라플라스 변환식은?

① $\dfrac{1}{s+1} + \dfrac{6}{s^2} + \dfrac{3s}{s^2+5} + \dfrac{5}{s}$

② $\dfrac{1}{s+1} + \dfrac{6}{s^3} + \dfrac{3s}{s^2+4} + \dfrac{5}{s}$

③ $\dfrac{1}{s+1} + \dfrac{5}{s^2} + \dfrac{3s}{s^2+5} + \dfrac{4}{s}$

④ $\dfrac{1}{s+1} + \dfrac{5}{s^3} + \dfrac{2s}{s^2+4} + \dfrac{4}{s}$

18 $8 + j6[\Omega]$인 임피던스에 $13 + j20[V]$의 전압을 인가할 때 복소전력은 약 몇 [VA]인가?

① $12.7 + j34.1$
② $12.7 + j55.5$
③ $45.5 + j34.1$
④ $45.5 + j55.5$

19 그림과 같은 파형의 순시값은?

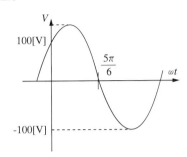

① $v = 100\sqrt{2}\sin\omega t$

② $v = 100\sqrt{2}\cos\omega t$

③ $v = 100\sin\left(\omega t + \dfrac{\pi}{6}\right)$

④ $v = 100\sin\left(\omega t - \dfrac{\pi}{6}\right)$

20 다음 그림과 같은 회로에서 스위치 S가 닫힌 상태에서 회로에 정상 전류가 흐르고 있다. $t = 0$ 에서 스위치 S를 열 때 회로의 전류는 몇 [A]인가?

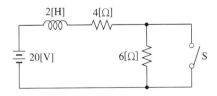

① $2 + 3e^{-5t}$

② $2 + 3e^{-2t}$

③ $2 + 2e^{-2t}$

④ $2 + 2e^{-5t}$

01 9[Ω]과 3[Ω]인 저항 6개를 그림과 같이 연결하였을 때, a와 b 사이의 합성저항[Ω]은?

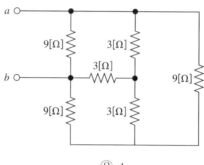

① 9
② 4
③ 3
④ 2

02 다음 회로에 대한 설명으로 옳은 것은?

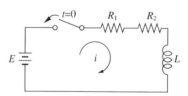

① 이 회로의 시정수는 $\dfrac{L}{R_1 + R_2}$ 이다.

② 이 회로의 특성근은 $\dfrac{R_1 + R_2}{L}$ 이다.

③ 정상전류값은 $\dfrac{E}{R_2}$ 이다.

④ 이 회로의 전류값은 $i(t) = \dfrac{E}{R_1 + R_2}\left(1 - e^{-\frac{L}{R_1 + R_2}t}\right)$ 이다.

03 $e = 200\sqrt{2}\sin\omega t + 150\sqrt{2}\sin3\omega t + 100\sqrt{2}\sin5\omega t [\text{V}]$인 전압을 $R-L$ 직렬회로에 가할 때에 제3고조파 전류의 실횻값은 몇 [A]인가?(단, $R = 8[\Omega]$, $\omega L = 2[\Omega]$이다)

① 5　　　　　　　　　　　② 8

③ 10　　　　　　　　　　　④ 15

04 저항 $R[\Omega]$, 리액턴스 $X[\Omega]$와의 직렬회로에 교류전압 $V = 14 + j38[\text{V}]$를 인가하니 $I = 6 + j2[\text{A}]$가 흐른다. 이때 저항과 리액턴스는 각각 몇 $[\Omega]$인가?

① 4, $j5$　　　　　　　　　② 5, $j4$

③ 6, $j3$　　　　　　　　　④ 7, $j2$

05 전원과 부하가 다 같이 △ 결선된 3상 평형회로에서 전원전압이 200[V], 부하 한 상의 임피던스가 $6 + j8[\Omega]$인 경우 선전류는 몇 [A]인가?

① 20　　　　　　　　　　　② $\dfrac{20}{\sqrt{3}}$

③ $20\sqrt{3}$　　　　　　　　④ $40\sqrt{3}$

06 $R[\Omega]$의 저항 3개를 Y로 접속하고 이것을 선간전압 200[V]의 평형 3상 교류전원에 연결할 때 선전류가 20[A]흘렀다. 이 3개의 저항을 △ 로 접속하고 동일 전원에 연결하였을 때의 선전류는 몇 [A]인가?

① 30　　　　　　　　　　　② 40

③ 50　　　　　　　　　　　④ 60

07 다음과 같은 4단자 회로에서 영상임피던스[Ω]는?

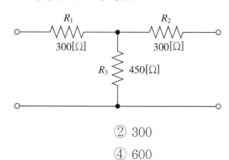

① 200

② 300

③ 450

④ 600

08 600[kVA] 역류 0.6(지상)의 부하 A와 800[kVA] 역률 0.8(진상)의 부하 B가 함께 접속되어 있을 때 전체 피상전력[kVA]은?

① 0

② 960

③ 1,000

④ 1,400

09 그림에서 4단자 회로 정수 A, B, C, D 중 출력 단자가 3, 4가 개방되었을 때의 $\dfrac{V_1}{V_2}$ 인 A의 값은?

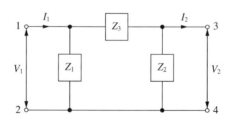

① $1 + \dfrac{Z_2}{Z_1}$

② $1 + \dfrac{Z_3}{Z_2}$

③ $1 + \dfrac{Z_2}{Z_3}$

④ $\dfrac{Z_1 + Z_2 + Z_3}{Z_1 Z_3}$

10 전원 측 저항 1[kΩ], 부하저항 10[Ω]일 때, 이것에 변압비 $n:1$의 이상변압기를 사용하여 정합을 취하려 한다. n의 값으로 옳은 것은?

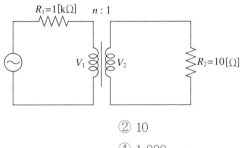

① 1

② 10

③ 100

④ 1,000

11 저항 $R = 6[\Omega]$과 유도리액턴스 $X_L = 8[\Omega]$이 직렬로 접속된 회로에서 $v = 200\sqrt{2}\sin\omega t[\text{V}]$인 전압을 인가하였다. 이 회로의 소비되는 전력[kW]은?

① 1.2

② 2.2

③ 2.4

④ 3.2

12 그림과 같은 회로의 전달함수는?$\left(\text{단, } T_1 = R_1 C, \ T_2 = \dfrac{R_2}{R_1 + R_2} \text{ 이다}\right)$

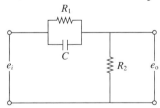

① $\dfrac{1}{1 + T_1 s}$

② $\dfrac{T_2(1 + T_1 s)}{1 + T_1 T_2 s}$

③ $\dfrac{1 + T_1 s}{1 + T_2 s}$

④ $\dfrac{T_2(1 + T_1 s)}{T_1(1 + T_2 s)}$

13 그림에서 10[Ω]의 저항에 흐르는 전류는 몇 [A]인가?

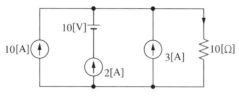

① 13

② 14

③ 15

④ 16

14 그림과 같은 회로에서 $L_1[\text{H}]$ 양단의 전압 $V_1[\text{V}]$은?(단, 상호 인덕턴스는 무시한다)

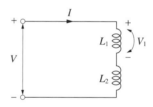

① $\dfrac{L_1}{L_1 + L_2} V$

② $\dfrac{L_1 + L_2}{L_1} V$

③ $\dfrac{L_2}{L_1 + L_2} V$

④ $\dfrac{L_1 + L_2}{L_2} V$

15 $F(s) = \dfrac{2}{(s+1)(s+3)}$ 의 역라플라스 변환은?

① $e^{-t} - e^{-3t}$

② $e^{-t} - e^{3t}$

③ $e^{t} - e^{3t}$

④ $e^{t} - e^{-3t}$

16 그림과 같은 반파정현파의 실횻값은?

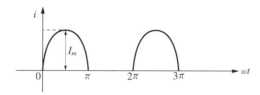

① $\dfrac{1}{\sqrt{2}} I_m$

② $\dfrac{2}{\pi} I_m$

③ $\dfrac{1}{\pi} I_m$

④ $\dfrac{1}{2} I_m$

17 두 개의 회로망 N_1과 N_2가 있다. $a-b$단자, $a'-b'$단자의 각각의 전압은 50[V], 30[V]이다. 또 양 단자에서 N_1, N_2를 본 임피던스가 15[Ω]과 25[Ω]이다. $a-a'$, $b-b'$를 연결하면 이때 흐르는 전류는 몇 [A]인가?

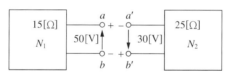

① 0.5

② 1

③ 2

④ 4

18 $\mathcal{L}[f(t)] = F(s) = \dfrac{5s+8}{5s^2+4s}$ 일 때, $f(t)$의 최종값 $f(\infty)$는?

① 1

② 2

③ 3

④ 4

19 대칭좌표법에 관한 설명이 아닌 것은?

① 대칭좌표법은 일반적인 비대칭 3상 교류회로의 계산에도 이용된다.

② 대칭 3상 전압의 영상분과 역상분은 0이고, 정상분만 남는다.

③ 비대칭 3상 교류회로는 영상분, 역상분 및 정상분의 3성분으로 해석한다.

④ 비대칭 3상 회로의 접지식 회로에는 영상분이 존재하지 않는다.

20 저항 1[Ω]과 인덕턴스 1[H]를 직렬로 연결한 후 60[Hz], 100[V]의 전압을 인가할 때 흐르는 전류의 위상은 전압의 위상보다 어떻게 되는가?

① 뒤지지만 90° 이하이다.

② 90° 늦다.

③ 앞서지만 90° 이하이다.

④ 90° 빠르다.

01

$G(s) = \dfrac{\dfrac{1}{sC}}{R + sL + \dfrac{1}{sC}}$ 분모와 분자에 sC를 곱하면

$= \dfrac{1}{s^2 LC + sRC + 1} = \dfrac{\dfrac{1}{LC}}{s^2 + \dfrac{RC}{LC}s + \dfrac{1}{LC}}$

$= \dfrac{\dfrac{1}{2 \times 200 \times 10^{-6}}}{s^2 + \dfrac{100}{2}s + \dfrac{1}{2 \times 200 \times 10^{-6}}} = \dfrac{2,500}{s^2 + 50s + 2,500}$

$s^2 + 50s + 2,500 = 0$

$s^2 + 2\zeta\omega_n s + \omega_n^2 = 0$

$\omega_n^2 = 2,500 \qquad \omega_n = 50$

$2\zeta\omega_n = 50$

$2 \cdot \zeta \cdot 50 = 50 \qquad \zeta = \dfrac{1}{2} = 0.5$

$\therefore \omega_n = 50, \ \zeta = 0.5$

02 전달함수 $G(s) = \dfrac{20}{3 + 2s}$ 에서

$G(j\omega) = \dfrac{20}{3 + j2\omega} = \dfrac{20}{3 + j2 \times 2} = \dfrac{20}{3 + j4} \fallingdotseq \dfrac{20}{5 \angle 53.1°} = 4 \angle -53.1°$

03 $G(s) = K_P\left(1 + \dfrac{1}{T_i s}\right) = 3\left(1 + \dfrac{1}{3s}\right) = 3 + \dfrac{1}{s}$

$G(s) = \dfrac{Y(s)}{X(s)}$

$Y(s) = G(s)X(s) = \left(3 + \dfrac{1}{s}\right) \times \dfrac{2}{s^2} = \dfrac{6}{s^2} + \dfrac{2}{s^3}$

$y(t) = 6t + t^2$

04

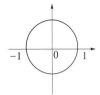

단위원 내부에 근이 있으면 안정

05 극점 또는 영점의 개수가 많은 것이 근궤적의 가지수
- 극점 0, −1, −3, −4
- 영점 −2

극점이 4개이므로 근궤적의 가지수는 4개

06

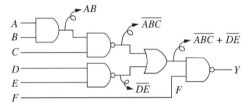

$$\overline{(\overline{ABC} + \overline{DE}) \cdot F} = \overline{\overline{ABC} + \overline{DE}} + \overline{F}$$
$$= \overline{\overline{\overline{ABC}}} \cdot \overline{\overline{\overline{DE}}} + \overline{F}$$
$$= ABCDE + \overline{F}$$

07 $R-C$ 직렬회로

[문제] $G(s) = \dfrac{\dfrac{1}{sC} \times sC}{R + \dfrac{1}{sC} \times sC} = \dfrac{1}{sRC+1}$

③ $G(s) = \dfrac{\dfrac{1}{sRC} \times sRC}{1 + \dfrac{1}{sRC} \times sRC} = \dfrac{1}{sRC+1}$

08 $\phi(t) = \mathcal{L}^{-1}(sI-A)^{-1}$

$$\begin{bmatrix} s & 0 \\ 0 & s \end{bmatrix} - \begin{bmatrix} 0 & 1 \\ -2 & -3 \end{bmatrix} = \begin{bmatrix} s & -1 \\ 2 & s+3 \end{bmatrix}$$

$$\begin{bmatrix} s & -1 \\ 2 & s+3 \end{bmatrix}^{-1} = \frac{1}{s(s+3)+2}\begin{bmatrix} s+3 & 1 \\ -2 & s \end{bmatrix} = \frac{1}{s^2+3s+2}\begin{bmatrix} s+3 & 1 \\ -2 & s \end{bmatrix} = \frac{1}{(s+1)(s+2)}\begin{bmatrix} s+3 & 1 \\ -2 & s \end{bmatrix}$$

$$= \mathcal{L}^{-1}\begin{bmatrix} \dfrac{s+3}{(s+1)(s+2)} & \dfrac{1}{(s+1)(s+2)} \\ \dfrac{-2}{(s+1)(s+2)} & \dfrac{s}{(s+1)(s+2)} \end{bmatrix}$$

여기서, D 정수만 구하면 답을 알 수 있으므로

$$\frac{s}{(s+1)(s+2)} = \frac{A}{s+1} + \frac{B}{s+2}$$

$$A = \frac{s}{s+2}\bigg|_{s=-1} = -1$$

$$B = \frac{s}{s+1}\bigg|_{s=-2} = 2$$

$$\mathcal{L}^{-1}\left\{\frac{-1}{s+1} + \frac{2}{s+2}\right\} = -e^{-t} + 2e^{-2t}$$

09 편차상수

$$K_p = \lim_{s \to 0} \frac{6}{(s+1)(s+3)} = 2$$

정상위치편차

$$e_{ss} = \frac{1}{1+K_p} = \frac{1}{1+2} = \frac{1}{3}$$

10 $2s^4 + 10s^3 + 11s^2 + 5s + K = 0$

s^4	2	11	K
s^3	10	5	0
s^2	$\dfrac{110-10}{10} = 10$	$\dfrac{10K-0}{10} = K$	
s^1	$\dfrac{50-10K}{10} > 0$		
s^0	$K > 0$		

$\dfrac{50-10K}{10} > 0, \ K < 5$

$K > 0$

$\therefore \ 0 < K < 5$

11
$$I = \frac{V}{Z} = \frac{13+j20}{8+j6} = 2.24 + j0.82$$

$$P_a = V\dot{I} = (13+j20)(2.24-j0.82) = 45.5 + j34.1$$

12 $R-L(R-C)$ 직렬회로의 해석

구 분	과도$(t=0)$	정상$(t=\infty)$
$X_L = \omega L = 2\pi f L$	개 방	단 락
$X_C = \dfrac{1}{\omega C} = \dfrac{1}{2\pi f C}$	단 락	개 방

초기 저항에 흐르는 전류 $i_1(0^+) = \dfrac{V}{R_1}$

초기 인덕턴스에 흐르는 전류 $i_2(0^+) = 0$

13
- 전류의 분배 $I_{ab} = \dfrac{-j8}{j20 - j4 - j8} \times 8 = -8[\text{A}]$
- 단자전압 $V_{ab} = i \times X_L = -8 \times (j20) = -j160[\text{V}]$

14
정상분 전류 $I = \dfrac{1}{3}(I_a + aI_b + a^2 I_c)$에 값을 대입하면

$$I = \dfrac{1}{3}\left\{ (15+j2) + \left(-\dfrac{1}{2} + j\dfrac{\sqrt{3}}{2}\right)(-20-j14) + \left(-\dfrac{1}{2} - j\dfrac{\sqrt{3}}{2}\right)(-3+j10) \right\}$$

$$= \dfrac{1}{3}(15 + 10 + 7\sqrt{3} + 1.5 + 5\sqrt{3}) + j\dfrac{1}{3}\left(2 + 7 - 10\sqrt{3} - 5 + \dfrac{3}{2}\sqrt{3}\right)$$

$$= 15.7 - j3.57$$

15
$$v = \dfrac{1}{\sqrt{LC}} = \dfrac{1}{\sqrt{25 \times 10^{-3} \times 0.005 \times 10^{-6}}} \fallingdotseq 8.95 \times 10^4$$

16
Y결선에서 $I_l = I_p[\text{A}]$, $V_l = \sqrt{3}\, V_p[\text{V}]$

상전압 $V_p = ZI_p = \sqrt{16^2 + 12^2} \times 10 = 200[\text{V}]$

∴ 선간전압 $V_l = \sqrt{3}\, V_p = \sqrt{3} \times 200 \fallingdotseq 346.4[\text{V}]$

17
x 극점 분모 $= 0$, $-5+j20$, $-5-j20$
0 영점 분자 $= 0$, -10

$$Z(s) = \dfrac{s+10}{(s+5-j20)(s+5+j20)} = \dfrac{s+10}{(s+5)^2 + 20^2} = \dfrac{s+10}{s^2 + 10s + 425}$$

$$Z = \dfrac{1}{Y} = \dfrac{1}{\dfrac{1}{R+SL} + SC} = \dfrac{SL+R}{1+SRC+S^2LC} = \dfrac{\dfrac{1}{C}S + \dfrac{R}{LC}}{S^2 + \dfrac{R}{L}S + \dfrac{1}{LC}}$$

$Z(0) = 1$이므로, $S = 0$을 대입하면

$$Z(0) = \dfrac{\dfrac{R}{LC}}{\dfrac{1}{LC}} = 1 \text{에서 } R = 1[\Omega]$$

$$10S = \dfrac{R}{L}S$$

$$10 = \dfrac{1}{L}, \ L = \dfrac{1}{10} = 0.1[\text{H}]$$

$$425 = \dfrac{1}{LC}, \ C = \dfrac{1}{L \times 425} = \dfrac{1}{0.1 \times 425} \fallingdotseq 0.0235[\text{F}]$$

18
$$i = \dfrac{V_m}{Z}\sin(\omega t) = \dfrac{V_m}{\dfrac{1}{j\omega C}}\sin(\omega t) = j\omega C V_m \sin(\omega t) = \omega C V_m \sin(\omega t + 90°)$$

$$= 2\pi \times 10^3 \times 0.1 \times 10^{-6} \times 2,000 \sin(\omega t + 90°)$$

$$\fallingdotseq 1.256 \sin(\omega t + 90°)$$

19 $P = \dfrac{V_{m1}}{\sqrt{2}} \times \dfrac{I_{m1}}{\sqrt{2}} \cos\theta_1 + \dfrac{V_{m3}}{\sqrt{2}} \times \dfrac{I_{m3}}{\sqrt{2}} \cos\theta_3 \, (\theta\text{는 전압과 전류의 위상차})$

$P = \dfrac{100}{\sqrt{2}} \times \dfrac{20}{\sqrt{2}} \cos 60° + \dfrac{50}{\sqrt{2}} \times \dfrac{10}{\sqrt{2}} \cos 75° = 564.7 \fallingdotseq 565$

20   **중첩의 원리(전압원 : 단락, 전류원 : 개방)**

• 전류원만 인가 시 : 전압원 단락 $I_R{}' = \dfrac{1}{1+2} \times (-6) = -2[\text{A}]$

• 전압원만 인가 시 : 전류원 개방 $I_R{}'' = \dfrac{V_R}{R} = \dfrac{2}{2} = 1[\text{A}]$

∴ $I = I_R{}' + I_R{}'' = -2 + 1 = -1[\text{A}]$

전기공사기사		2023년 제1회 정답 및 해설							
01	02	03	04	05	06	07	08	09	10
②	④	④	④	①	②	②	④	①	④
11	12	13	14	15	16	17	18	19	20
②	③	③	①	③	①	②	③	④	①

01

$\phi(t) = \pounds^{-1}[SI - A]^{-1}$

$\begin{bmatrix} s & 0 \\ 0 & s \end{bmatrix} - \begin{bmatrix} 0 & 1 \\ -3 & -4 \end{bmatrix} = \begin{bmatrix} s & -1 \\ 3 & s+4 \end{bmatrix}$

$\begin{bmatrix} s & -1 \\ 3 & s+4 \end{bmatrix}^{-1} = \dfrac{1}{s(s+4)+3}\begin{bmatrix} s+4 & 1 \\ -3 & s \end{bmatrix} = \dfrac{1}{(s+1)(s+3)}\begin{bmatrix} s+4 & 1 \\ -3 & s \end{bmatrix}$ 에서

$\begin{bmatrix} A & B \\ C & D \end{bmatrix}$ 중 B를 구하면

$\dfrac{1}{(s+1)(s+3)} = \dfrac{K_1}{s+1} + \dfrac{K_2}{s+3}$

$K_1 = \dfrac{1}{s+3}\Big|_{s=-1} = \dfrac{1}{2}$

$K_2 = \dfrac{1}{s+1}\Big|_{s=-3} = -\dfrac{1}{2}$

$\dfrac{1}{2}\dfrac{1}{s+1} - \dfrac{1}{2}\dfrac{1}{s+3}$ 을 역라플라스 변환을 하면

$0.5e^{-t} - 0.5e^{-3t}$ 이므로

B값 중에서 찾으면 ②번이 답이다.

02

• 극점 : 0, 0, −1, −3, −4

• 영점 : −3

$\therefore \ \dfrac{P_T - Z_T}{P_N - Z_N} = \dfrac{-8+3}{5-1} = -\dfrac{5}{4}$

03

$\dfrac{s^2 + 3s + 5}{2s} = \dfrac{1}{2}s + \dfrac{3}{2} + \dfrac{5}{2s} = \dfrac{3}{2}\left(1 + \dfrac{1}{3}s + \dfrac{1}{\frac{3}{5}s}\right)$

$\therefore$ 비례적분미분동작(PID동작)

$G(s) = K_p\left(1 + T_d s + \dfrac{1}{T_i s}\right)$

04

$G(s) = \dfrac{1}{3s^2 + 4s + 1} = \dfrac{\frac{1}{3}}{s^2 + \frac{4}{3}s + \frac{1}{3}}$

$G(s) = \dfrac{\omega_n^2}{s^2 + 2\delta\omega_n s + \omega_n^2}$

$\omega_n^2 = \dfrac{1}{3}, \ \omega_n = \dfrac{1}{\sqrt{3}}$

$2\delta\omega_n = \frac{4}{3}$ 에서

$2\delta\frac{1}{\sqrt{3}} = \frac{4}{3}$

$\delta = \frac{4}{3} \times \frac{\sqrt{3}}{2} \fallingdotseq 1.154$

∴ 제동비가 1보다 크므로 과제동이다.

05 $\overline{A}BC\overline{D} + \overline{A}BCD + \overline{A}\,\overline{B}C\overline{D} + \overline{A}\,\overline{B}CD = \overline{A}BC(\overline{D} + D) + \overline{A}\,\overline{B}C(\overline{D} + D)$

$= \overline{A}BC + \overline{A}\,\overline{B}C = \overline{A}C(B + \overline{B}) = \overline{A}C$

06 $2s^4 + 10s^3 + 11s^2 + 5s + K = 0$

s^4	2	11	K
s^3	10	5	0
s^2	$\frac{110-10}{10} = 10$	$\frac{10K-0}{10} = K$	
s^1	$\frac{50-10K}{10} > 0$		
s^0	$K > 0$		

$\frac{50-10K}{10} > 0, \ K < 5$

$K > 0$

∴ $0 < K < 5$

07 $e_{ss} = \frac{1}{1+K_p} = \frac{1}{1+\frac{1}{2}} = \frac{1}{\frac{3}{2}} = \frac{2}{3}$

$K_p = \lim_{s\to 0} G(s)$

$= \lim_{s\to 0} \frac{1}{(s+1)(s+2)}$

$= \frac{1}{2}$

08 $G(s) = \frac{P_1 + P_2 \cdots}{1 - L_1 - L_2 \cdots}$

$P = G_1 G_2 G_3, \ L_1 = -G_2 G_3, \ L_2 = -G_1 G_2 G_4$

∴ $G(s) = \frac{G_1 G_2 G_3}{1 + G_2 G_3 + G_1 G_2 G_4}$

09
$$\begin{pmatrix} s & 0 \\ 0 & s \end{pmatrix} - \begin{pmatrix} 1 & -2 \\ -3 & 2 \end{pmatrix} = \begin{pmatrix} s-1 & 2 \\ 3 & s-2 \end{pmatrix}$$

$(s-1)(s-2) - 2 \times 3 = 0$

$s^2 - 3s + 2 - 6 = 0$

$s^2 - 3s - 4 = 0$

$(s-4)(s+1) = 0$

$s = 4, \ -1$

10
$$G(s) = \frac{1\angle 0°}{\sqrt{\omega^2 T^2 + 1}\angle \tan^{-1}\dfrac{\omega T}{1}} = \frac{1}{\sqrt{\omega^2 T^2 + 1}}\angle -\tan^{-1}\omega T$$

11 Y결선에서 $I_l = I_p[\text{A}], \ V_l = \sqrt{3}\,V_p[\text{V}]$

- 상전류 $I_p = \dfrac{V_p}{Z} = \dfrac{\dfrac{100\sqrt{3}}{\sqrt{3}}}{10} = 10[\text{A}]$

- 선전류 $I_l = I_p = 10[\text{A}]$

12 유효전력 $P = \dfrac{V^2 R}{R^2 + X^2}$

피상전력 $P_a = \dfrac{V^2 Z}{R^2 + X^2}$

무효전력 $P_r = \dfrac{V^2 X}{R^2 + X^2}$

13 $v = 10\sin(377t + \theta)$

1) $t \to 0$일 때 $v = 10\sin\theta = 5$

$\sin\theta = \dfrac{5}{10}$

$\theta = \sin^{-1}\dfrac{1}{2}$

$\theta = 30°$

2) $t \to 2[\text{ms}]$일 때 $v = 10\sin(2\times\pi\times 60\times 2\times 10^{-3} + 30) = 10\sin 73.2°$

※ 이때 π는 $180°$로 계산

14 $R-L(R-C)$ 직렬회로의 해석

구 분	과도($t=0$)	정상($t=\infty$)
$X_L = \omega L = 2\pi f L$	개 방	단 락
$X_C = \dfrac{1}{\omega C} = \dfrac{1}{2\pi f C}$	단 락	개 방

초기 저항에 흐르는 전류 $i_1(0^+) = \dfrac{V}{R_1}$

초기 인덕턴스에 흐르는 전류 $i_2(0^+) = 0$

15
- 무왜형 조건 : $RC = LG$
- 무손실 조건 : $R = G = 0$
- 특성임피던스 $Z_0 = \sqrt{\dfrac{Z}{Y}} = \sqrt{\dfrac{L}{C}}$
- 전파정수 $\gamma = \sqrt{ZY} = \alpha + j\beta(\alpha$: 감쇠량, β : 위상정수$)$
- 전파속도 $v = \dfrac{\omega}{\beta} = \dfrac{\omega}{\omega\sqrt{LC}} = \dfrac{1}{\sqrt{LC}}[\mathrm{m/s}]$
- 무손실 : 감쇠정수 0, 위상정수 $j\omega\sqrt{LC}$
- 무왜형 : 감쇠정수 $\sqrt{RG}$, 위상정수 $j\omega\sqrt{LC}$

16
$$I_2 = \frac{1}{3}(I_a + a^2 I_b + aI_c) = \frac{1}{3}\{15 + j2 + 1\angle240\times(-20 - j14) + 1\angle120\times(-3 + j10)\} \fallingdotseq 1.91 + j6.24$$

17
$$P = \frac{100}{\sqrt{2}}\times\frac{20}{\sqrt{2}}\cos30° - \frac{50}{\sqrt{2}}\times\frac{10}{\sqrt{2}}\cos60° + \frac{20}{\sqrt{2}}\times\frac{5}{\sqrt{2}}\cos45° \fallingdotseq 776.4[\mathrm{W}]$$

$$P_a = \sqrt{\left(\frac{100}{\sqrt{2}}\right)^2 + \left(\frac{50}{\sqrt{2}}\right)^2 + \left(\frac{20}{\sqrt{2}}\right)^2}\times\sqrt{\left(\frac{20}{\sqrt{2}}\right)^2 + \left(\frac{10}{\sqrt{2}}\right)^2 + \left(\frac{5}{\sqrt{2}}\right)^2} \fallingdotseq 1,301.2$$

$$\cos\theta = \frac{P}{P_a}\times100 = \frac{776.4}{1,301.2}\times100 \fallingdotseq 59.67 \fallingdotseq 59.7[\%]$$

18
- 전압원 해석 시
- 전류원 해석 시

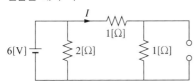

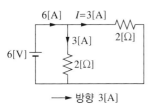

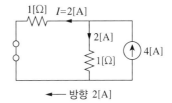

그러므로 → 3[A] ← 2[A]이며,
→ 1[A]이다.

19

$$A = 1 + \frac{Z_A}{Z_B}$$

$$B = Z_A$$

$$C = \frac{Z_A + Z_B + Z_C}{Z_B Z_C}$$

$$D = 1 + \frac{Z_A}{Z_C}$$

20

$$V_C = E\left(1 - e^{-\frac{1}{RC}t}\right)$$

$t = 0$을 대입하면 $V_C = E\left(1 - e^{-\frac{1}{RC}t}\right) = 0[\text{V}]$

전기공사기사	2023년 제2회 정답 및 해설								
01	02	03	04	05	06	07	08	09	10
③	①	①	③	②	④	③	①	③	④
11	12	13	14	15	16	17	18	19	20
①	③	④	②	②	①	③	②	①	②

01 **자동제어 시스템의 분류**
- 목푯값에 의한 분류
  정치제어, 추치제어 : 프로그램제어, 추종제어, 비율제어
- 제어량에 의한 분류
  서보기구(Servomechanism), 프로세스제어, 자동조정

02 **트랜지스터 논리회로**
트랜지스터의 동작 : B에 신호 인가 시 C에서 E로 전류가 흐른다.

X	Y	D
0	0	1
0	1	0
1	0	0
1	1	0

위 진리표의 결과는 NOR소자에 해당된다.
(입력 측 : OR, 출력 측 : NOT)

03 $G(s) = \dfrac{C}{R} = \dfrac{G_1 + G_2}{1 - G_1 H_1}$

$P_1 = G_1$

$P_2 = G_2$

$L = G_1 H_1$

04 $C(t) = X_1(t)$

$\dfrac{d}{dt} c(t) = X_2(t)$

$\dot{X}_1(t) = X_2(t)$

$\dot{X}_2(t) = r(t) - 4X_1(t) - 5X_2(t)$

$\begin{bmatrix} \dot{X}_1(t) \\ \dot{X}_2(t) \end{bmatrix} = \begin{bmatrix} 0 & 1 \\ -4 & -5 \end{bmatrix} \begin{bmatrix} X_1(t) \\ X_2(t) \end{bmatrix} + \begin{bmatrix} 0 \\ 1 \end{bmatrix} r(t)$

05

$s^2 + 6s + 25 = 0$

$s^2 + 2\delta\omega_n s + \omega_n^2 = 0$

$\omega_n^2 = 25 \rightarrow \omega_n = 5$

$2 \cdot \delta \cdot 5 = 6 \rightarrow \delta = \dfrac{6}{10} = 0.6$

감쇠진동주파수 $\omega_d = \omega_n \sqrt{1 - \delta^2} = 5\sqrt{1 - 0.6^2} = 4$

06

$G(j\omega) = \dfrac{1}{j100\omega}$

$G(j\omega) = \dfrac{1}{j100 \times 1}$

분모에 j가 있으므로 $-90°$

$20\log|G(j\omega)| = 20\log\dfrac{1}{100} = 20\log10^{-2} = -40[\text{dB}]$

07 특성방정식의 근의 위치에 따른 안정도 판별

안정도	s평면의 근의 위치	z평면의 근의 위치
안 정	좌반면	단위원 내부
불안정	우반면	단위원 외부
임계안정	허수축	단위원주상

08

$$\overbrace{\ 10\ }$$

$1s^3 + 2s^2 + (k+3)s + 10 = 0$

$$\underbrace{\ 2k+6\ }$$

$2k + 6 > 10$

$2k > 4$

$k > 2$

09 극점 또는 영점의 개수가 많은 것이 근궤적의 가지수
- 극점 0, -1, -3, -4
- 영점 -2

극점이 4개이므로 근궤적의 가지수는 4개

10

$$G(s) = \frac{E_o(s)}{E_i(s)} = \frac{\left(-R + \dfrac{1}{sC}\right) \times sC}{\left(R + \dfrac{1}{sC}\right) \times sC} = \frac{1 - RsC}{RsC + 1}$$

11 대칭 n상 Y결선(성형결선)

선간전압과 상전압 간의 위상차 $\theta = \dfrac{\pi}{2}\left(1 - \dfrac{2}{n}\right)$만큼 앞선다.

12

$$T = \frac{L}{R} = \frac{5}{50} = 0.1$$

13

- 극점(Pole) : 2단자 임피던스의 분모＝0인 경우 $Z = \infty$(회로 개방)

- 2단자 임피던스 $Z(s) = \dfrac{\text{영점}}{\text{극점}} = \dfrac{(s+2)(s+3)}{(s+4)(s+5)}$

$\therefore$ 극점 : $s = -4, \ -5$

14

$$Y = Y_1 + Y_2$$

$$= \frac{1}{R} + \frac{1}{jX_L}$$

$$= \frac{1}{\frac{1}{3}} + \frac{1}{j\frac{1}{4}} = 3 - j4$$

15

$R - C$ 직 · 병렬회로

- 전달함수

$$G(s) = \frac{\text{출력}}{\text{입력}} = \frac{R_2}{\dfrac{R_1}{R_1 Cs + 1} + R_2} = \frac{R_2 + R_1 R_2 Cs}{R_1 + R_2 + R_1 R_2 Cs}$$

- 조건 : $T_1 = R_1 C$, $T_2 = \dfrac{R_2}{R_1 + R_2}$ 일 때

$$G(s) = \frac{\dfrac{R_2}{R_1 + R_2} + \dfrac{R_1 R_2 Cs}{R_1 + R_2}}{1 + \dfrac{R_1 R_2 Cs}{R_1 + R_2}} = \frac{T_2 + T_1 T_2 s}{1 + T_1 T_2 s} = \frac{T_2(1 + T_1 s)}{1 + T_1 T_2 s}$$

16

$$\cos\theta = \frac{W_1 + W_2}{2\sqrt{W_1^2 + W_2^2 - W_1 W_2}} = \frac{2.36 + 5.95}{2\sqrt{2.36^2 + 5.95^2 - 2.36 \times 5.95}} \times 100 \fallingdotseq 80[\%]$$

$$\cos\theta = \frac{W_1 + W_2}{\sqrt{3}\ VI} \times 100 \fallingdotseq 80[\%]$$

17

$$Z_0 = \sqrt{\frac{Z}{Y}}, \ \gamma = \sqrt{ZY}$$

$$Z_0 \cdot \gamma = \sqrt{\frac{Z}{Y} \cdot ZY}$$

$$Z_0 \gamma = Z$$

18 **중첩의 원리(전압원 : 단락, 전류원 : 개방)**

- 전류원만 인가 시 : 전압원 단락 $I_R{}' = \dfrac{1}{1+2} \times (-9) = -3[\text{A}]$

- 전압원만 인가 시 : 전류원 개방 $I = \dfrac{V}{R} = \dfrac{6}{3} = 2[\text{A}]$

$$I_R{}'' = \frac{V_R}{R} = \frac{2}{2} = 1[\text{A}]$$

$$\therefore \ I = I_R{}' + I_R{}'' = -3 + 1 = -2[\text{A}]$$

19 80[V], 50[V], 50[V]를 벡터로 표현하면

$$V_a = 80, \ V_b = -40 - j30, \ V_c = -40 + j30$$

$$a = -\frac{1}{2} + j\frac{\sqrt{3}}{2}, \ a^2 = -\frac{1}{2} - j\frac{\sqrt{3}}{2}$$

$$\text{불평형률} = \frac{\text{역상분}}{\text{정상분}} \times 100 = \frac{\dfrac{1}{3}(V_a + a^2 V_b + a V_c)}{\dfrac{1}{3}(V_a + a V_b + a^2 V_c)} \times 100$$

공식에 위 수식을 아래 수식에 대입하여 계산하면 39.6[%]가 나온다.

20 $E = Ir + IR$

$E = Ir + V$

$E - V = Ir$

$E - V = \dfrac{V}{R}r$

$R = \dfrac{V}{E - V}r$

전기공사기사	2023년 제4회 정답 및 해설								
01	02	03	04	05	06	07	08	09	10
①	①	①	④	③	③	④	①	②	④
11	12	13	14	15	16	17	18	19	20
④	③	②	③	②	③	①	②	①	④

01
$$\begin{pmatrix} s & 0 \\ 0 & s \end{pmatrix} - \begin{pmatrix} 1 & -2 \\ -3 & 2 \end{pmatrix} = \begin{pmatrix} s-1 & 2 \\ 3 & s-2 \end{pmatrix}$$

$(s-1)(s-2) - 2 \times 3 = 0$

$s^2 - 3s + 2 - 6 = 0$

$s^2 - 3s - 4 = 0$

$(s-4)(s+1) = 0$

$s = 4, \; -1$

02
- **비례제어(P 제어)** : 잔류편차(Off Set) 발생
- **비례적분제어(PI 제어)** : 잔류편차 제거, 시간지연(정상상태 개선)
- **비례미분제어(PD 제어)** : 속응성 향상, 진동억제(과도상태 개선)
- **비례미분적분제어(PID 제어)** : 속응성 향상, 잔류편차 제거

03
Routh-Hurwitz의 성립 및 안정조건
- 안정조건 : 제1열의 부호의 변화가 없어야 한다.
- 성립조건
  - 모든 계수가 같은 부호여야 한다.
  - 계수 중 어느 하나라도 0이 되어서는 안 된다.

04
$P = G_2$

$L = -\dfrac{G_2}{G_1}$

$$G(s) = \frac{P}{1-L} = \frac{G_2}{1 + \dfrac{G_2}{G_1}} = \frac{\dfrac{G_2}{1}}{\dfrac{G_1 + G_2}{G_1}} = \frac{G_1 G_2}{G_1 + G_2}$$

05
- 오버슈트 : 과도상태 중 계단입력을 초과하여 나타나는 출력의 최대편차량, 안정성의 기준
- 감쇠비 : 과도응답의 소멸되는 정도를 나타내는 양
- ※ 감쇠비 $= \dfrac{\text{제2오버슈트}}{\text{최대오버슈트}}$

06

$$c(t) = \mathcal{L}^{-1} G(s) R(s)$$

단위 임펄스 응답은 $R(s) = 1$이므로

$$= \mathcal{L}^{-1} \frac{1}{s^2 + 2s + 1}$$

$$= \mathcal{L}^{-1} \frac{1}{(s+1)^2}$$

$$c(t) = te^{-t}$$

07

$$\frac{3}{s+1} = A + 1$$

$$A = \frac{3}{s+1} - 1 = \frac{3 - s - 1}{s+1} = \frac{-s+2}{s+1}$$

08 PB1 스위치를 눌렀다 놓아도 $\otimes$계전기가 계속 여자되어 있는 회로 → 자기유지회로

09

$$\frac{C(z)}{R(z)} = \frac{G(z)}{1 + G(z)}$$

10
- 적분회로(지상회로) : 콘덴서가 출력단에 위치한다.
- 미분회로(진상회로) : 콘덴서가 입력단에 위치한다.

11 **4단자 정수**

$$\dot{A} = \frac{\dot{V_1}}{\dot{V_2}} \bigg|_{\dot{I_2}=0} = \frac{12}{4} = 3, \quad \dot{B} = \frac{\dot{V_1}}{\dot{I_2}} \bigg|_{\dot{V_2}=0} = \frac{16}{2} = 8$$

$$\dot{C} = \frac{\dot{I_1}}{\dot{V_2}} \bigg|_{\dot{I_2}=0} = \frac{2}{4} = 0.5, \quad \dot{D} = \frac{\dot{I_1}}{\dot{I_2}} \bigg|_{\dot{V_2}=0} = \frac{4}{2} = 2$$

12

$$P_a = \frac{3V_l^2 Z}{R^2 + X^2} = \frac{3 \times 200^2 \times \sqrt{14^2 + 48^2}}{14^2 + 48^2} = 2,400 [\text{VA}]$$

13

$$Z = \frac{\frac{R}{j\omega C}}{R + \frac{1}{j\omega C}} = \frac{R}{1 + j\omega CR}$$

$$e(t) = Ae^{j\theta} = Ae^{j\omega t}$$

$$e(t) = 3e^{-5t} = Ae^{j\omega t} \text{에서 } j\omega = -5\text{를 대입하면}$$

$$Z = \frac{R}{1 - 5CR}$$

14

$$I = \frac{V}{R} = \frac{5}{5} = 1 [\text{A}]$$

15 전파속도 $v = \dfrac{\omega}{\beta} = \lambda f[\mathrm{m/s}]$

$\therefore$ 파장 $\lambda = \dfrac{\omega}{f\beta} = \dfrac{2\pi f}{f\beta} = \dfrac{2\pi}{\beta}[\mathrm{m}]$

여기서, v : 속도, ω : 각속도, β : 위상정수

16 $T = \dfrac{L}{R} = \dfrac{5}{50} = 0.1$

17 $2W = 3V_p I_p$ 에서 $W = \dfrac{3\left(\dfrac{V_l}{\sqrt{3}}\right) \times \left(\dfrac{\dfrac{V_l}{\sqrt{3}}}{Z}\right)}{2} = \dfrac{3\left(\dfrac{220}{\sqrt{3}} \times \dfrac{\dfrac{220}{\sqrt{3}}}{100}\right)}{2} = 242[\mathrm{W}]$

18 $I_1 = \dfrac{1}{3}\left(I_a + aI_b + a^2 I_c\right)$

$= \dfrac{1}{3}\left(10 + j3 + 1\angle 120° \times (-5 - j2) + 1\angle 240° \times (-3 + j4)\right)$

$= 6.398 + j0.0893 = \sqrt{6.398^2 + 0.0893^2} = 6.398 \fallingdotseq 6.4[\mathrm{A}]$

19 $Z_A = 3 + j5,\ Z_B = 5 + j$

합성 $Z = 8 + j6$

$I = \dfrac{V}{Z} = \dfrac{100}{8 + j6} = 8 - j6$에서 계산기 SHIFT 2.3번을 누르면 $10\angle -36.86°$

20
$A = 1 + \dfrac{R_1}{R_2}$ $\qquad\qquad$ $A = 1$

$B = R_1$ $\qquad\qquad\qquad$ $B = R_4$

$C = \dfrac{1}{R_2}$ $\qquad\qquad\quad$ $C = \dfrac{1}{R_3}$

$D = 1$ $\qquad\qquad\qquad$ $D = 1 + \dfrac{R_4}{R_3}$

※ $R_2 = R_3$이면 C가 동일,

$R_1 = R_4 = 0$이면 $A,\ B,\ D$가 동일

01	02	03	04	05	06	07	08	09	10
④	④	②	④	②	①	②	②	④	②
11	12	13	14	15	16	17	18	19	20
①	①	④	②	①	②	④	④	②	②

01 $R-L$ **직렬회로, 직류인가**

회로방정식 $RI(s) + \dfrac{1}{Cs}I(s) = \dfrac{E}{s}$

전류 $i(t) = \dfrac{E}{R}\left(1 - e^{-\frac{R}{L}t}\right)$

시정수 $T = \dfrac{L}{R} = \dfrac{1}{20 \times 10^{-3}} = 50[\mathrm{s}]$

∴ 저항 2배인 경우 시정수

$T \propto \dfrac{1}{R}, \quad T' = \dfrac{1}{2}T = \dfrac{1}{2} \times 50 = 25[\mathrm{s}]$

02 **구형파** : 무수히 많은 고조파 성분이 포함되어 있다.

03

$I_1 = \dfrac{1}{3}\left(I_a + aI_b + a^2 I_c\right)$

$= \dfrac{1}{3}(10 + j3 + 1\angle 120 \times (-5 - j2) + 1\angle 240 \times (-3 + j4))$

$= 6.398 + j0.0893 = \sqrt{6.398^2 + 0.0893^2} = 6.398 \fallingdotseq 6.4[\mathrm{A}]$

04 출력비(고장률) = 57.7[%]

이용률 = 86.6[%]

05

$I_{av} = \dfrac{2}{\pi}I_m = \dfrac{2}{\pi} \times 3\sqrt{2} \fallingdotseq 2.7[\mathrm{A}]$

06 인덕턴스의 병렬연결, 가극성($-M$)이므로

합성인덕턴스 $L = M + \dfrac{(L_1 - M)(L_2 - M)}{(L_1 - M) + (L_2 - M)} = \dfrac{L_1 L_2 - M^2}{L_1 + L_2 - 2M}$

07 $Z_{11} = 3 + 5 = 8$

$Z_{12} = Z_{21} = 5$

$Z_{22} = 2 + 5 = 7$

08

$$왜형률 = \frac{전고조파의\ 실횟값}{기본파의\ 실횟값} = \frac{\sqrt{\left(\frac{20}{\sqrt{2}}\right)^2 + \left(\frac{30}{\sqrt{2}}\right)^2 + \left(\frac{40}{\sqrt{2}}\right)^2}}{\frac{56}{\sqrt{2}}}\ 에서$$

분모・분자의 $\sqrt{2}$ 가 약분되므로(최댓값을 적용시켜도 됨)

$$왜형률 = \frac{\sqrt{20^2 + 30^2 + 40^2}}{56} = 0.96$$

09

$$V_{20} = I_{20}R_{20} = 6 \times 20 = 120[\text{V}]$$
$$V_{30} = I_{30}R_{30} = I_{30} \times 30 = 120[\text{V}]$$
$$I_{30} = 4[\text{A}]$$
$$\therefore\ I = I_{20} + I_{30} = 6 + 4 = 10[\text{A}]$$

10

$$I_L = \frac{V}{X_L} = \frac{V}{j\omega L} = \frac{1}{j4} = -j0.25$$

$$I_C = \frac{V}{X_C} = \frac{V}{-j\frac{1}{\omega C}} = j\frac{1}{4} = j0.25$$

$$I = I_R + I_L + I_C = 0.5 - j0.25 + j0.25 = 0.5$$
(L과 C가 병렬공진이므로 $I = I_R$에 흐르는 전류는 같다)

11 **$R - L - C$ 직렬회로**

• 입력 : $E_i(s) = \left(R + Ls + \frac{1}{Cs}\right)I(s) = \left(1 + s + \frac{5}{s}\right)I(s)$

• 출력 : $V_R(s) = I(s)$

• 전달함수 $G(s) = \dfrac{I(s) \times s}{\left(1 + s + \frac{5}{s}\right)I(s) \times s} = \dfrac{s}{s^2 + s + 5}$

$s = j\omega$를 대입 $H(s) = \dfrac{j\omega}{-\omega^2 + j\omega + 5} = \dfrac{j\omega}{(5 - \omega^2) + j\omega}$

12

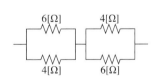

$$\frac{6 \times 4}{6 + 4} = 2.4[\Omega]$$

$$2.4[\Omega] + 2.4[\Omega] = 4.8[\Omega]$$

$$V_a = 4[\text{V}],\ V_b = 6[\text{V}]\,(V_a,\ V_b점의\ 전위차)$$

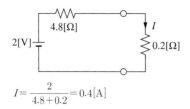

$$I = \frac{2}{4.8 + 0.2} = 0.4[\text{A}]$$

13

$$A = 1 + \frac{R_1}{R_2} \qquad\qquad A = 1$$

$$B = R_1 \qquad\qquad B = R_4$$

$$C = \frac{1}{R_2} \qquad\qquad C = \frac{1}{R_3}$$

$$D = 1 \qquad\qquad D = 1 + \frac{R_4}{R_3}$$

※ $R_2 = R_3$이면 C가 동일,

$\quad R_1 = R_4 = 0$이면 A, B, D가 동일

14 테브낭의 정리를 이용한다.

$$R_T = \frac{RR_1}{R + R_1}$$

RC직렬 시정수 $\quad T = RC = R_T C = \dfrac{RR_1 C}{R + R_1}$

15 • 직류 $P = \dfrac{V^2}{R}$ 에서 $R = \dfrac{V^2}{P} = \dfrac{100^2}{500} = 20[\Omega]$

• 교류 $P = I^2 R = \left(\dfrac{V}{\sqrt{R^2 + X_L^2}} \right)^2 R$ 에서

$$R^2 + X_L^2 = \frac{RV^2}{P}$$

∴ 유도리액턴스

$$X_L = \sqrt{\frac{RV^2}{P} - R^2} = \sqrt{\frac{20 \times 150^2}{720} - 20^2} = 15[\Omega]$$

16 $Y = Y_1 + Y_2$

$$= \frac{1}{R} + \frac{1}{jX_L}$$

$$= \frac{1}{\dfrac{1}{3}} + \frac{1}{j\dfrac{1}{4}} = 3 - j4$$

17 3상 불평형률 $= \dfrac{\text{역상전압}}{\text{정상전압}} \times 100[\%]$

18 3상 소비전력 $P = \sqrt{3}\, V_l I_l \cos\theta\eta\,[\mathrm{W}]$

전류 $I_l = \dfrac{P}{\sqrt{3}\, V_l \cos\theta\eta} = \dfrac{3,700}{\sqrt{3}\times 200 \times 0.8 \times 0.9} \fallingdotseq 14.8\,[\mathrm{A}]$

19 **단상 소비전력**

$P = VI\cos\theta = \dfrac{141.4}{\sqrt{2}} \times \dfrac{\sqrt{8}}{\sqrt{2}} \times \cos 30° \fallingdotseq 173.2 \fallingdotseq 173\,[\mathrm{W}]$

여기서, 위상차 $\theta = \dfrac{\pi}{3} - \dfrac{\pi}{6} = \dfrac{\pi}{6} = 30°$

20 $f(t) = u(t-1) - u(t-2)$

$\quad = \dfrac{1}{s}e^{-s} - \dfrac{1}{s}e^{-2s}$

$\quad = \dfrac{1}{s}(e^{-s} - e^{-2s})$

전기공사산업기사	2023년 제2회 정답 및 해설								
01	02	03	04	05	06	07	08	09	10
③	③	②	①	③	③	①	①	①	③
11	12	13	14	15	16	17	18	19	20
③	②	①	②	④	④	②	③	③	①

01

$$\frac{V_2}{V_1} = \frac{R \times sC}{\left(R + \frac{1}{sC}\right) \times sC} = \frac{RsC \times \frac{1}{RC}}{(RsC+1) \times \frac{1}{RC}} = \frac{s}{s + \frac{1}{RC}} = \frac{j\omega}{j\omega + \frac{1}{RC}}$$

02

$$V_l = 2V_p \sin\frac{\pi}{n}$$

$$\therefore \ \frac{V_l}{V_p} = 2\sin\frac{\pi}{n}$$

03

- 유도리액턴스 $X_L = \omega L = 2\pi \times 1,000 \times 5 \times 10^{-3} \fallingdotseq 31.42[\Omega]$

- 용량리액턴스 $X_C = \frac{1}{\omega C} = \frac{1}{2\pi \times 1,000 \times C} = X_L = 31.42[\Omega]$

$\therefore$ 정전용량 $C = \frac{1}{\omega X_C} = \frac{1}{2\pi \times 1,000 \times X_C} = \frac{1}{2\pi \times 1,000 \times 31.42} \times 10^6 \fallingdotseq 5.07[\mu\text{F}]$

04 어드미턴스

$$Y = \frac{1}{R + j\omega L} + j\omega C = \frac{R - j\omega L}{(R + j\omega L)(R - j\omega L)} + j\omega C = \frac{R - j\omega L}{R^2 + (\omega L)^2} + j\omega C$$

$$= \frac{R}{R^2 + (\omega L)^2} - \frac{j\omega L}{R^2 + (\omega L)^2} + j\omega C = \frac{R}{R^2 + (\omega L)^2} + j\left(\omega C - \frac{\omega L}{R^2 + (\omega L)^2}\right)$$

공진 시 $\omega C = \frac{\omega L}{R^2 + (\omega L)^2}$ 이므로 대입하면

$R^2 + (\omega L)^2 = \frac{\omega L}{\omega C}$ 에서 $R^2 + (\omega L)^2 = \frac{L}{C}$

$\therefore \ Y = \frac{R}{R^2 + (\omega L)^2}$ 에서 $Y = \frac{R}{\frac{L}{C}} = \frac{RC}{L}$

05

$$I = \sqrt{I_0^2 + I_1^2 + I_3^2} = \sqrt{100^2 + 50^2 + 20^2} \fallingdotseq 114[\text{A}]$$

06

$$I_a = I_0 + I_1 + I_2 = -2 + j4 + 6 - j5 + 8 + j10$$
$$= 12 + j9$$
$$= \sqrt{12^2 + 9^2} = 15$$

07 4단자(변압기의 임피던스)

$V_1 = sL_1 I_1 + sM I_2$

$V_2 = sM I_1 + sL_2 I_2$

Z파라미터 $\begin{bmatrix} Z_{11} & Z_{12} \\ Z_{21} & Z_{22} \end{bmatrix} = \begin{bmatrix} sL_1 & sM \\ sM & sL_2 \end{bmatrix}$

08

$e = -M\dfrac{di}{dt} = -M\dfrac{d}{dt}I_m \sin\omega t = -\omega M I_m \cos\omega t = -\omega M I_m \sin(\omega t + 90°) = \omega M I_m \sin(\omega t - 90°)$

$\sin\omega t \xrightarrow{\text{미분}} \omega\cos\omega t \quad \cos\omega t \xrightarrow{\text{미분}} -\omega\sin\omega t$

09

$I_0 = \dfrac{1}{3}\left(I_a + I_b + I_c\right)$

$\quad = \dfrac{1}{3}\left\{30\sin\omega t + 30\sin(\omega t - 90°) + 30\sin(\omega t + 90°)\right\}$

$\quad\quad (i_b$와 i_c의 위상차가 180°이므로, $i_b + i_c = 0$이다$)$

$\quad = \dfrac{1}{3} \times 30\sin\omega t$

$\quad = 10\sin\omega t$

10

$E = 5(3 + r) = 15 + 5r$

$E = 2.5(8 + r) = 20 + 2.5r$

$15 + 5r = 20 + 2.5r$

$r = 2[\Omega]$

$E = 15 + 5r = 15 + 5 \times 2 = 25[\text{V}]$

11

$I_3 = \dfrac{E_3}{Z_3} = \dfrac{200}{\sqrt{8^2 + (2 \times 3)^2}} = 20[\text{A}]$

12 Y결선에서 $I_l = I_p[\text{A}]$, $V_l = \sqrt{3}\,V_p[\text{V}]$

• 상전류 $I_p = \dfrac{V_p}{Z} = \dfrac{\frac{200}{\sqrt{3}}}{10} \fallingdotseq 11.5[\text{A}]$

• 선전류 $I_l = I_p \fallingdotseq 11.5[\text{A}]$

13

$L_0 = L_1 + L_2 + 2M$

$15 = 5 + 3 + 2M$

$\therefore\ M = 3.5[\text{H}]$

14

$Z_p = \dfrac{V_p}{I_p} = \dfrac{\frac{173.2}{\sqrt{3}} \angle -30°}{20 \angle -120°} = \dfrac{100}{20} \angle -30° + 120° = 5 \angle 90°$

15
- 시정수 : 최종값(정상값)의 63.2[%] 도달하는 데 걸리는 시간
- 시정수가 클수록 과도현상은 오래 지속된다.
- 시정수는 소자(R, L, C)의 값으로 결정된다.
- 특성근 역의 절댓값이다.

16 **4단자 정수**

$$\dot{A} = \left.\frac{\dot{V_1}}{\dot{V_2}}\right|_{\dot{I_2}=0} = \frac{12}{4} = 3, \quad \dot{B} = \left.\frac{\dot{V_1}}{\dot{I_2}}\right|_{\dot{V_2}=0} = \frac{16}{2} = 8$$

$$\dot{C} = \left.\frac{\dot{I_1}}{\dot{V_2}}\right|_{\dot{I_2}=0} = \frac{2}{4} = 0.5, \quad \dot{D} = \left.\frac{\dot{I_1}}{\dot{I_2}}\right|_{\dot{V_2}=0} = \frac{4}{2} = 2$$

17

$$F(s) = \frac{1}{s+1} + \frac{6}{s^3} + \frac{3s}{s^2+4} + \frac{5}{s}$$

18

$$I = \frac{V}{Z} = \frac{13+j20}{8+j6} = 2.24 + j0.82$$

$$P_a = V\dot{I} = (13+j20)(2.24-j0.82) = 45.5 + j34.1$$

19 **정현파의 순시값**

$$v = V_m \sin(\omega t + \theta), \quad V_m = 100[\text{V}], \quad \theta = \frac{\pi}{6} \text{만큼 위상이 앞섬}$$

$$\therefore \quad v = 100\sin\left(\omega t + \frac{\pi}{6}\right)$$

20 스위치 S를 열기 전 L이 단락상태에서

정상전류 $i = \dfrac{E}{R} = \dfrac{20}{4} = 5[\text{A}]$

스위치 S를 열면

$i(t)$ = 정상전류 + 과도전류

$$= \frac{E}{R} + Ae^{-\frac{R}{L}t} = \frac{20}{4+6} + Ae^{-\frac{10}{2}t}$$

$$= 2 + Ae^{-5t}$$

$t(0)$, $i(0) = 2 + A = 5$

$A = 3$

$$\therefore \quad i(t) = 2 + 3e^{-5t}$$

전기공사산업기사	2023년 제4회 정답 및 해설								
01	02	03	04	05	06	07	08	09	10
③	①	④	①	③	④	④	③	②	②
11	12	13	14	15	16	17	18	19	20
③	②	③	①	①	④	③	②	④	①

01

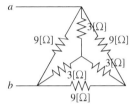

Y결선의 3[Ω]을 △결선으로 바꾸면 9[Ω]

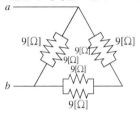

병렬 9[Ω] → 합성저항 4.5[Ω]

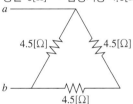

$$R(합성저항) = \frac{4.5 \times 9}{4.5 + 9} = 3[\Omega]$$

02 $R-L$ 직렬회로의 해석

- 전류 $i(t) = \dfrac{E}{R_1 + R_2}\left(1 - e^{-\frac{R_1 + R_2}{L}t}\right)$[A]

- 시정수 $T = \dfrac{L}{R} = \dfrac{L}{R_1 + R_2}$[s]

- 특성근 $P = -\dfrac{R_1 + R_2}{L}$

- 정상전류 $I_s = \dfrac{E}{R_1 + R_2}$

03 제3고조파 전류의 실횻값

$$I_3 = \frac{V_3}{Z_3} = \frac{V_3}{\sqrt{R^2 + (3\omega L)^2}} = \frac{150}{\sqrt{8^2 + (2 \times 3)^2}} = \frac{150}{10} = 15[\text{A}]$$

04

$$Z = \frac{V}{I} = \frac{14 + j38}{6 + j2} = 4 + j5$$

05

$\triangle$결선에서 $I_l = \sqrt{3}\, I_p [\text{A}]$, $V_l = V_p [\text{V}]$

상전류 $I_p = \frac{V_p}{Z} = \frac{200}{\sqrt{6^2 + 8^2}} = 20[\text{A}]$

$\therefore$ 선전류 $I_l = \sqrt{3}\, I_p = 20\sqrt{3}\,[\text{A}]$

06

Y결선 → △결선	△결선 → Y결선
3배	$\frac{1}{3}$ 배
저항, 임피던스, 선전류, 소비전력	

• 전원, Y결선에서 $I_{lY} = I_{pY}[\text{A}]$, $V_{lY} = \sqrt{3}\, V_{pY}[\text{V}]$

  상전류 $I_{pY} = \frac{V_{pY}}{R} = \frac{\frac{200}{\sqrt{3}}}{R} = \frac{200}{\sqrt{3}\,R}[\text{A}]$　　　　　선전류 $I_{lY} = I_{pY}[\text{A}]$

• 부하, △결선에서 $I_{l\triangle} = \sqrt{3}\, I_{p\triangle}[\text{A}]$, $V_{p\triangle} = V_{pY}\sqrt{3}\,[\text{V}]$

  상전류 $I_{p\triangle} = \frac{V_{p\triangle}}{R} = \frac{200}{R}[\text{A}]$　　　　　선전류 $I_{l\triangle} = \sqrt{3}\, I_{p\triangle} = \sqrt{3} \times \frac{200}{R}[\text{A}]$

  $\frac{I_{l\triangle}}{I_{lY}} = \sqrt{3} \times \frac{200}{R} \times \frac{\sqrt{3}\,R}{200}$

  $\therefore\ I_{l\triangle} = \sqrt{3} \times \frac{200}{R} \times \frac{\sqrt{3}\,R}{200} I_{lY} = 3I_{lY} = 3 \times 20 = 60[\text{A}]$

07

$Z_{01} = \sqrt{\frac{AB}{CD}}$　$Z_{02} = \sqrt{\frac{DB}{CA}}$ 에서 대칭일 때 $A = D$

$Z_{01} = Z_{02} = \sqrt{\frac{B}{C}} = \sqrt{\dfrac{\dfrac{300 \times 300 + 300 \times 450 + 450 \times 300}{450}}{\dfrac{1}{450}}} = 600[\Omega]$

08

부하 A P_A(피상전력) $= 600(0.6 - j0.8) = 360 - j480$
부하 B P_B(피상전력) $= 800(0.8 + j0.6) = 640 + j480$
합성 피상전력 $P = 360 - j480 + 640 + j480 = 1,000$
무효분이 0이므로 $\cos\theta = 1$ (유효전력=피상전력)
$P_a = P = 1,000[\text{kVA}]$

09

4단자(π형 회로 A, B, C, D 정수)

A	B	C	D
$1 + \frac{Z_3}{Z_2}$	Z_3	$\frac{Z_1 + Z_2 + Z_3}{Z_1 Z_2}$	$1 + \frac{Z_3}{Z_1}$

10 변압기 권수비 $a = \dfrac{n}{1} = n = \sqrt{\dfrac{R_1}{R_2}} = \sqrt{\dfrac{1,000}{10}} = 10$

11 유효전력 $P = \dfrac{V^2 R}{R^2 + X^2} = \dfrac{200^2 \times 6}{6^2 + 8^2} = 2,400\,[\text{W}] = 2.4\,[\text{kW}]$

12 $R-C$ 직·병렬회로
- 전달함수

$$G(s) = \dfrac{\text{출력}}{\text{입력}} = \dfrac{R_2}{\dfrac{R_1}{R_1 Cs + 1} + R_2} = \dfrac{R_2 + R_1 R_2 Cs}{R_1 + R_2 + R_1 R_2 Cs}$$

- 조건 : $T_1 = R_1 C$, $T_2 = \dfrac{R_2}{R_1 + R_2}$ 일 때

$$G(s) = \dfrac{\dfrac{R_2}{R_1 + R_2} + \dfrac{R_1 R_2 Cs}{R_1 + R_2}}{1 + \dfrac{R_1 R_2 Cs}{R_1 + R_2}} = \dfrac{T_2 + T_1 T_2 s}{1 + T_1 T_2 s} = \dfrac{T_2(1 + T_1 s)}{1 + T_1 T_2 s}$$

13 중첩의 원리
- 전압원 적용 : 전류 $= 0$
- 전류원 적용 : 전류원 총합 $I = 10 + 2 + 3 = 15\,[\text{A}]$

14 $V_1 = \dfrac{L_1}{L_1 + L_2} V$

15 $\dfrac{K_1}{s+1} + \dfrac{K_2}{s+3} = \dfrac{1}{s+1} - \dfrac{1}{s+3}$ 에서 $\mathcal{L}^{-1}\left[\dfrac{1}{s+1} - \dfrac{1}{s+3}\right] = e^{-t} - e^{-3t}$

여기서, $K_1 = \lim\limits_{s \to -1} \dfrac{2}{s+3} = 1$

$K_2 = \lim\limits_{s \to -3} \dfrac{2}{s+1} = -1$

16

	파 형	실횻값(V)	평균값(V_{av})	파형률	파고율
반 파	정현파(전파정류)	$\dfrac{V_m}{2}$	$\dfrac{1}{\pi} V_m$	1.57	2
	구형파	$\dfrac{V_m}{\sqrt{2}}$	$\dfrac{V_m}{2}$	1.414	1.414

17 $I = \dfrac{E_1 + E_2}{R_1 + R_2} = \dfrac{50 + 30}{15 + 25} = 2\,[\text{A}]$

18 최종값 $\lim_{s \to 0} s \cdot \dfrac{5s+8}{5s^2+4s} = \lim_{s \to 0} \dfrac{5s+8}{5s+4} = \dfrac{8}{4} = 2$

19 접지식, 지락, 3φ4W식의 중성선은 영상분이 존재한다.

20 $i = \dfrac{v}{z} = \dfrac{100 \angle 0°}{\sqrt{1^2 + (2\pi \times 60 \times 1)^2} \angle \tan^{-1}\left(\dfrac{377}{1}\right)} \fallingdotseq 0.265 \angle -89.84°$

좋은 책을 만드는 길, 독자님과 함께하겠습니다.

회로이론 및 제어공학

개정 2판1쇄 발행	2024년 01월 05일 (인쇄 2023년 11월 29일)
초 판 발 행	2022년 01월 05일 (인쇄 2021년 11월 16일)
발 행 인	박영일
책 임 편 집	이해욱
편 저	민병진
편 집 진 행	윤진영 · 김경숙
표 지 디 자 인	권은경 · 길전홍선
편 집 디 자 인	정경일 · 심혜림
발 행 처	(주)시대고시기획
출 판 등 록	제10-1521호
주 소	서울시 마포구 큰우물로 75 [도화동 538 성지 B/D] 9F
전 화	1600-3600
팩 스	02-701-8823
홈 페 이 지	www.sdedu.co.kr
I S B N	979-11-383-6369-3(14560)
	979-11-383-6365-5(세트)
정 가	18,000원

단기합격을 위한
완전학습서

Win-Q

윙크
시리즈

자격증 취득에 승리할 수 있도록 **Win-Q시리즈**는 완벽하게 준비하였습니다.

기술자격증 도전에 승리하다!

빨간키

핵심요약집으로
시험 전 최종점검

핵심이론

시험에 나오는 핵심만
쉽게 설명

핵심예제

꼭 알아야 할 내용을
다시 한번 풀이

기출문제

시험에 자주 나오는
문제유형 확인